JAPAN FOUNDATION
独立行政法人 国際交流基金 編著

MARUGOTO まるごと

日本のことばと文化

入門 A1 りかい

三修社

はじめに

国際交流基金は、海外における日本理解を深めること、また、国際相互理解を促進することを目的として、様々な文化交流事業を行っています。日本語教育においても、国際交流の場が人々の相互理解につながるように事業を展開することが重要だと考えています。本書『まるごと 日本のことばと文化』も、そうした考え方にもとづいて、成人学習者向けに開発された日本語コースブックです。

『まるごと 日本のことばと文化』は、ＪＦ日本語教育スタンダードに準拠して開発しました。『まるごと』という名前には、ことばと文化を「まるごと」、リアルなコミュニケーションを「まるごと」、日本人のありのままの生活や文化を「まるごと」伝えたいというメッセージが込められています。

本書を開発するにあたって、特に工夫したのは以下の点です。

- 言語パフォーマンスの学習を中心にした「かつどう」と、言語知識の学習を中心にした「りかい」の二巻構成とし、これにより学習者のニーズや学習スタイルに合わせて使えるようにしました。
- 異文化を理解して尊重することを重視し、多様な文化背景を持つ人々が日本語で交流する場面を各トピックに設定しました。
- 言語学習における音声インプットの役割を重視し、自然な文脈のある会話を聞く教室活動を数多く設けました。
- 学習者自身が学習を管理することを重視し、ポートフォリオ評価を導入しました。

本書を通じて、世界中の学習者の方たちに、日本語と日本文化、そして、その中で暮らしている人々を「まるごと」感じていただければ幸いです。

2014 年 6 月

独立行政法人国際交流基金

Introduction

Welcome to *Marugoto: Japanese Language and Culture*, a comprehensive series of coursebooks for adult learners of Japanese as a foreign language developed by the Japan Foundation and based on the JF Standard for Japanese Language Education.

The Japan Foundation engages in a variety of cultural exchange initiatives aimed at deepening understanding of Japan overseas and promoting mutual understanding between Japan and other countries. We think it is important that our work, including our work in Japanese language education, takes place in a way that encourages mutual understanding between people in situations where international cultural exchange takes place, and *Marugoto: Japanese Language and Culture* is based on this way of thinking.

The word *Marugoto* means 'whole' or 'everything' , and was chosen as the title of the coursebook because the course encompasses both language and culture, features communication between people in a range of situations, and allows you to experience a variety of aspects of Japanese culture through hundreds of colourful photographs and illustrations.

The coursebook also incorporates many innovative components for learning language including:

- learning divided into two volumes: *Katsudoo* (coursebook for communicative language activities), aimed at improving ability in language performance, and *Rikai* (coursebook for language competences), aimed at improving ability in language knowledge - so that you can choose a method of study that meets your needs and suits your learning style
- designed with an emphasis on understanding and respecting other cultures, and containing situations where people from a variety of cultural backgrounds interact in Japanese
- learning Japanese through listening to a variety of natural contextualized conversations
- management of your own learning through a portfolio approach

We hope that *Marugoto: Japanese Language and Culture* will motivate you to enjoy learning the Japanese language and Japanese culture, and will help you feel closer to the people who actually live in this culture and speak the language.

June 2014

The Japan Foundation

この本のとくちょう

『まるごと 日本のことばと文化』は JF 日本語教育スタンダードに準拠したコースブックです。
以下のような特徴があります。

JF 日本語教育スタンダードの日本語レベル

『まるごと』は JF 日本語教育スタンダードの 6 段階（A1-C2）でレベルを表しています。『まるごと』（入門）は A1 レベルです。

A1 レベル

・具体的な欲求を満足させるための、よく使われる日常的表現と基本的な言い回しは理解し、用いることもできる。
・自分や他人を紹介することができ、どこに住んでいるか、誰と知り合いか、持ち物などの個人的情報について、質問をしたり、答えたりできる。
・もし、相手がゆっくり、はっきりと話して、助け船を出してくれるなら簡単なやりとりをすることができる。

JF日本語教育スタンダード 2010 利用者ガイドブック [第二版]

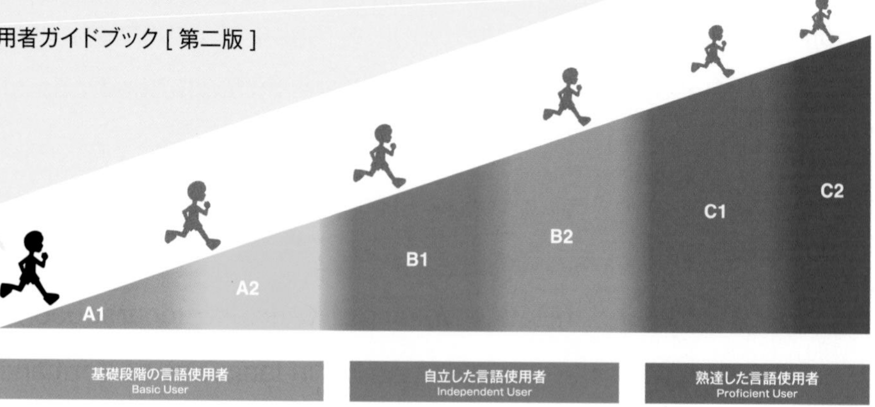

2つの『まるごと』：「かつどう」と「りかい」

『まるごと』は日本語を使ってコミュニケーションができるようになるために、「かつどう」と「りかい」の2つの学習方法を提案します。

「かつどう」：日本語をすぐに使ってみたい人に
・日常場面でのコミュニケーションの実践力をつけることが目標です。
・日本語をたくさん聞き、話す練習をします。

「りかい」：日本語について知りたい人に
・コミュニケーションのために必要な日本語のしくみについて学ぶことが目標です。
・コミュニケーションの中で日本語がどう使われるか、体系的に学びます。

「かつどう」と「りかい」はどちらも主教材です。どちらを選ぶかは、学習目的によって決めてください。また、「かつどう」と「りかい」は同じトピックで書かれています。両方で学べば、総合的に日本語力をつけることができます。

異文化理解

『まるごと』は、ことばと文化を合わせて学ぶことを提案しています。会話の場面や内容、写真、イラストなど様々なところに異文化理解のヒントがあります。日本の文化について知り、自分自身の文化をふりかえって、考えを深めてください。

学習の自己管理

ことばの学習を続けるためには、自分の学習を自分で評価し、自分で管理することがとても重要です。ポートフォリオを使って、日本語や日本文化の学習を記録してください。ポートフォリオを見れば、自分の学習プロセスや成果がよくわかります。

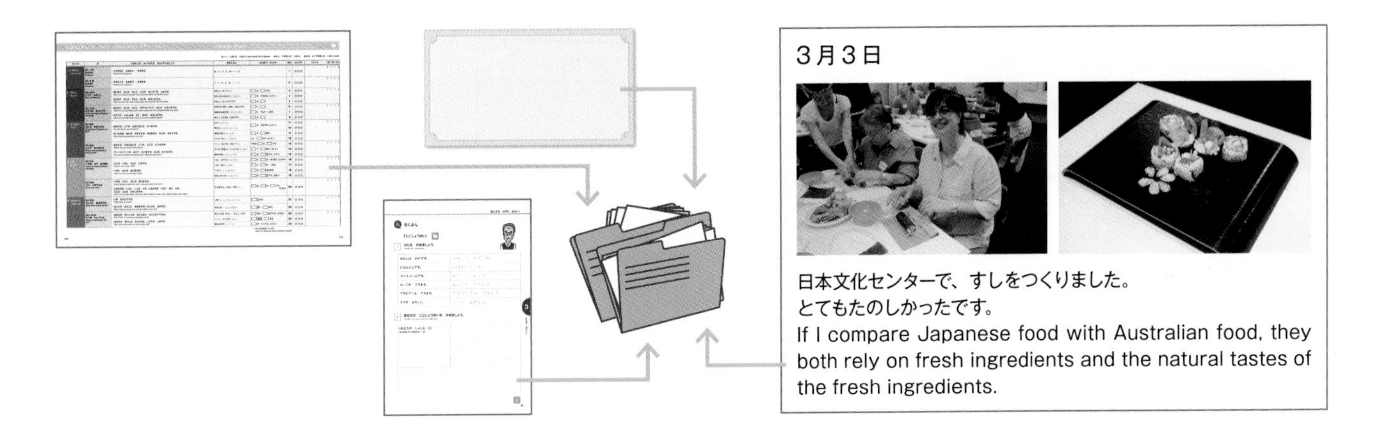

この本のつかいかた

1 コースの流れ

『まるごと』（入門 A1 りかい）のコースは、コミュニケーションを支える言語構造（文字、語彙、文法、文型など）の学習を中心に進めます。1回の授業で1つの課を学習します。授業時間の目安は1課あたり120分です。コースの中間と終了時に「テストとふりかえり」をするので、全20回の授業になります。

標準的なコースの例

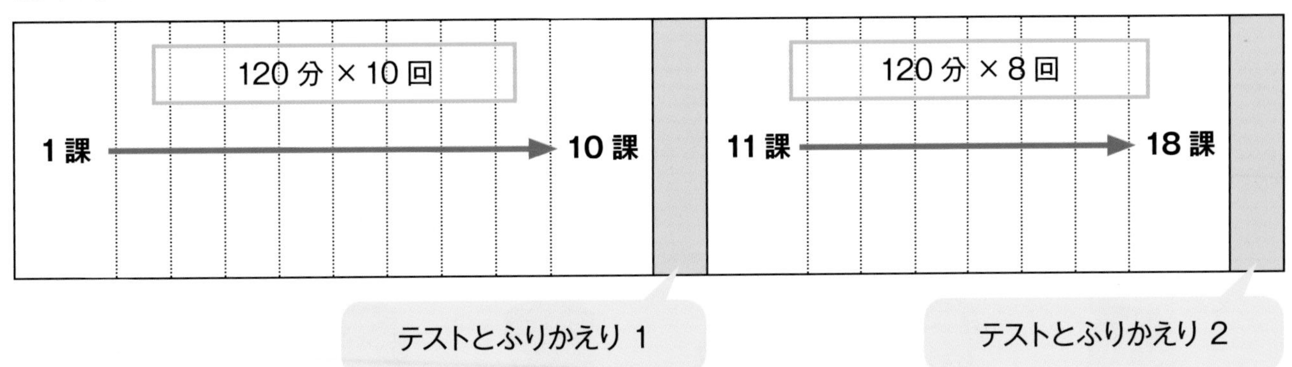

2 トピックと課の流れ

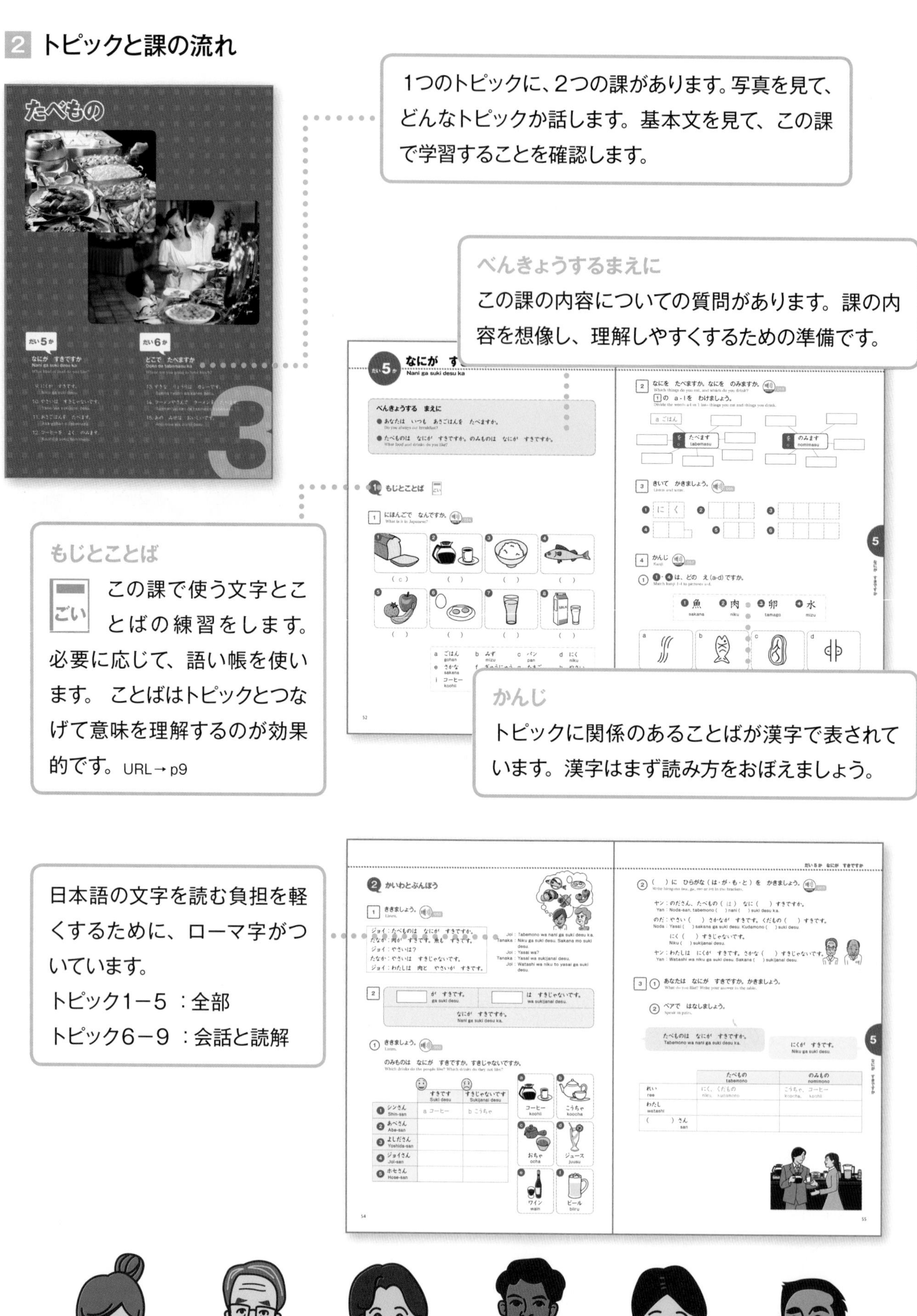

1つのトピックに、2つの課があります。写真を見て、どんなトピックか話します。基本文を見て、この課で学習することを確認します。

べんきょうするまえに

この課の内容についての質問があります。課の内容を想像し、理解しやすくするための準備です。

もじとことば

ごい　この課で使う文字とことばの練習をします。必要に応じて、語い帳を使います。 ことばはトピックとつなげて意味を理解するのが効果的です。URL→p9

かんじ

トピックに関係のあることばが漢字で表されています。漢字はまず読み方をおぼえましょう。

日本語の文字を読む負担を軽くするために、ローマ字がついています。

トピック1－5 ：全部

トピック6－9 ：会話と読解

あべさん	のださん	キムさん	シンさん	かわいさん	ホセさん
にほん	にほん	かんこく	インド	にほん	メキシコ

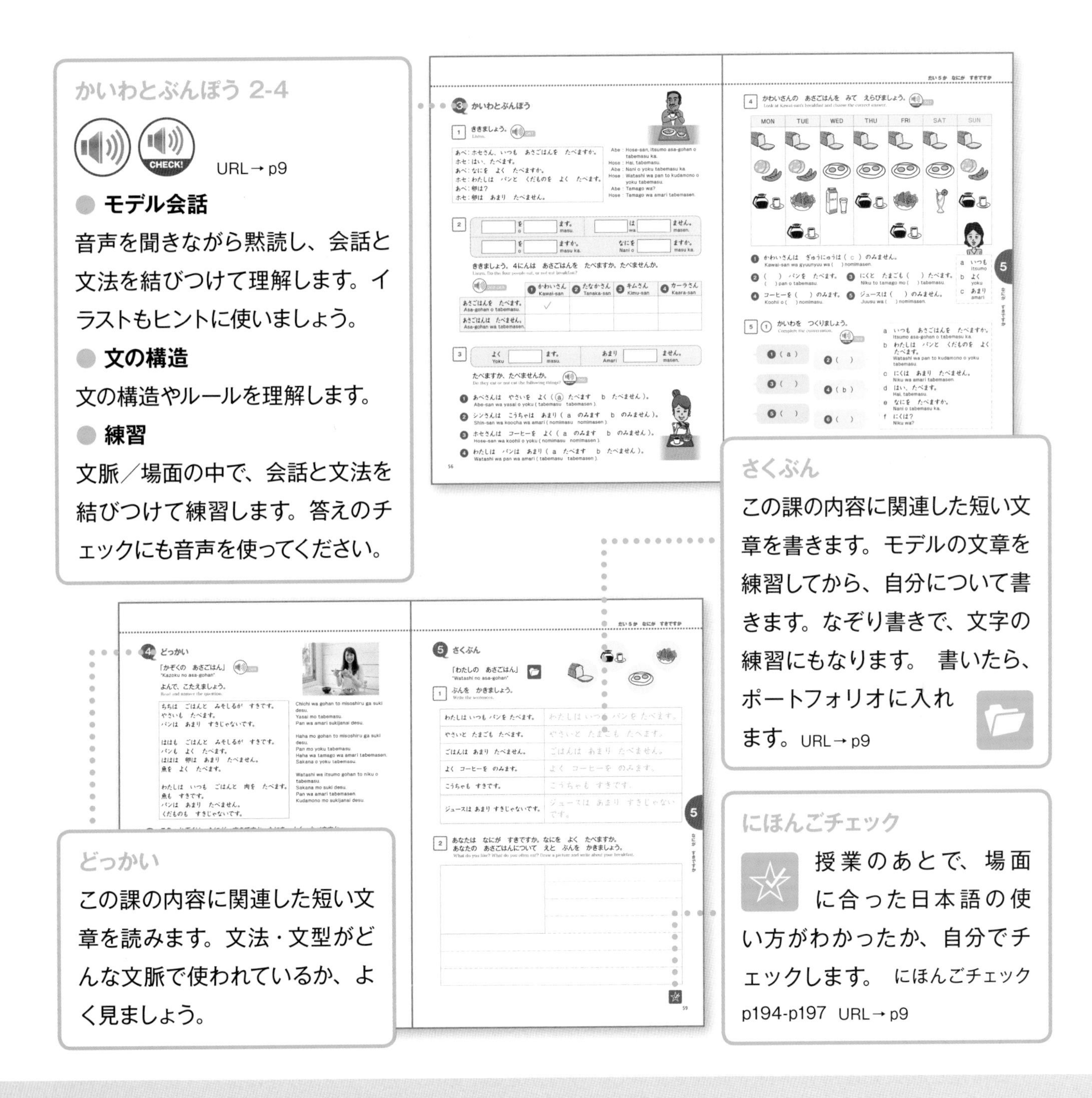

かいわとぶんぽう 2-4

URL→p9

● **モデル会話**

音声を聞きながら黙読し、会話と文法を結びつけて理解します。イラストもヒントに使いましょう。

● **文の構造**

文の構造やルールを理解します。

● **練習**

文脈／場面の中で、会話と文法を結びつけて練習します。答えのチェックにも音声を使ってください。

さくぶん

この課の内容に関連した短い文章を書きます。モデルの文章を練習してから、自分について書きます。なぞり書きで、文字の練習にもなります。 書いたら、ポートフォリオに入れます。URL→p9

どっかい

この課の内容に関連した短い文章を読みます。文法・文型がどんな文脈で使われているか、よく見ましょう。

にほんごチェック

授業のあとで、場面に合った日本語の使い方がわかったか、自分でチェックします。 にほんごチェック p194-p197 URL→p9

アイコン

3 異文化理解の活動

『まるごと』はことばと文化をいっしょに学ぶコースです。教室の外でも日本語を使ったり、日本文化を体験したりしましょう。

- 日本のウェブサイトを見る
- 日本のドラマや映画を見る
- 日本料理のレストランに行ってみる
- 日本関係のイベントに行ってみる
- 日本人の友人や知り合いと話してみる

教室の外で体験したことをクラスの人と話してください。

4 学習の自己管理の方法

1）にほんごチェック

1つの課が終わったら、にほんごチェック（p194-p197）を見て、チェックします。自分の学習をふりかえって、コメントを書きます。コメントは何語で書いてもいいです。

Nihongo Check　Marugoto: Japanese Language and Culture Starter A1 (Coursebook for Communicative Language Competences)

★☆☆：しました　I did it, but could do it better.　★★☆：できました　I did it.　★★★：よくできました　I did it well.

きほんぶん	ぶんぽう・ぶんけい	NO	ひょうか	コメント　(年 / 月 / 日)
あ、い、う、え、お……… ん		1	☆☆☆	(/ /)
ア、イ、ウ、エ、オ……… ン		2	☆☆☆	(/ /)
わたしは カーラです。	□は □です。	3	☆☆☆	(/ /)
わたしは にほんごが できます。	□が できます。(L11) *	4	☆☆☆	
わたしも エンジニアです。	□も □	5	☆☆☆	
かぞくは ちちと ははと わたしです。	□と □	6	☆☆☆	(/ /)

コメントの例

- 自分のことば（母語）と文法が似ていると思った。
- 自分のことば（母語）にない助詞がおもしろいと思った。
- 文字が読めるようになって自信がついた。

2）ポートフォリオ

日本語と異文化理解の学習や体験を記録し、ふりかえるために、ポートフォリオには以下のようなものを入れます。

① にほんごチェック
② テスト
③ さくぶん
④ 日本語・日本文化の体験記録

5 テストについて

テストの方法と内容については、「テストとふりかえり」（p99-p100、p165-p166）を見てください。

6 関連情報

『まるごと』ポータルサイト **https://www.marugoto.org/**

以下の『まるごと』関連リソースをダウンロードしたり、学習支援サイトにアクセスしたりできます（無料）。

- 教科書といっしょに使う教材
  - 音声ファイル
  - ごいちょう
  - さくぶんシート
  - ごいインデックス
  - ひょうげんインデックス
  - かんじのことばリスト
  - にほんごチェック

- 学習支援サイト
  - 「まるごと＋（プラス）」
  - 「まるごとのことば」

- 教師用リソース

まるごと
日本のことばと文化
よくある質問
お問い合わせ
出版社サイト
English
日本のことばと文化、まるごと学ぶ。まるごと感じる。
まるごと
日本のことばと文化
『まるごと』って？
教材ダウンロード
まるごとeラーニング
教師用ページ

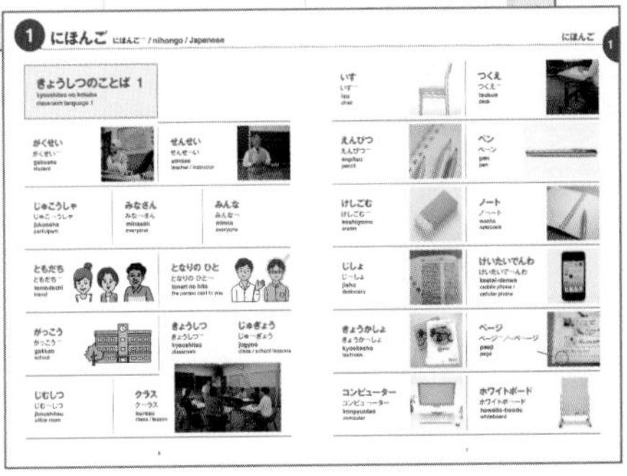

1 にほんご にほんご / nihongo / Japanese
にほんご
きょうしつのことば 1
がくせい
せんせい
じゅこうしゃ
みなさん
みんな
ともだち
となりの ひと
がっこう
きょうしつ
じゅぎょう
じむしつ
クラス
いす
つくえ
えんぴつ
ペン
けしごむ
ノート
じしょ
けいたいでんわ
きょうかしょ
ページ
コンピューター
ホワイトボード

〈ごいちょう〉

ないよういちらん 『まるごと　日本のことばと文化』入門(にゅうもん) A1 <りかい>

トピック	か	もじとことば / かんじ	かいわとぶんぽう　きほんぶん	どっかい	さくぶん
1 にほんご p21	だい 1 か ひらがな	・ひらがな			
	だい 2 か カタカナ	・カタカナ			
2 わたし p35	だい 3 か どうぞ よろしく	・くに ・ことば ・しごと	・わたしは カーラです。 ・わたしは にほんごが できます。 ・わたしも エンジニアです。	「ふたりの ことば」	「じこしょうかい」
	だい 4 か かぞくは 3 にんです	・かぞく ・ひと ・にんずう	・かぞくは ちちと ははと わたしです。 ・あねは おおさかに すんで います。 ・あにの こどもは 4 さいです。	「わたしの かぞく」	「わたしの かぞく」＊
3 たべもの p51	だい 5 か なにが すきですか	・たべもの ・のみもの 魚、肉、卵、水	・にくが すきです。 ・やさいは すきじゃないです。 ・あさごはんを たべます。 ・コーヒーを よく のみます。	「かぞくの あさごはん」	「わたしの あさごはん」
	だい 6 か どこで たべますか	・りょうり ・みせ 食、飲	・すきな りょうりは カレーです。 ・ラーメンやさんで ラーメンを たべます。 ・あの みせは おいしいです。	「どこで ひるごはんを たべますか」	「わたしの ひるごはん」＊
4 いえ p67	だい 7 か へやが 3 つ あります	・いえ ・かぐ ・きんじょ	・いえに エアコンが あります。 ・いえに ねこが います。 ・ベッドが 2 つ あります。 ・わたしの いえは せまいです。	「あそびに きて ください」	「わたしの いえ」
	だい 8 か いい へやですね	・へや ・へやに あるもの 大、小、新、古	・にんぎょうは たなの うえです。	「ちちの へや」	「わたしの へや」＊
5 せいかつ p83	だい 9 か なんじに おきますか	・いちにちの かつどう ・じかん 時、分、半	・いま なんじですか。9 じです。 ・わたしは 7 じに おきます。	「わたしの いちにち」	「わたしの いちにち」
	だい 10 か いつが いいですか	・かつどう、イベント ・ばしょ ・カレンダー 月、火、水、木、金、土、日	・かいしゃは 9 じから 5 じまでです。 ・7 じかん しごとを します。 ・きんようびが いいです。	「らいしゅうの よてい」	「こんしゅうの よてい」＊
テストとふりかえり 1　p99-p100					

トピック	か	もじとことば / かんじ	かいわとぶんぽう　きほんぶん	どっかい	さくぶん
6 やすみのひ 1 p101	**だい 11 か しゅみは なんですか**	・しゅみ（スポーツ、えいが、おんがく …） ・ばしょ 言、話、読、見、聞、書	・どくしょが すきです。 ・ギターが できます。 ・うちで えいがを みます。 ・ときどき かいものを します。	「ともだちに なりましょう」	「わたしの しゅみ」
	だい 12 か いっしょに いきませんか	・イベント ・カレンダー 一、二、三、四、五、六、七、八、九、十、年、（月、日）	・どようびに コンサートが あります。 ・こくさいホールで えいがが あります。 ・すもうを みに いきます。 ・いっしょに こうえんに いきませんか。 ・いきましょう。	「いっしょに みに いきませんか」	「いっしょに いきませんか」＊
7 まち p117	**だい 13 か どうやって いきますか**	・のりもの ・こうつう 東、西、南、北、口	・うちから えきまで バスで いきます。 ・えきで でんしゃに のります。 ・くうこうは でんしゃが いいです。 ・はやいですから。	「レストランまで どうやって いきますか」	「うちから がっこうまで」
	だい 14 か ゆうめいな おてらです	・まちに ある たてもの ・いち	・ふるい じんじゃ、にぎやかな まち ・さいたまに ふるい じんじゃが あります。 ・えきの となり、きっさてんの まえ ・きっさてんは えきの となりに あります。 ・わたしは きっさてんの まえに います。	「わたしの まち」	「わたしの まち」＊
8 かいもの p133	**だい 15 か かわいい！**	・おみやげ ・かず	・わたしは アクセサリーが ほしいです。 ・わたしは カーラさんに はなを あげます。 ・カーラさんは ホセさんに チョコレートを もらいました。 ・きょねん にほんで とけいを かいました。	「おみやげ」	「せんしゅうの かいもの」
	だい 16 か これ、ください	・ふく ・ねだん 買、（金）、（一）、百、千、万、円	・これは いくらですか。 ・この Ｔシャツを ください。	「すきな ふくを かいます」	「すきな ふく」＊
9 やすみのひ 2 p149	**だい 17 か たのしかったです**	・やすみの ひの かつどう ・じぶんの きもち	・きのう デパートに いきました。 ・かいものは たのしかったです。 ・デパートは にぎやかでした。 ・わたしは どこにも いきませんでした。	「やすみの ひ」	「やすみの ひ」
	だい 18 か つぎは きょうとに いきたいです	・にほんでの たいけん ・りょこう 行、来、会、休、日本、東京	・おてらを みました。それから、おみやげを かいました。 ・おすしは おいしかったです。でも、たかかったです。 ・かぶきは きれいでした。そして、おもしろかったです。 ・きょうとに いきたいです。	「わたしの りょこう」	「わたしの りょこう」＊
テストとふりかえり 2　p165-p166					

＊URL→p9

Features of This Book

Marugoto: Japanese Language and Culture is a coursebook that is based on the JF Standard for Japanese Language Education. It has the following features.

Japanese Levels of JF Standard for Japanese Language Education

Marugoto employs levels that correspond to the six stages of the JF Standard for Japanese Language Education (A1-C2). *Marugoto* (Starter) is A1 level.

A1 level

- Can understand and use familiar everyday expressions and very basic phrases aimed at the satisfaction of needs of a concrete type.
- Can introduce him/herself and others and can ask and answer questions about personal details such as where he/she lives, people he/she knows and things he/she has.
- Can interact in a simple way provided the other person talks slowly and clearly and is prepared to help.

Source: JF Standard for Japanese Language Education 2010 Users' Guide Book (2nd edition)

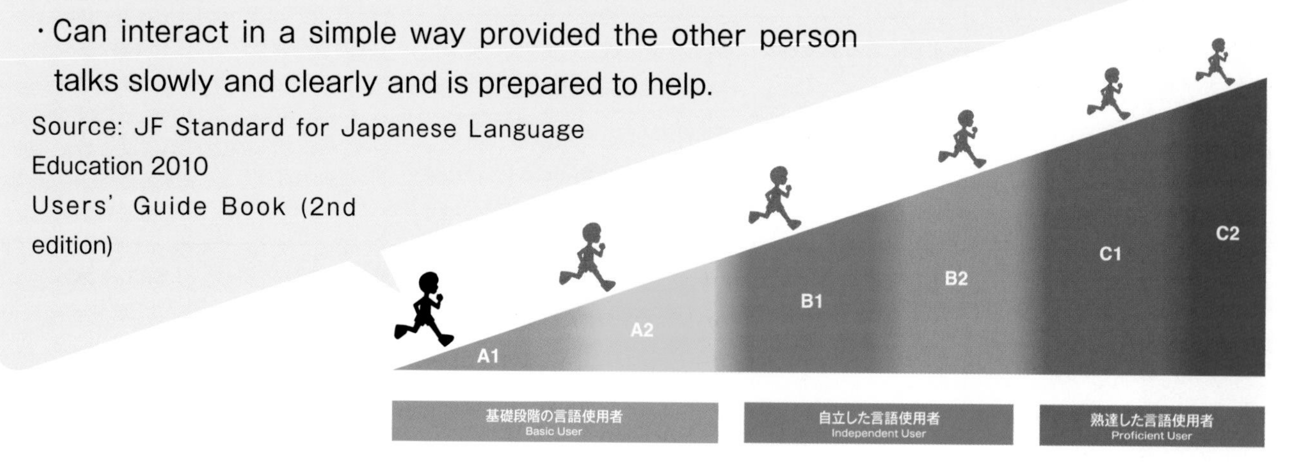

Two *Marugoto* coursebooks: "*Katsudoo*" and "*Rikai*"

Marugoto offers two methods of study aimed at enabling you to communicate using Japanese: *Katsudoo* and *Rikai*.

Katsudoo : a coursebook for communicative language activities

- For people who want to start using Japanese immediately
- The objective is to gain practical ability communicating in everyday situations.
- You will practise listening to and speaking Japanese a lot.

Rikai : a coursebook for communicative language competences

- For people who want to learn about Japanese
- The objective is to study the features of the Japanese language that are necessary for communication.
- You will systematically study how Japanese is used in communication.

Katsudoo and *Rikai* should both be seen as main study materials. Decide which to choose based on your learning objectives. In addition, *Katsudoo* and *Rikai* use the same topics. If you use both, you can make progress in your overall Japanese proficiency.

● Intercultural Understanding

Marugoto offers learning in both language and culture. There is help with intercultural understanding in various places, such as the situations of the conversations, contents of the conversations, photographs and illustrations. Learn about Japanese culture, reflect on your own culture and deepen your intercultural understanding.

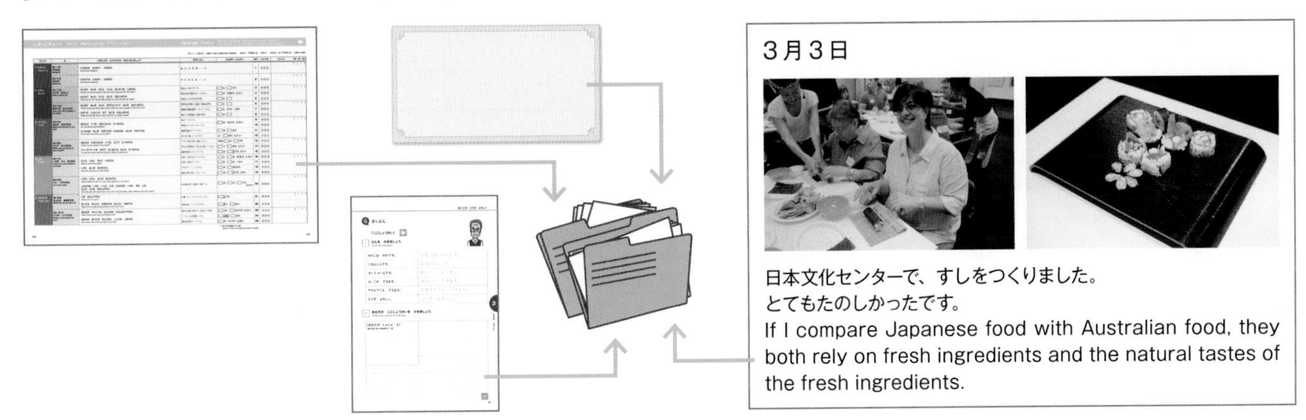

● Managing your own Study

It is very important to evaluate and manage your learning by yourself in order to keep going in language learning. Make a record of the Japanese language and culture you have studied using the portfolio. When you look at the portfolio, you can clearly understand your own learning processes and your accomplishments.

How to Use This Book

1 Course Flow

The *Marugoto* (Starter A1 *Rikai*) course is designed with study of communicative language competences, mainly the language structures that underlie communication, at its heart (Japanese script, vocabulary, grammar and sentence patterns). One lesson will be studied in each class hour. The suggested class length for one lesson is around 120 minutes. In the middle and at the end of the course, you will do 'Test and Reflection' 1 and 2, so there will be a total of twenty classes.

Standard Course Example

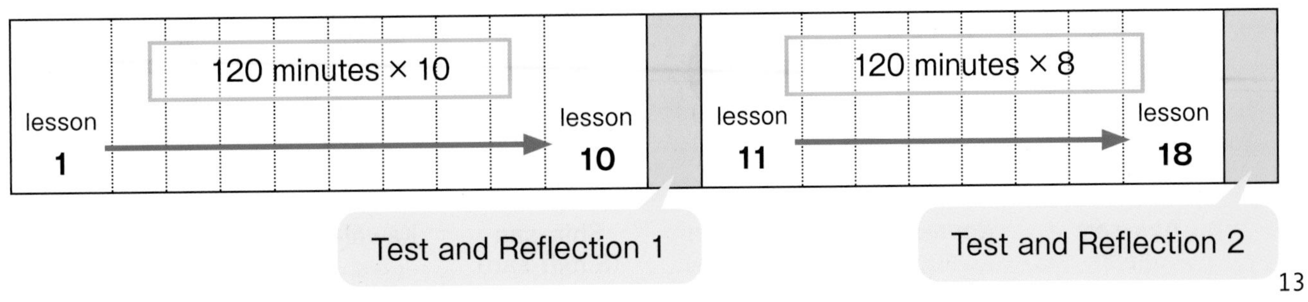

2 Topic and Lesson Flow

Each topic has two lessons. Look at the photographs and talk about what you think the topic is. Look at the basic sentences and check what you are going to study in this lesson.

Before You Study

There are some questions about the topic. This preparation is to help you imagine the contents of the lesson, which will make it easier to understand.

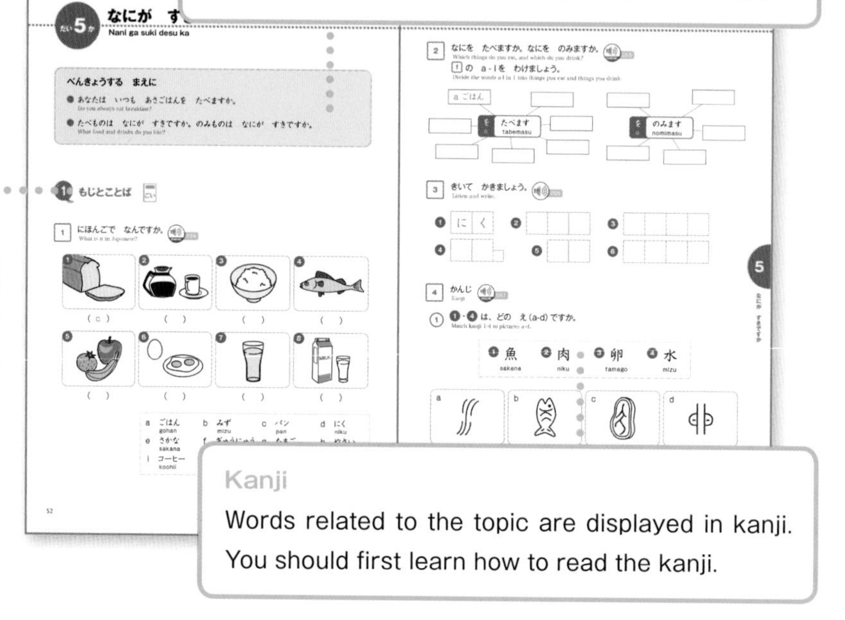

Japanese Script and Vocabulary

ごい You will practice the Japanese characters and words used in this lesson. You will also use the word book as necessary. Organising words into topics is an effective way to learn new vocabulary. URL→p17

Kanji

Words related to the topic are displayed in kanji. You should first learn how to read the kanji.

The Roman alphabet is used to lighten the burden of reading Japanese characters.
Topics 1-5: everything is written in Roman alphabet
Topics 6-9: conversations and reading texts are written in Roman alphabet.

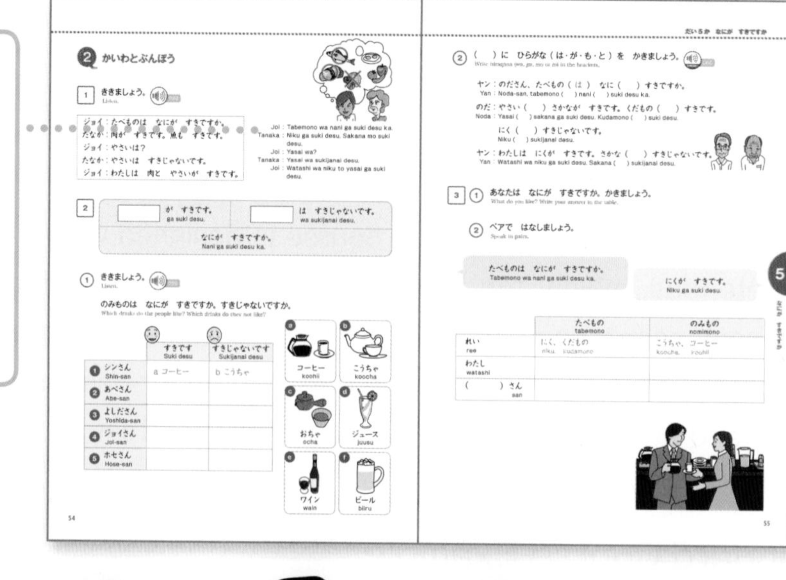

Abe-san
Japan

Noda-san
Japan

Kimu-san (Kim-san)
Korea

Shin-san (Singh-san)
India

Kawai-san
Japan

Hose-san (Jose-san)
Mexico

Conversation and Grammar 2-4

URL→p17

Model Conversation

Read silently while listening to the recording, notice what grammar is used, and figure out what it means.

Sentence Structure

You will be able to understand sentence structure and grammar rules.

Practice

Practise using the grammar within the context/situation. Use the audio recording to check your answers.

3 かいわとぶんぽう

1 ききましょう。
Listen.

あべ：ホセさん、いつも　あさごはんを　たべますか。
ホセ：はい、たべます。
あべ：なにを　よく　たべますか。
ホセ：わたしは　パンと　くだものを　よく　たべます。
あべ：卵は？
ホセ：卵は　あまり　たべません。

Abe : Hose-san, itsumo asa-gohan o tabemasu ka.
Hose : Hai, tabemasu.
Abe : Nani o yoku tabemasu ka.
Hose : Watashi wa pan to kudamono o yoku tabemasu.
Abe : Tamago wa?
Hose : Tamago wa amari tabemasen.

2 □を□ます。 masu. □は□ません。 masen.
□を□ますか。 masu ka. なにを □ますか。 Nani o masu ka.

ききましょう。4にんは　あさごはんを　たべますか。たべませんか。
Listen. Do the four people eat, or not eat breakfast?

	❶ かわいさん Kawai-san	❷ たなかさん Tanaka-san	❸ キムさん Kimu-san	❹ カーラさん Kaara-san
あさごはんを　たべます。 Asa-gohan o tabemasu.	✓			
あさごはんは　たべません。 Asa-gohan wa tabemasen.				

3 よく Yoku □ます。 masu. あまり Amari □ません。 masen.

たべますか、たべませんか。
Do they eat or not eat the following things?

❶ あべさんは　やさいを　よく（ⓐ たべます　b たべません）。
Abe-san wa yasai o yoku (tabemasu tabemasen).
❷ シンさんは　こうちゃは　あまり（ a のみます　b のみません）。
Shin-san wa koocha wa amari (nomimasu nomimasen).
❸ ホセさんは　コーヒーを　よく（ a のみます　b のみません）。
Hose-san wa koohii o yoku (nomimasu nomimasen).
❹ わたしは　パンは　あまり（ a たべます　b たべません）。
Watashi wa pan wa amari (tabemasu tabemasen).

56

だい５か　なにが　すきですか

4 かわいさんの　あさごはんを　みて　えらびましょう。
Look at Kawai-san's breakfast and choose the correct answer.

MON	TUE	WED	THU	FRI	SAT	SUN

❶ かわいさんは　ぎゅうにゅうは（ c ）のみません。
Kawai-san wa gyuunyuu wa ( ) nomimasen.
❷（ ）パンを　たべます。
( ) pan o tabemasu.
❸ にくと　たまごも（ ）たべます。
Niku to tamago mo ( ) tabemasu.
❹ コーヒーを（ ）のみます。
Koohii o ( ) nomimasu.
❺ ジュースは（ ）のみません。
Juusu wa ( ) nomimasen.

a いつも itsumo
b よく yoku
c あまり amari

5 ① かいわを　つくりましょう。
Complete the conversation.

❶ (a) ❷ ( ) ❸ ( ) ❹ (b) ❺ ( ) ❻ ( )

a いつも　あさごはんを　たべますか。
Itsumo asa-gohan o tabemasu ka.
b わたしは　パンと　くだものを　よく　たべます。
Watashi wa pan to kudamono o yoku tabemasu.
c にくは　あまり　たべません。
Niku wa amari tabemasen.
d はい、たべます。
Hai, tabemasu.
e なにを　たべますか。
Nani o tabemasu ka.
f にくは？
Niku wa?

② あなたの　あさごはんは　どうですか。ペアで　はなしましょう。
What do you have for your breakfast? Talk in pairs.

5 なにが　すきですか

Writing

You will write a short text relateded to the topic. After practising writing characters by tracing words in the model text, you will write about yourself. Once you have written your text you will put it in your portfolio. URL→p17

4 どっかい

「かぞくの　あさごはん」
"Kazoku no asa-gohan"

よんで、こたえましょう。
Read and answer the question.

ちちは　ごはんと　みそしるが　すきです。
やさいも　たべます。
パンは　あまり　すきじゃないです。

ははも　ごはんと　みそしるが　すきです。
パンも　よく　たべます。
ははは　卵は　あまり　たべません。
魚を　よく　たべます。

わたしは　いつも　ごはんと　肉を　たべます。
魚も　すきです。
パンは　あまり　たべません。
くだものも　すきじゃないです。

Chichi wa gohan to misoshiru ga suki desu.
Yasai mo tabemasu.
Pan wa amari sukijanai desu.

Haha mo gohan to misoshiru ga suki desu.
Pan mo yoku tabemasu.
Haha wa tamago wa amari tabemasen.
Sakana o yoku tabemasu.

Watashi wa itsumo gohan to niku o tabemasu.
Sakana mo suki desu.
Pan wa amari tabemasen.
Kudamono mo sukijanai desu.

① この　かぞくは　なにが　すきですか。なにを　よく　たべますか。
What does each family member like? What does he/she often eat?

	すきです／よく たべます Suki desu/Yoku tabemasu	すきじゃないです／あまり たべません Sukijanai desu/Amari tabemasen

Reading

Read a short text related to the topic. You should look carefully at the context in which the grammar and sentence patterns are used.

だい５か　なにが　すきですか

5 さくぶん

「わたしの　あさごはん」
"Watashi no asa-gohan"

1 ぶんを　かきましょう。
Write the sentences.

わたしは いつも パンを たべます。	わたしは いつも パンを たべます。
やさいと　たまごも　たべます。	やさいと　たまごも　たべます。
ごはんは　あまり　たべません。	ごはんは　あまり　たべません。
よく　コーヒーを　のみます。	よく　コーヒーを　のみます。
こうちゃも　すきです。	こうちゃも　すきです。
ジュースは あまり すきじゃないです。	ジュースは　あまり　すきじゃないです。

2 あなたは　なにが　すきですか。なにを　よく　たべますか。
あなたの　あさごはんについて　えと　ぶんを　かきましょう。
What do you like? What do you often eat? Draw a picture and write about your breakfast.

59

5 なにが　すきですか

Nihongo Check

After the class, check by yourself whether you understood how to use the Japanese you encountered in this situation. 'Nihongo Check' p194-p197 URL→p17

Icons

Look at the word book

Rate your Japanese study using the 'Nihongo Check'

Add to your portfolio

Audio sound

Listen and check

-san: In Japanese, *san* is put after other people's names to show respect or politeness. (Abe-*san*)

Tanaka-san
Japan

Satoo-san
Japan

Yoshida-san
Japan

Joi-san
(Joy-san)
Australia

Suzuki-san
Japan

Yan-san
(Yang-san)
Malaysia

Kaara-san
(Carla-san)
France

3 Activities for Intercultural Understanding

Marugoto is a course where you study language and culture together. You should use Japanese and experience Japanese culture outside the classroom as well.

- Look at Japanese websites
- Watch Japanese dramas and films
- Try going to Japanese restaurants
- Try going to events related to Japan
- Try talking to Japanese friends and acquaintances

Talk about the things you have experienced outside the classroom with your classmates.

4 How to Manage your own Learning

1) 'Nihongo Check'

Do the 'Nihongo Check' (p194-p197) when you finish a lesson. Look back on your study and write comments. You can write in your preferred language.

Nihongo Check *Marugoto: Japanese Language and Culture* Starter A1 (Coursebook for Communicative Language Competences)

★☆☆：しました I did it, but could do it better.　★★☆：できました I did it.　★★★：よくできました I did it well.

きほんぶん	ぶんぽう・ぶんけい	NO	ひょうか	コメント (年 / 月 / 日)
あ、い、う、え、お ……… ん		1	☆☆☆	(/ /)
ア、イ、ウ、エ、オ ……… ン		2	☆☆☆	(/ /)
わたしは カーラです。	□は □です。	3	☆☆☆	(/ /)
わたしは にほんごが できます。	□が できます。(L11) *	4	☆☆☆	
わたしも エンジニアです。	□も □	5	☆☆☆	
かぞくは ちちと ははと わたしです。	□と □	6	☆☆☆	(/ /)

Examples of comments

- I thought the grammar was similar to that in my own language.
- I thought the particles not in my own language were interesting.
- I can now read some Japanese characters and it has given me confidence.

2) Portfolio

Make a record of both your study and experiences of Japanese language and intercultural understanding. In order to reflect, put the following kinds of things into your portfolio.

① 'Nihongo Check'
② Tests
③ Writing assignments (*Sakubun*)
④ Records of experiences with Japanese language and culture

5 Tests

For information about the procedure and contents of the tests, see 'Test and Reflection' (p99-p100 and p165-p166).

6 Related Information

Marugoto Portal Site **https://www.marugoto.org/**

You can download the resources and access the websites listed below free of charge.

- Resources to use with the textbook
  - Audio files
  - Word book
  - Sakubun worksheets
  - Vocabulary index
  - Phrase index
  - Kanji word list
  - Nihongo Check
- Learning support website
  - MARUGOTO Plus
  - MARUGOTO Words
- Teachers' resources

〈Word book〉

Table of Contents

Marugoto: Japanese Language and Culture Starter A1
〈 Coursebook for Communicative Language Competences 〉

Topic	Lesson	Japanese script & Vocabulary / Kanji	Basic sentences in Conversation & Grammar	Reading	Writing
1 Japanese *Nihongo* p21	Lesson 1 Hiragana *Hiragana*	· Hiragana あ、い、う、え、お…			
	Lesson 2 Katakana *Katakana*	· Katakana ア、イ、ウ、エ、オ…			
2 Myself *Watashi* p35	Lesson 3 Nice to meet you *Doozo yoroshiku*	· Countries · Languages · Occupations	· *Watashi wa Kaara desu.* · *Watashi wa nihongo ga dekimasu.* · *Watashi mo enjinia desu.*	A language for two *Futari no kotoba*	Self-introduction *Jiko-shookai*
	Lesson 4 There are three people in my family *kazoku wa san-nin desu*	· Family · People · Numbers	· *Kazoku wa chichi to haha to watashi desu.* · *Ane wa Oosaka ni sunde imasu.* · *Ani no kodomo wa yon-sai desu.*	My family *Watashi no kazoku*	My family *Watashi no kazoku**
3 Food *Tabemono* p51	Lesson 5 What kind of food do you like? *Nani ga suki desu ka*	· Food · Drinks 魚、肉、卵、水	· *Niku ga suki desu.* · *Yasai wa sukijanai desu.* · *Asa-gohan o tabemasu.* · *Koohii o yoku nomimasu.*	My family's breakfast *Kazoku no asa-gohan*	My breakfast *Watashi no asa-gohan*
	Lesson 6 Where are you going to have lunch? *Doko de tabemasu ka*	· Food for lunch · Eating places 食、飲	· *Sukina ryoori wa karee desu.* · *Raamen'ya-san de raamen o tabemasu.* · *Ano mise wa oishii desu.*	Where are you going to have lunch? *Doko de hiru-gohan o tabemasu ka*	My lunch *Watashi no hiru-gohan**
4 Home *Ie* p67	Lesson 7 There are three rooms in my home *Heya ga mittsu arimasu*	· Home · Furniture · Places to visit nearby	· *Ie ni eakon ga arimasu.* · *Ie ni neko ga imasu.* · *Beddo ga futatsu arimasu.* · *Watashi no ie wa semai desu.*	Come and visit me *Asobini kite kudasai*	My home *Watashi no ie*
	Lesson 8 It's a nice room *Ii heya desu ne*	· Rooms · Things in the room 大、小、新、古	· *Ningyoo wa tana no ue desu.*	My father's room *Chichi no heya*	My room *Watashi no heya**
5 Daily Life *Seekatsu* p83	Lesson 9 What time do you get up? *Nan-ji ni okimasu ka*	· Daily routines · Time 時、分、半	· *Ima nan-ji desu ka. Ku-ji desu.* · *Watashi wa shichi-ji ni okimasu.*	My daily life *Watashi no ichinichi*	My daily life *Watashi no ichinichi*
	Lesson 10 When is convenient for you? *Itsu ga ii desu ka*	· Free-time activities · Places · Calendar 月、火、水、木、金、土、日	· *Kaisha wa ku-ji kara go-ji made desu.* · *Shichi-jikan shigoto o shimasu.* · *Kin'yoobi ga ii desu.*	Next week's schedule *Raishuu no yotee*	This week's schedule *Konshuu no yotee**
Test and Reflection 1 p99-p100					

Topic	Lesson	Japanese script & Vocabulary / Kanji	Basic sentences in Conversation & Grammar	Reading	Writing
6 **Holidays and Days off 1** ***Yasumi no hi 1*** **p101**	**Lesson 11** **What's your hobby?** ***Shumi wa nan desu ka***	· Hobbies (sports, films, music, etc.) · Places 言、話、読、見、聞、書	· *Dokusho ga suki desu.* · *Gitaa ga dekimasu.* · *Uchi de eega o mimasu.* · *Tokidoki kaimono o shimasu.*	Let's be friends *Tomodachi ni narimashoo*	My hobby *Watashi no shumi*
	Lesson 12 **Shall we go together?** ***Issho ni ikimasen ka***	· Events · Calendar 一、二、三、四、五、六、七、八、九、十、年、(月、日)	· *Doyoobi ni konsaato ga arimasu.* · *Kokusai-Hooru de eega ga arimasu.* · *Sumoo o mi ni ikimasu.* · *Issho ni kooen ni ikimasen ka.* · *Ikimashoo.*	Shall we go together? *Issho ni mi ni ikimasen ka*	Shall we go together? *Issho ni ikimasen ka**
7 **Towns** ***Machi*** **p117**	**Lesson 13** **How are you going to get there?** ***Doo yatte ikimasu ka***	· Transport 東、西、南、北、口	· *Uchi kara eki made basu de ikimasu.* · *Eki de densha ni norimasu.* · *Kuukoo wa densha ga ii desu.* · *Hayai desukara.*	How are you going to get to the restaurant? *Resutoran made doo yatte ikimasu ka*	From home to school *Uchi kara gakkoo made*
	Lesson 14 **It's a famous temple** ***Yuumeena otera desu***	· Places in a town · Locations	· *furui jinja, nigiyakana machi* · *Saitama ni furui jinja ga arimasu.* · *eki no tonari, kissaten no mae* · *Kissaten wa eki no tonari ni arimasu.* · *Watashi wa kissaten no mae ni imasu.*	My town *Watashi no machi*	My town *Watashi no machi**
8 **Shopping** ***Kaimono*** **p133**	**Lesson 15** **Cute !** ***Kawaii !***	· Souvenirs · Counting Numbers	· *Watashi wa akusesarii ga hoshii desu.* · *Watashi wa Kaara-san ni hana o agemasu.* · *Kaara-san wa Hose-san ni chokoreeto o moraimashita.* · *Kyonen Nihon de tokee o kaimashita.*	Souvenirs *Omiyage*	My shopping last week *Senshuu no kaimono*
	Lesson 16 **I'll take this** ***Kore, kudasai***	· Clothes · Prices 買、(金)、(一)、百、千、万、円	· *Kore wa ikura desu ka.* · *Kono T-shatsu o kudasai.*	I'm going to buy the clothes I like *Sukina fuku o kaimasu*	Clothes that I like *Sukina fuku**
9 **Holidays and Days off 2** ***Yasumi no hi 2*** **p149**	**Lesson 17** **It was fun** ***Tanoshikatta desu***	· Holiday activities · How you felt about it	· *Kinoo depaato ni ikimashita.* · *Kaimono wa tanoshikatta desu.* · *Depaato wa nigiyaka deshita.* · *Watashi wa doko ni mo ikimasen deshita.*	My holiday *Yasumi no hi*	My holiday *Yasumi no hi*
	Lesson 18 **I would like to visit Kyoto next time** ***Tsugi wa Kyooto ni ikitai desu***	· Experiences in Japan · Trips 行、来、会、休、日本、東京	· *Otera o mimashita. Sorekara, omiyage o kaimashita.* · *Osushi wa oishikatta desu. Demo, takakatta desu.* · *Kabuki wa kiree deshita. Soshite, omoshirokatta desu.* · *Kyooto ni ikitai desu.*	My trip *Watashi no ryokoo*	My trip *Watashi no ryokoo**
Test and Reflection 2 p165-p166					

＊URL→p17

だい 1 か

ひらがな
Hiragana
Hiragana

1. ひらがなを　よみます。／かきます。
Read/write *hiragana*.

だい 2 か

カタカナ
Katakana
Katakana

2. カタカナを　よみます。／かきます。
Read/write *katakana*.

1

だい1か ひらがな Hiragana

ひらがなを　よみましょう

1 ききましょう。どの　もじですか。
Listen to the recording. Which character is it? 002

	a	i	u	e	o
	あ	い	う	え	お
k	か	き	く	け	こ
s	さ	し shi	す	せ	そ
t	た	ち chi	つ tsu	て	と
n	な	に	ぬ	ね	の
h	は	ひ	ふ fu	へ	ほ
m	ま	み	む	め	も
y	や		ゆ		よ
r	ら	り	る	れ	ろ
w	わ			を o	ん n

	a	i	u	e	o
g	が	ぎ	ぐ	げ	ご
z	ざ	じ ji	ず zu	ぜ	ぞ
d	だ	ぢ ji	づ zu	で	ど
b	ば	び	ぶ	べ	ぼ
p	ぱ	ぴ	ぷ	ぺ	ぽ

	ya	yu	yo
k	きゃ	きゅ	きょ
	しゃ sha	しゅ shu	しょ sho
	ちゃ cha	ちゅ chu	ちょ cho
n	にゃ	にゅ	にょ
h	ひゃ	ひゅ	ひょ
m	みゃ	みゅ	みょ

	ya	yu	yo
r	りゃ	りゅ	りょ
g	ぎゃ	ぎゅ	ぎょ
	じゃ ja	じゅ ju	じょ jo
b	びゃ	びゅ	びょ
p	ぴゃ	ぴゅ	ぴょ

きを　つけましょう！
Be careful!

1. し ち つ ふ ん
   shi chi tsu fu n
2. ら り る れ ろ
   ra ri ru re ro
3. お＝を　じ＝ぢ　ず＝づ
   o ji zu

2 カードで　れんしゅうしましょう。
Practise using cards.

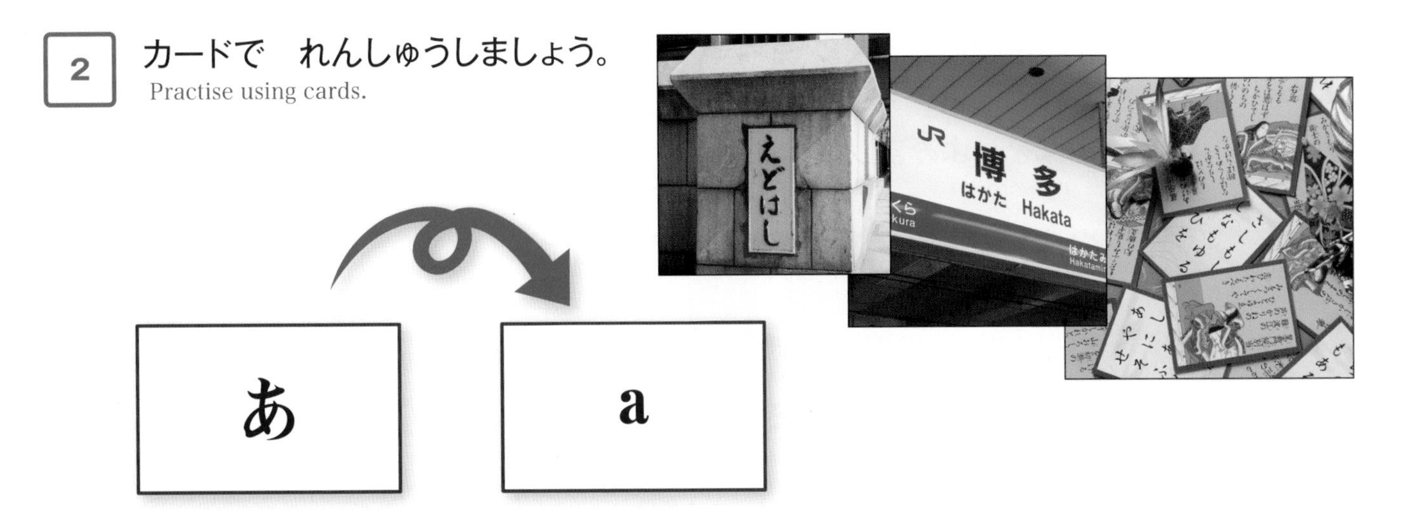

① カードを　22ページのように　ならべましょう。
Arrange the cards in the same way as they are arranged on page 22.

② きいて　カードを　えらびましょう。
Listen and choose the correct card.

③ ペアで　れんしゅうしましょう。あいての　カードを　よみましょう。
Practise in pairs. Read your partner's cards.

● ひらがなの　かたちを　よく　みましょう。
Look carefully at the shape of hiragana.

どれと　どれが　にていますか。
Which characters are similar?

れい1 ree ichi　あ a　お o　め me　ぬ nu

れい2 ree ni　い i　こ ko　り ri

1 ひらがな

3 ことばを　よみましょう。
Read the words.

003

① きいて　ことばを　よみましょう。
Listen and read the words.

きを　つけましょう！
Be careful!

1 とけい　2 とうきょう
3 おちゃ　4 ざっし

② ひらがなを　えらびましょう。
Choose the correct hiragana.

CHECK! 004

③ きいて　ことばを　えらびましょう。 005
Listen and choose the correct word.

④ みて　ききましょう。ただしい　おとは　どれですか。 006
Look and listen. Which is the correct sound?

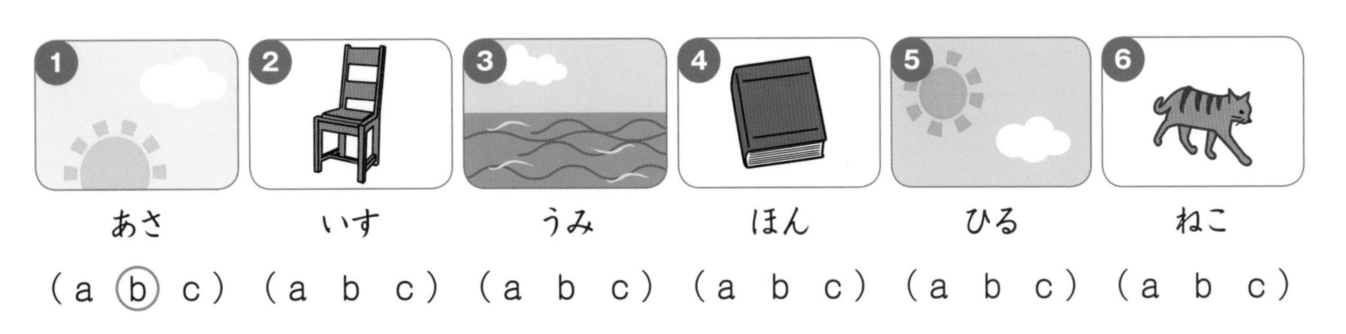

2 ひらがなを　かきましょう

1 ひらがなを　かきましょう。
Write hiragana.

	a	i	u	e	o
	あ	い	う	え	お
k	か	き	く	け	こ
s	さ	し	す	せ	そ
t	た	ち	つ	て	と
n	な	に	ぬ	ね	の
h	は	ひ	ふ	へ	ほ
m	ま	み	む	め	も
y	や		ゆ		よ
r	ら	り	る	れ	ろ
w	わ				を	ん

	a	i	u	e	o
g	が	ぎ	ぐ	げ	ご
z	ざ	じ	ず	ぜ	ぞ
d	だ	ぢ	づ	で	ど
b	ば	び	ぶ	べ	ぼ
p	ぱ	ぴ	ぷ	ぺ	ぽ

2 ことばを　かきましょう。
Write the words.

① あさ	asa	あさ	
② いえ	ie	いえ	
③ やま	yama	やま	
④ そら	sora	そら	
⑤ ねこ	neko	ねこ	
⑥ よる	yoru	よる	
⑦ つくえ	tsukue	つくえ	
⑧ ざっし	zasshi	ざっし	
⑨ ふじさん	Fujisan	ふじさん	
⑩ とうきょう	Tookyoo	とうきょう	

3　あいさつの　ことばを　かきましょう。
Write the words of greeting.

007

1 おはようございます ohayoo gozaimasu		おはようございます
2 こんにちは konnichiwa		こんにちは
3 こんばんは konbanwa		こんばんは
4 ありがとう arigatoo		ありがとう
5 すみません sumimasen		すみません
6 さようなら sayoonara		さようなら
7 はい hai		はい
8 いいえ iie		いいえ

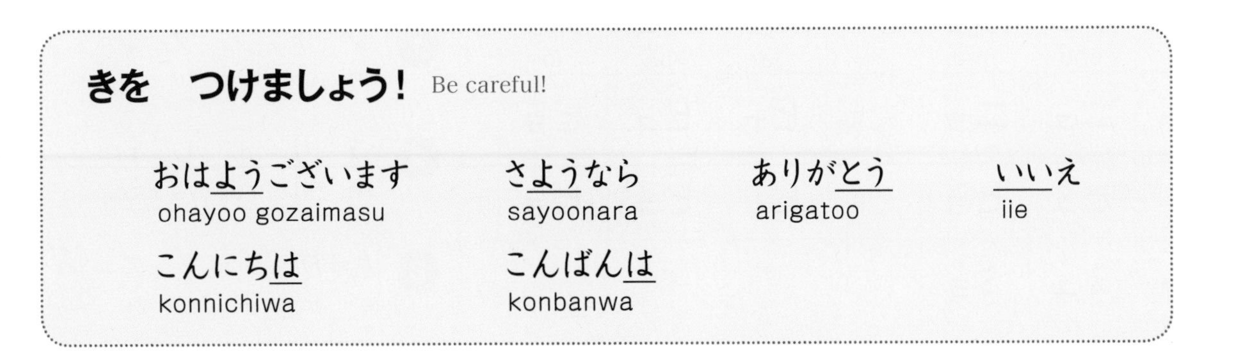

きを　つけましょう！ Be careful!

おはようございます ohayoo gozaimasu　さようなら sayoonara　ありがとう arigatoo　いいえ iie

こんにちは konnichiwa　こんばんは konbanwa

だい2か カタカナ
Katakana

1 カタカナを　よみましょう

1 ききましょう。どの　もじですか。 008
Listen to the recording. Which character is it?

	a	i	u	e	o	
	ア	イ	ウ	エ	オ	
k	カ	キ	ク	ケ	コ	
s	サ	シ shi	ス	セ	ソ	
t	タ	チ chi	ツ tsu	テ	ト	
n	ナ	ニ	ヌ	ネ	ノ	
h	ハ	ヒ	フ fu	ヘ	ホ	
m	マ	ミ	ム	メ	モ	
y	ヤ		ユ		ヨ	
r	ラ	リ	ル	レ	ロ	
w	ワ				ヲ o	ン n

	a	i	u	e	o
g	ガ	ギ	グ	ゲ	ゴ
z	ザ	ジ ji	ズ zu	ゼ	ゾ
d	ダ	ヂ ji	ヅ zu	デ	ド
b	バ	ビ	ブ	ベ	ボ
p	パ	ピ	プ	ペ	ポ

	ya	yu	yo
k	キャ	キュ	キョ
	シャ sha	シュ shu	ショ sho
	チャ cha	チュ chu	チョ cho
n	ニャ	ニュ	ニョ
h	ヒャ	ヒュ	ヒョ
m	ミャ	ミュ	ミョ

	ya	yu	yo
r	リャ	リュ	リョ
g	ギャ	ギュ	ギョ
	ジャ ja	ジュ ju	ジョ jo
b	ビャ	ビュ	ビョ
p	ピャ	ピュ	ピョ

きを　つけましょう！
Be careful!

1. シ　チ　ツ　フ　ン
   shi　chi　tsu　fu　n
2. ラ　リ　ル　レ　ロ
   ra　ri　ru　re　ro
3. オ＝ヲ　ジ＝ヂ　ズ＝ヅ
   o　ji　zu

2 カードで　れんしゅうしましょう。
Practise using cards.

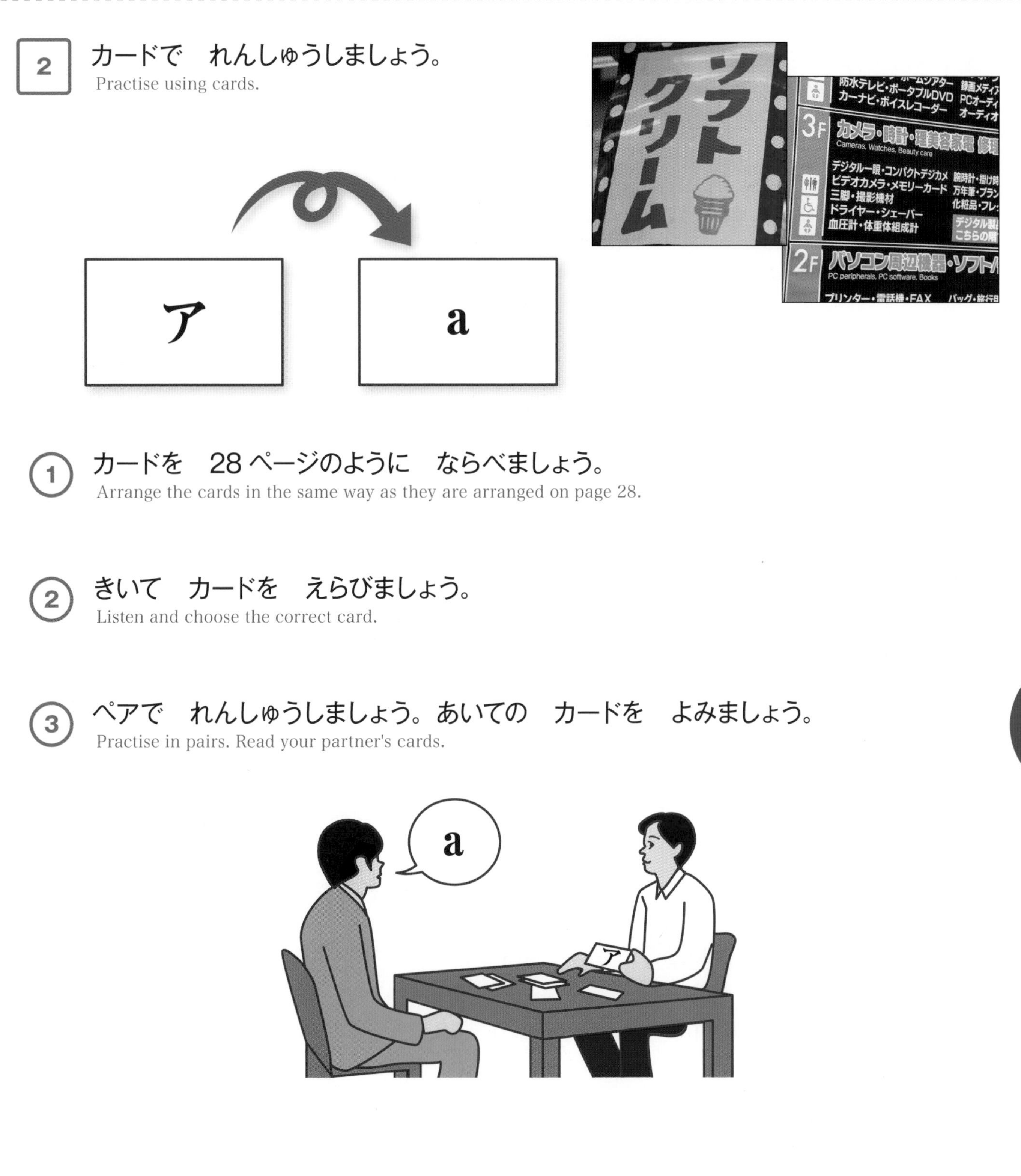

① カードを　28 ページのように　ならべましょう。
Arrange the cards in the same way as they are arranged on page 28.

② きいて　カードを　えらびましょう。
Listen and choose the correct card.

③ ペアで　れんしゅうしましょう。あいての　カードを　よみましょう。
Practise in pairs. Read your partner's cards.

2 カタカナ

● カタカナの　かたちを　よく　みましょう。
Look carefully at the shape of katakana.

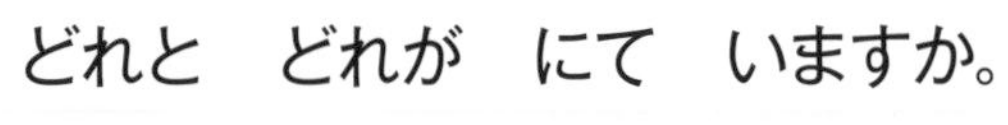
どれと　どれが　にて　いますか。
Which characters are similar?

れい 1 ree ichi　ア a　マ ma　ヌ nu

れい 2 ree ni　シ shi　ツ tsu　ミ mi

3 ことばを　よみましょう。
Read the words.
009
1 きいて　ことばを　よみましょう。
Listen and read the words.
1 パン pan
2 テレビ terebi
3 カメラ kamera
4 トイレ toire
5 ソファ sofa
6 ベッド beddo
7 シャツ shatsu
8 コーヒー koohii
9 ジュース juusu
10 エアコン eakon
11 シャワー shawaa
12 テーブル teeburu
きを　つけましょう！ Be careful!
1 コーヒー koohii　テーブル teeburu
2 ベッド beddo
3 ジュース juusu　シャツ shatsu　シャワー shawaa
4 ソファ sofa
2 カタカナを　えらびましょう。
Choose the correct katakana.
CHECK! 010
1 te re bi
レ テ ビ
2 ka me ra
メ ラ カ
3 ma n ga
マ ガ ン
4 to i re
レ ト イ
5 pi a no
ア ピ ノ
6 ho te ru
テ ル ホ
7 ta ku shii
ク シー タ
8 e a ko n
エ コ ア ン
9 ka ra o ke
オ ラ ケ カ
10 resu to ra n
ン ト レ ス ラ

③ きいて　ことばを　えらびましょう。 011

Listen and choose the correct word.

1. ⓐ パン　b バン　c パソ
2. a テルビ　b ラレビ　c テレビ
3. a カメテ　b カメラ　c カナラ
4. a ベッド　b ペット　c ベッイ
5. a トイレ　b イトフ　c トフレ
6. a シャシ　b シャツ　c ツャシ
7. a リファ　b ソレァ　c ソファ
8. a コーヒー　b ユーコー　c ヒーコー
9. a ジューヌ　b ツュース　c ジュース
10. a テーブル　b テープル　c ラーブル

④ みて　ききましょう。ただしい　おとは　どれですか。 012

Look and listen. Which is the correct sound?

1	2	3	4	5	6
テレビ	カメラ	テーブル	ベッド	ジュース	シャツ
（a ⓑ c）	（a b c）	（a b c）	（a b c）	（a b c）	（a b c）

4 えらびましょう。1 - 19 の　くには　どこに　ありますか。 013

Where are countries 1-19 on the map?

1 アメリカ Amerika (q)	2 イギリス Igirisu (　　)	3 イタリア Itaria (　　)	4 インド Indo (　　)
5 インドネシア Indoneshia (　　)	6 エジプト Ejiputo (　　)	7 オーストラリア Oosutoraria (　　)	8 カナダ Kanada (　　)
9 スペイン Supein (　　)	10 タイ Tai (　　)	11 ドイツ Doitsu (　　)	12 ハンガリー Hangarii (　　)
13 フィリピン Firipin (　　)	14 ブラジル Burajiru (　　)	15 フランス Furansu (　　)	16 ベトナム Betonamu (　　)
17 マレーシア Mareeshia (　　)	18 メキシコ Mekishiko (　　)	19 ロシア Roshia (　　)	

2 カタカナを　かきましょう

1 カタカナを　かきましょう。
Write katakana.

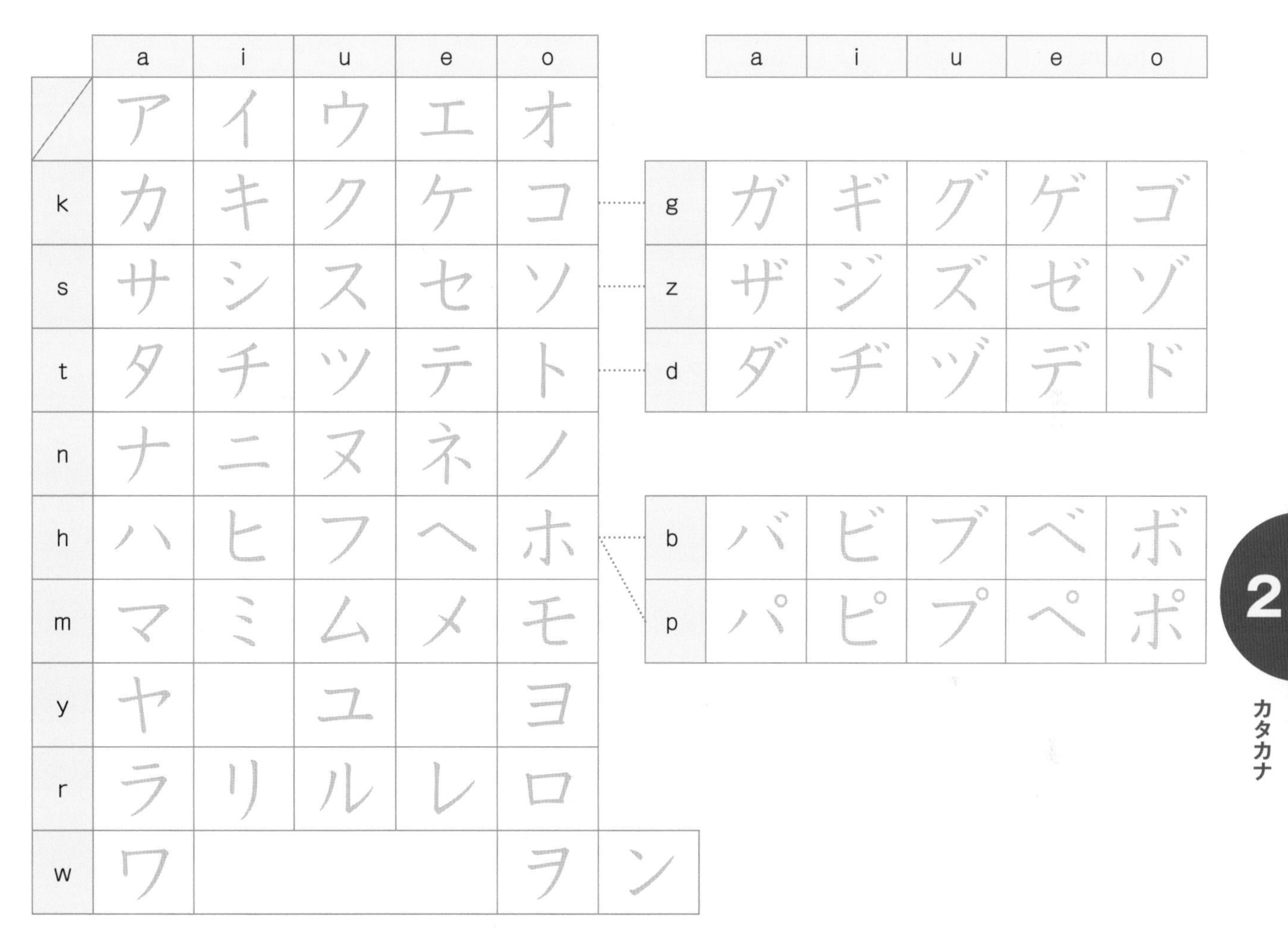

	a	i	u	e	o	
	ア	イ	ウ	エ	オ	
k	カ	キ	ク	ケ	コ	
s	サ	シ	ス	セ	ソ	
t	タ	チ	ツ	テ	ト	
n	ナ	ニ	ヌ	ネ	ノ	
h	ハ	ヒ	フ	ヘ	ホ	
m	マ	ミ	ム	メ	モ	
y	ヤ		ユ		ヨ	
r	ラ	リ	ル	レ	ロ	
w	ワ				ヲ	ン

	a	i	u	e	o
g	ガ	ギ	グ	ゲ	ゴ
z	ザ	ジ	ズ	ゼ	ゾ
d	ダ	ヂ	ヅ	デ	ド
b	バ	ビ	ブ	ベ	ボ
p	パ	ピ	プ	ペ	ポ

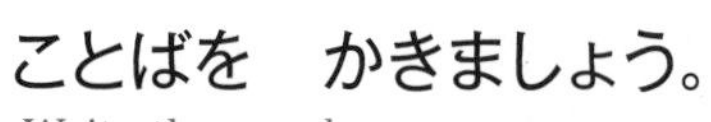

2 ことばを　かきましょう。
Write the words.

① パン	pan	パン	⑥ ベッド	beddo	ベッド
② テレビ	terebi	テレビ	⑦ シャツ	shatsu	シャツ
③ カメラ	kamera	カメラ	⑧ コーヒー	koohii	コーヒー
④ トイレ	toire	トイレ	⑨ ジュース	juusu	ジュース
⑤ ソファ	sofa	ソファ	⑩ エアコン	eakon	エアコン

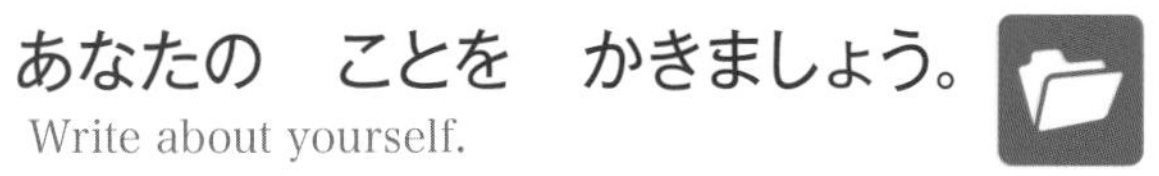

3 あなたの　ことを　かきましょう。
Write about yourself.

なまえ： namae	
まち： machi	
くに： kuni	

なまえ： namae	ヤン
まち： machi	クアラルンプール
くに： kuni	マレーシア

なまえ： namae	カーラ
まち： machi	パリ
くに： kuni	フランス

だい3か

どうぞ　よろしく
Doozo yoroshiku
Nice to meet you

3. わたしは　カーラです。
   Watashi wa Kaara desu.
4. わたしは　にほんごが　できます。
   Watashi wa Nihongo ga dekimasu.
5. わたしも　エンジニアです。
   Watashi mo enjinia desu.

だい4か

かぞくは　3にんです
Kazoku wa san-nin desu
There are three people in my family

6. かぞくは　ちちと　ははと　わたしです。
   Kazoku wa chichi to haha to watashi desu.
7. あねは　おおさかに　すんで　います。
   Ane wa Oosaka ni sunde imasu.
8. あにの　こどもは　4さいです。
   Ani no kodomo wa yon-sai desu.

2

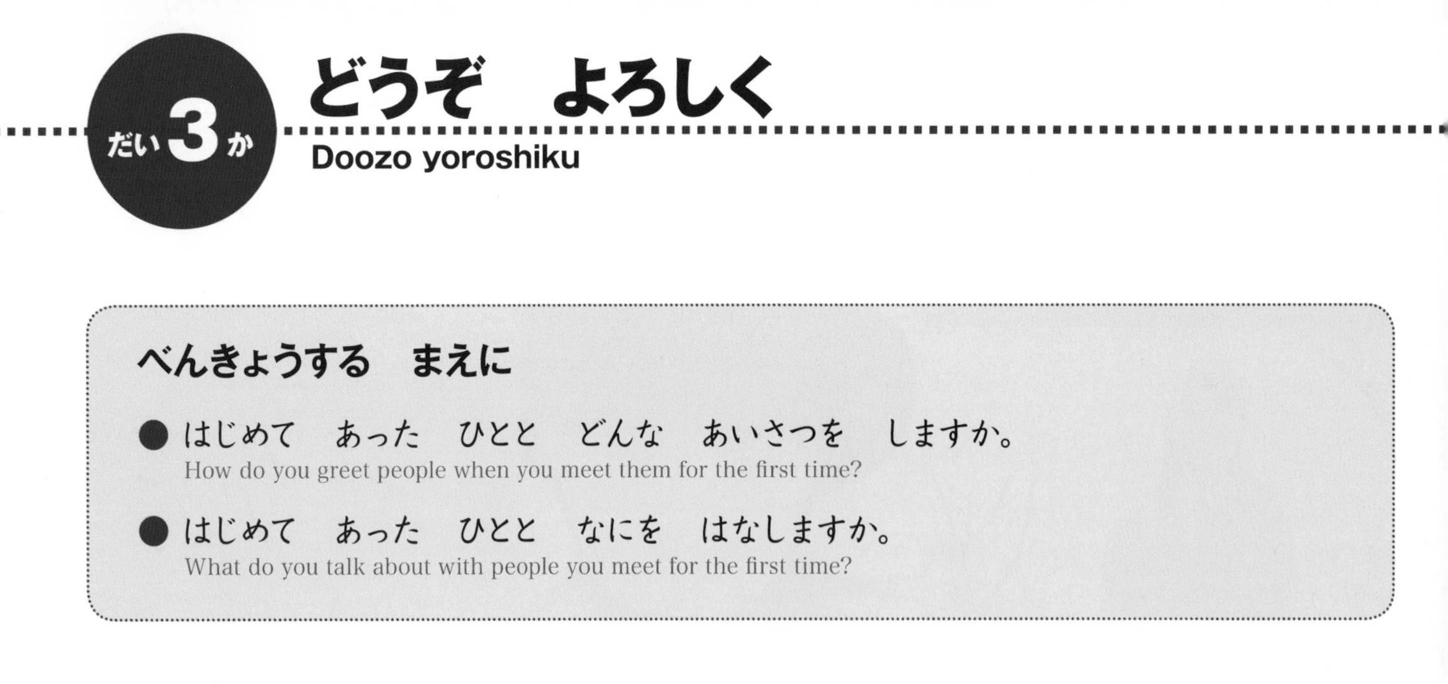

だい3か どうぞ　よろしく

Doozo yoroshiku

べんきょうする　まえに

- はじめて　あった　ひとと　どんな　あいさつを　しますか。
  How do you greet people when you meet them for the first time?
- はじめて　あった　ひとと　なにを　はなしますか。
  What do you talk about with people you meet for the first time?

1 もじとことば　ごい

1 ①-⑦の　くにでは　なにごを　はなしますか。
What languages do they speak in countries 1-7?

CHECK! 014

	くに kuni	なにごですか nanigo desu ka
1	にほん Nihon	a
2	ドイツ Doitsu	
3	ちゅうごく Chuugoku	
4	エジプト Ejiputo	
5	かんこく Kankoku	
6	オーストラリア Oosutoraria	
7	わたしの　くに watashi no kuni	

a にほんご Nihongo
b ちゅうごくご Chuugokugo
c ドイツご Doitsugo
d えいご Eego
e かんこくご Kankokugo
f アラビアご Arabiago

2 にほんごで　なんですか。
What is it in Japanese?

CHECK! 015

a がくせい gakusee	b きょうし kyooshi	c しゅふ shufu	d かいしゃいん kaishain	e こうむいん koomuin	f エンジニア enjinia

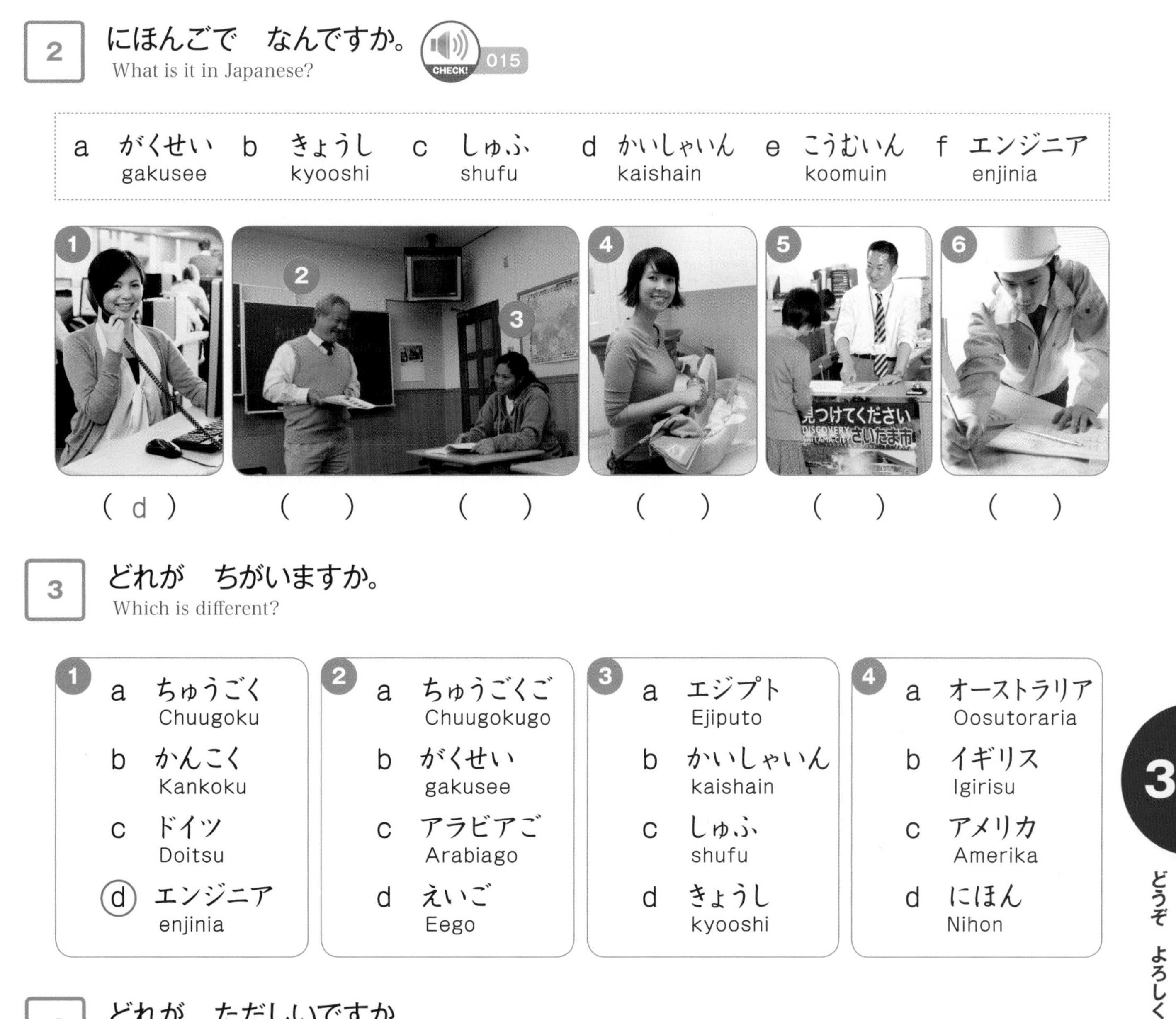

1 (d)　2 (　)　3 (　)　4 (　)　5 (　)　6 (　)

3 どれが　ちがいますか。
Which is different?

1
- a ちゅうごく Chuugoku
- b かんこく Kankoku
- c ドイツ Doitsu
- ⓓ エンジニア enjinia

2
- a ちゅうごくご Chuugokugo
- b がくせい gakusee
- c アラビアご Arabiago
- d えいご Eego

3
- a エジプト Ejiputo
- b かいしゃいん kaishain
- c しゅふ shufu
- d きょうし kyooshi

4
- a オーストラリア Oosutoraria
- b イギリス Igirisu
- c アメリカ Amerika
- d にほん Nihon

4 どれが　ただしいですか。
Which is correct?

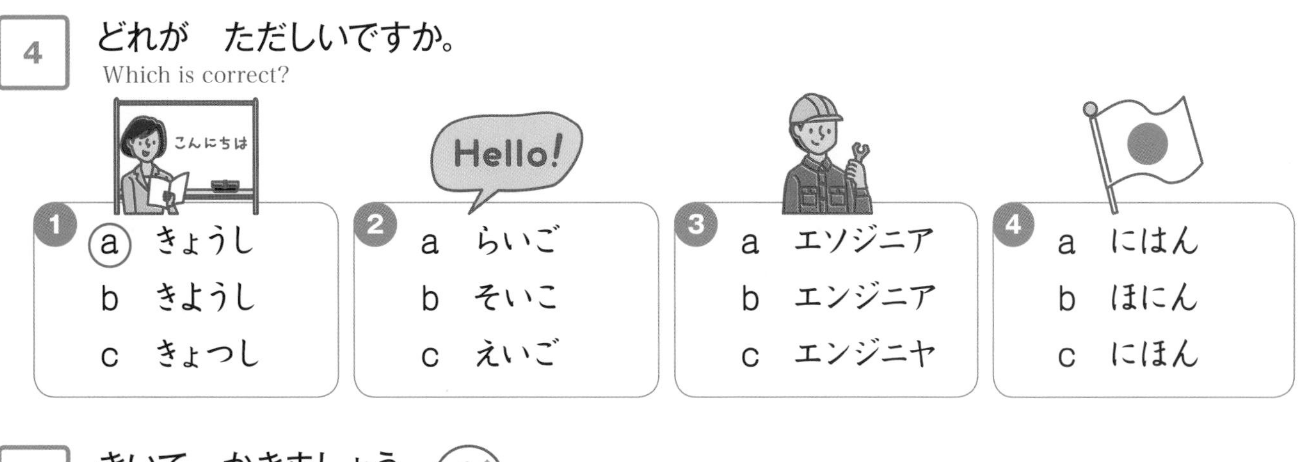

1
- ⓐ きょうし
- b きようし
- c きょつし

2
- a らいご
- b そいこ
- c えいご

3
- a エソジニア
- b エンジニア
- c エンジニヤ

4
- a にはん
- b ほにん
- c にほん

5 きいて　かきましょう。
Listen and write.

016

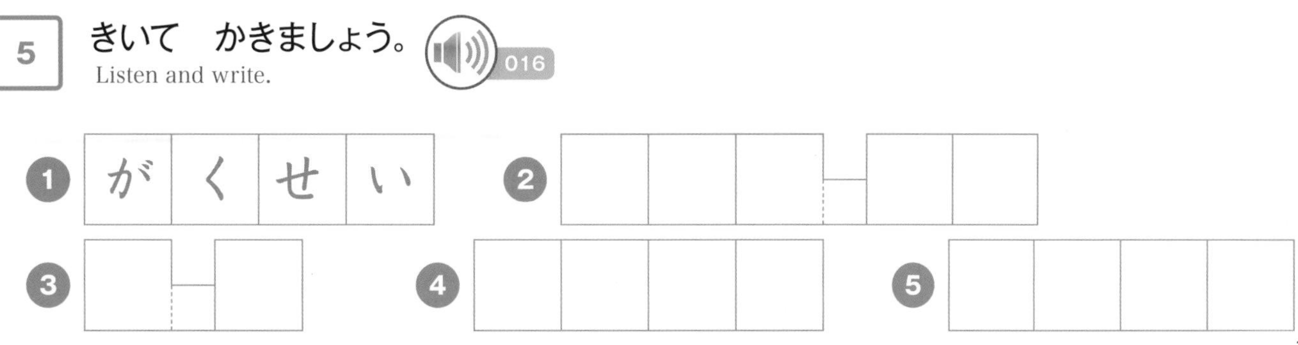

1 が く せ い

2 かいわとぶんぽう

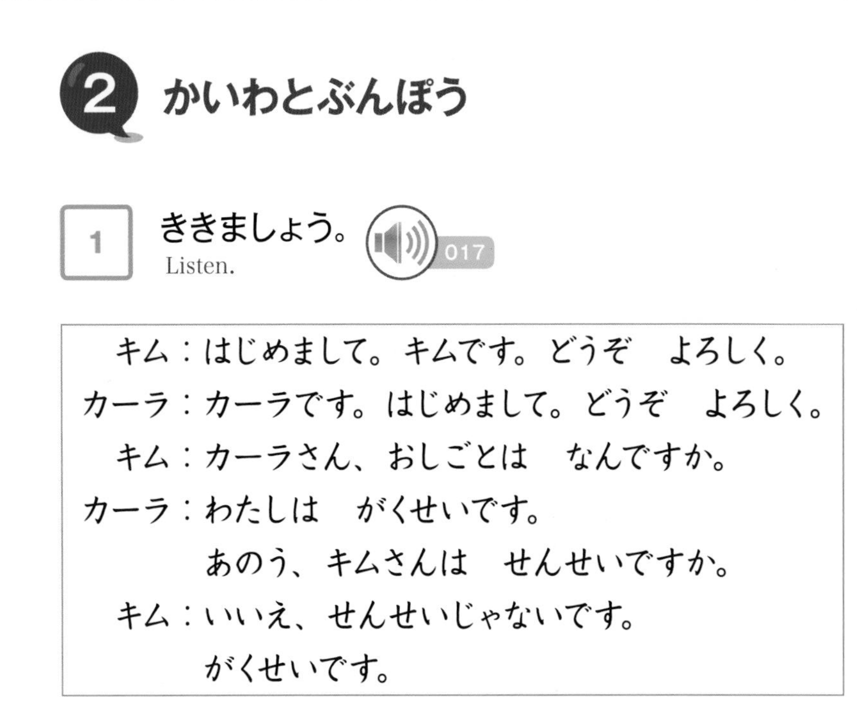

1 ききましょう。 017
Listen.

キム：はじめまして。キムです。どうぞ　よろしく。
カーラ：カーラです。はじめまして。どうぞ　よろしく。
キム：カーラさん、おしごとは　なんですか。
カーラ：わたしは　がくせいです。
あのう、キムさんは　せんせいですか。
キム：いいえ、せんせいじゃないです。
がくせいです。

Kimu : Hajimemashite. Kimu desu. Doozo yoroshiku.
Kaara : Kaara desu. Hajimemashite. Doozo yoroshiku.
Kimu : Kaara-san, oshigoto wa nan desu ka.
Kaara : Watashi wa gakusee desu. Anoo, Kimu-san wa sensee desu ka.
Kimu : Iie, senseejanai desu. Gakusee desu.

2

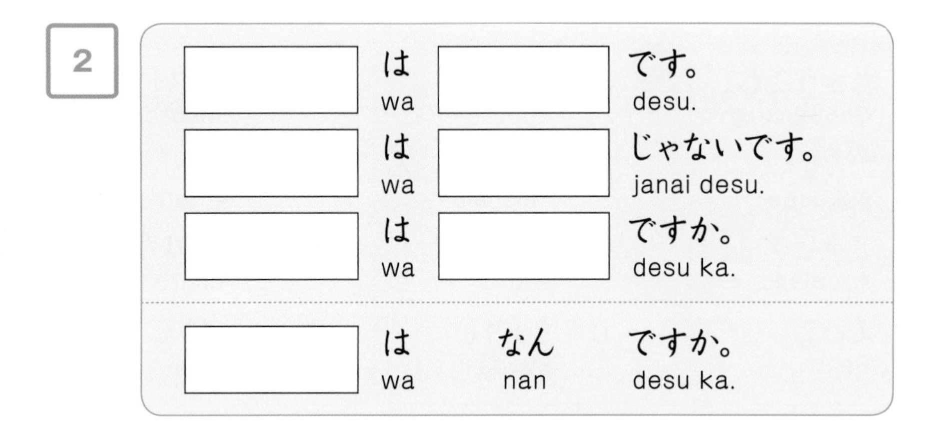

[　　] は wa [　　] です。 desu.
[　　] は wa [　　] じゃないです。 janai desu.
[　　] は wa [　　] ですか。 desu ka.

[　　] は wa なん nan ですか。 desu ka.

① きいて　えらびましょう。 018-021
Listen and choose the correct answer.

1 キムさん Kimu-san
a せんせい sensee
(b) がくせい gakusee

2 カーラさん Kaara-san
a せんせい sensee
b がくせい gakusee

3 ヤンさん Yan-san
a マレーシアじん Mareeshiajin
b ちゅうごくじん Chuugokujin

4 たなかさん Tanaka-san
a かいしゃいん kaishain
b がくせい gakusee

えらびましょう。
Choose the correct answer.

❶ ちゅうごくごです。
にほんご（ a　です　ⓑ　じゃないです ）。
Chuugokugo desu.
Nihongo (desu　janai desu).

❷ にほんごじゃないです。
かんこくご（ a　です　b　じゃないです ）。
Nihongojanai desu.
Kankokugo (desu　janai desu).

❸ フランスごです。
えいご（ a　です　b　じゃないです ）。
Furansugo desu.
Eego (desu　janai desu).

❹ えいごじゃないです。
ドイツご（ a　です　b　じゃないです ）。
Eegojanai desu.
Doitsugo (desu　janai desu).

3 かいわとぶんぽう

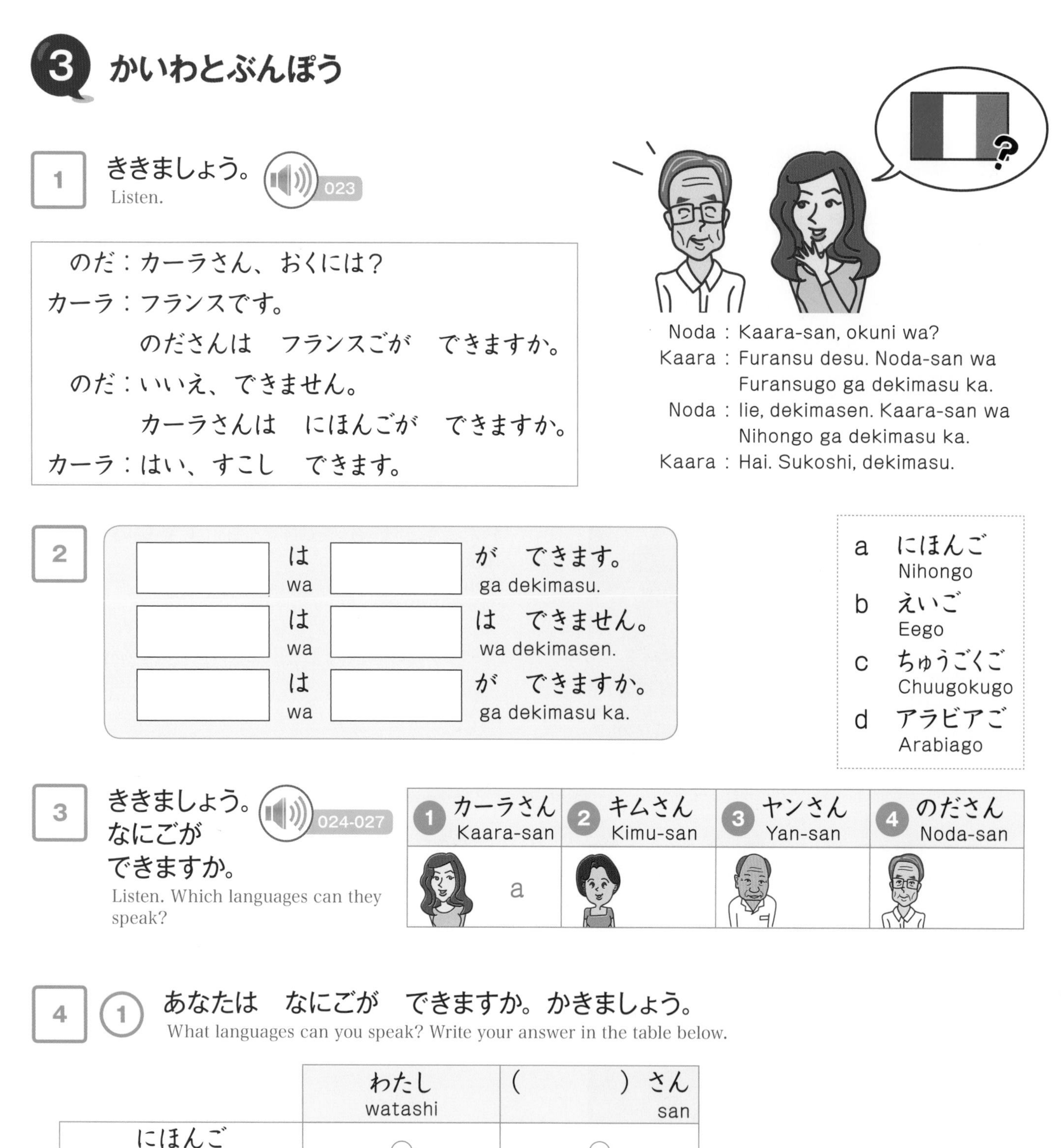

1 ききましょう。 023
Listen.

のだ：カーラさん、おくには？
カーラ：フランスです。
　　　のださんは　フランスごが　できますか。
のだ：いいえ、できません。
　　　カーラさんは　にほんごが　できますか。
カーラ：はい、すこし　できます。

Noda : Kaara-san, okuni wa?
Kaara : Furansu desu. Noda-san wa Furansugo ga dekimasu ka.
Noda : Iie, dekimasen. Kaara-san wa Nihongo ga dekimasu ka.
Kaara : Hai. Sukoshi, dekimasu.

2

［　　］	は wa	［　　］	が　できます。 ga dekimasu.
［　　］	は wa	［　　］	は　できません。 wa dekimasen.
［　　］	は wa	［　　］	が　できますか。 ga dekimasu ka.

a にほんご Nihongo
b えいご Eego
c ちゅうごくご Chuugokugo
d アラビアご Arabiago

3 ききましょう。なにごが できますか。 024-027
Listen. Which languages can they speak?

① カーラさん Kaara-san	② キムさん Kimu-san	③ ヤンさん Yan-san	④ のださん Noda-san
a			

4 ① あなたは　なにごが　できますか。かきましょう。
What languages can you speak? Write your answer in the table below.

	わたし watashi	（　　　）さん san
にほんご Nihongo	○	○
えいご Eego		
ちゅうごくご Chuugokugo		
（　　　）ご go		
（　　　）ご go		

② ペアで　はなしましょう。
Speak in pairs.

会、我会
Yes, I can
Qu'est-ce que vous aimez?
できますか？

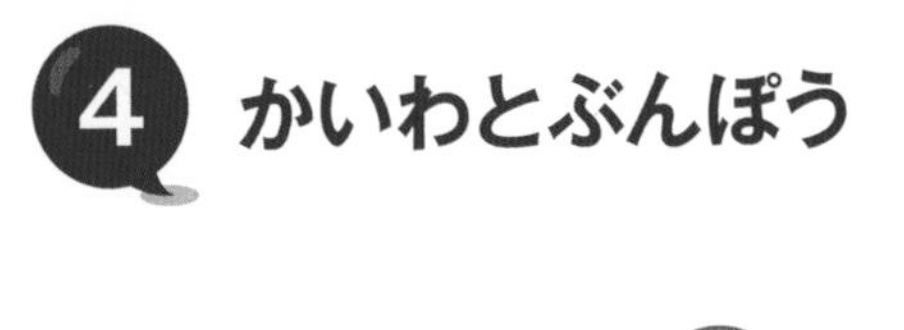

4 かいわとぶんぽう

1 ききましょう。 028
Listen.

さとう：おしごとは　なんですか。
シン：エンジニアです。
さとう：そうですか。わたしも　エンジニアです。
シン：そうですか。

Satoo : Oshigoto wa nan desu ka.
Shin : Enjinia desu.
Satoo : Soo desu ka. Watashi mo enjinia desu.
Shin : Soo desu ka.

2

わたしも ［　　　］ です。
Watashi mo ［　　　］ desu.
わたしは ［　　　］ も　できます。
Watashi wa ［　　　］ mo dekimasu.

3 （　）に　ひらがな（は・も）を　かきましょう。 CHECK! 029-032
Write hiragana (*wa* or *mo*) in the brackets.

①
さとう：ヤンさんは　エンジニアですか。
ヤン：いいえ。わたし（ は ）
エンジニアじゃないです。
さとう：そうですか。

Satoo : Yan-san wa enjinia desu ka.
Yan : Iie. Watashi (wa)
enjiniajanai desu.
Satoo : Soo desu ka.

②
きむら：おしごとは　なんですか。
やぎ：わたし（　　）　こうむいんです。
きむら：そうですか。わたし（　　）
こうむいんです。

Kimura : Oshigoto wa nan desu ka.
Yagi : Watashi (　　) koomuin desu.
Kimura : Soo desu ka. Watashi
(　　) koomuin desu.

③
カーラ：やぎさん（　　）　フランスごが
できますか。
やぎ：はい、すこし　できます。
アラビアご（　　）できます。
カーラ：そうですか。すごいですね。

Kaara : Yagi-san (　　) Furansugo ga
dekimasu ka.
Yagi : Hai, sukoshi dekimasu.
Arabiago (　　) dekimasu.
Kaara : Soo desu ka. Sugoi desu ne.

④
やぎ：キムさん（　　）　なにごが　できますか。
キム：えいごが　できます。
やぎ：ちゅうごくごは？
キム：ちゅうごくご（　　）できません。

Yagi : Kimu-san (　　) nanigo ga
dekimasu ka.
Kimu : Eego ga dekimasu.
Yagi : Chuugokugo wa?
Kimu : Chuugokugo (　　) dekimasen.

5 どっかい

「ふたりの　ことば」
"Futari no kotoba"

よんで、こたえましょう。ふたりは　なにごで　はなしますか。
Read and answer the question. What language do they use to communicate with each other?

あいさんは　にほんじんです。
にほんごが　できます。えいごも
できます。フランスごは　できません。

Ai-san wa Nihonjin desu.
Nihongo ga dekimasu.
Eego mo dekimasu.
Furansugo wa dekimasen.

アランさんは　フランスじんです。
えいごと　フランスごが　できます。
にほんごも　すこし　できます。

Aran-san wa Furansujin desu.
Eego to Furansugo ga dekimasu.
Nihongo mo sukoshi dekimasu.

	にほんご Nihongo	フランスご Furansugo	えいご Eego
あいさん Ai-san			
アランさん Aran-san			

6 さくぶん

「じこしょうかい」
"Jiko-shookai"

1 ぶんを　かきましょう。
Write the sentences.

わたしは　のだです。	わたしは　のだです。
にほんじんです。	にほんじんです。
かいしゃいんです。	かいしゃいんです。
えいごが　できます。	えいごが　できます。
アラビアごも　できます。	アラビアごも　できます。
どうぞ　よろしく。	どうぞ　よろしく。

2 あなたの　じこしょうかいを　かきましょう。
Write your self-introduction.

（あなたの　しゃしん・え）
Your own photo or picture

だい4か かぞくは　3にんです
Kazoku wa san-nin desu

べんきょうする　まえに

- はじめて　あった　ひとと　かぞくについて　なにを　はなしますか。
  What do you say about your family when you meet people for the first time?
- かぞくの　しゃしんを　みて　なにを　はなしますか。
  What do you talk about when you look at a family photo?

1 もじとことば　ごい

1 にほんごで　なんですか。　CHECK! 034
What is it in Japanese?

a	はは haha	b	おにいさん oniisan
c	いもうと imooto	d	おとうさん otoosan
e	おとうと otooto	f	おねえさん oneesan
g	おくさん okusan	h	おっと otto

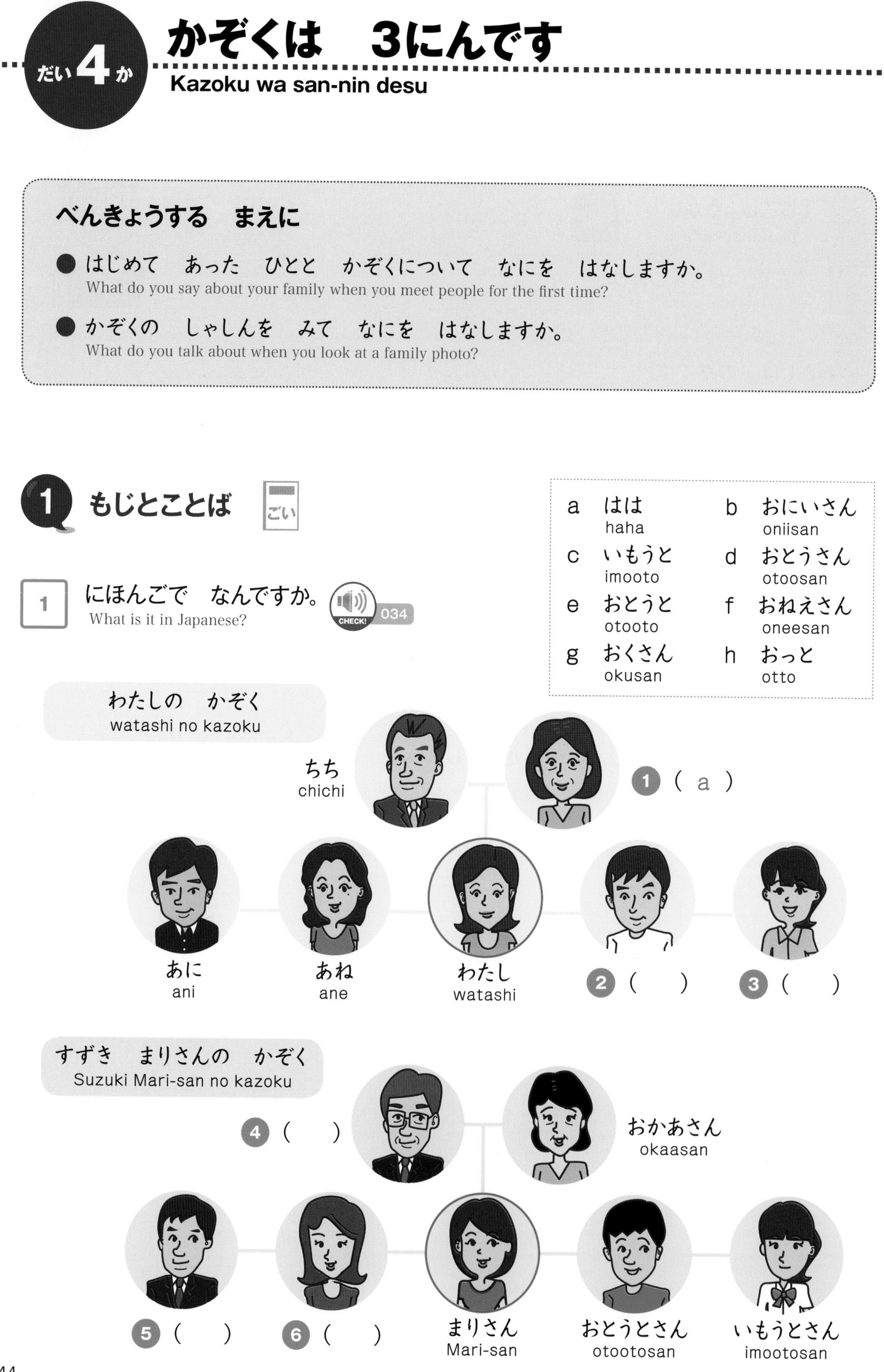

2 かぞくは　なんにんですか。
How many people are there in your family?
CHECK! 035

a ひとり hitori　b ふたり futari　c さんにん san-nin　d よにん yo-nin　e ごにん go-nin　f ろくにん roku-nin

1 (c)

2 (   )

3 (   )

4 (   )

3 えらびましょう。どの　ひとですか。
Match the words to the people in the photo.

❶ おとこのひと otoko-no-hito	a	
❷ おんなのひと onna-no-hito		
❸ おとこのこ otoko-no-ko		
❹ おんなのこ onna-no-ko		

4 どれが　ただしいですか。
Which is correct?

❶	❷	❸	❹	❺
a　いども	a　おくさん	a　ごしゃじん	a　あっと	a　かぞへ
b　こどま	b　おくきん	b　ごしゅじん	b　おっと	b　やぞく
ⓒ　こども	c　あくさん	c　ごしゆじん	c　おっそ	c　かぞく

5 きいて　かきましょう。
Listen and write.

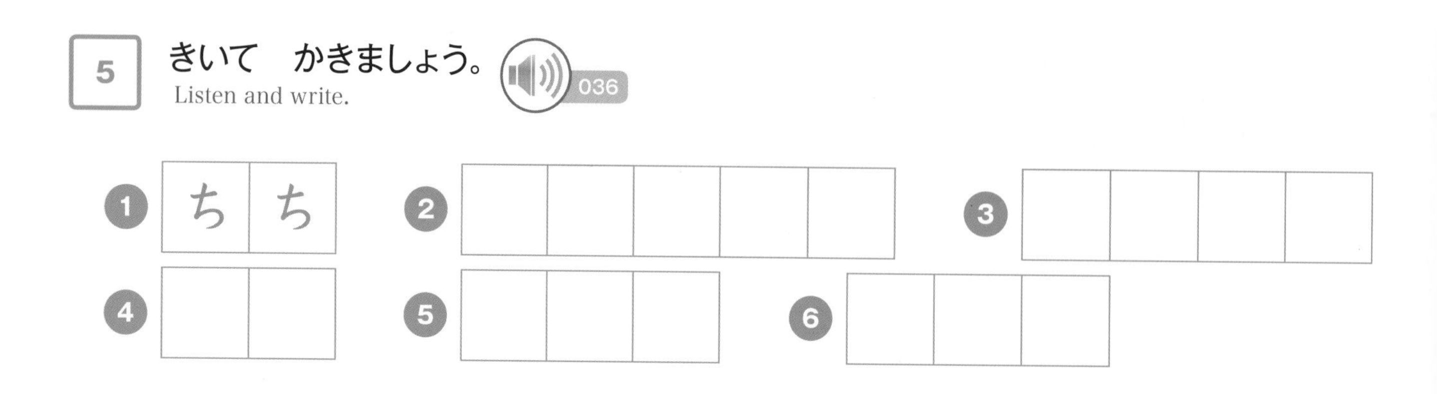

2 かいわとぶんぽう

1 ききましょう。 037
Listen.

わたしの　かぞくは　3にんです。
ちちと　ははと　わたしです。
わたしたちは　おおさかに　すんでいます。

Watashi no kazoku wa san-nin desu.
Chichi to haha to watashi desu.
Watashitachi wa Oosaka ni sunde imasu.

2 ［　　］と［　　］
to

1-4 の　かぞくの　しゃしんを　みて　ことばを　えらびましょう。 CHECK! 038
Look at the photos 1-4 and choose the correct words.

1 (a) と　わたしです。
( ) to watashi desu.

2 (　　) と　わたしと　こども　ふたりです。
( ) to watashi to kodomo futari desu.

3 ちちと　ははと (　　) と　わたしと　おとうとです。
Chichi to haha to ( ) to watashi to otooto desu.

4 ちちと　ははと　つまと (　　) ふたりと　わたしです。
Chichi to haha to tsuma to ( ) futari to watashi desu.

a つま tsuma	b おっと otto	c こども kodomo	d あに ani	e あね ane

4 かぞくは　3にんです

3

［　　　］	は wa	［　　　］	に　すんでいます。 ni sunde imasu.
		どこ Doko	に　すんでいますか。 ni sunde imasu ka.

きき ましょう。❶-❺の　かぞくは　どこに　すんでいますか。 039-043

Listen. Where do familes 1-5 live?

❶ (a)

❷ (　　)

❸ (　　)

❹ (　　)

❺ (　　)

a　おおさか Oosaka

b　とうきょう Tookyoo

c　ほっかいどう Hokkaidoo

d　ひろしま Hiroshima

e　おきなわ Okinawa

4　グループで　はなしましょう。

Speak in groups.

	かぞくは　なんにんですか。 Kazoku wa nan-nin desu ka.	だれが　いますか。 Dare ga imasu ka.	どこに　すんでいますか。 Doko ni sunde imasu ka.
わたし watashi			
(　　　) さん san			
(　　　) さん san			
(　　　) さん san			

３ かいわとぶんぽう

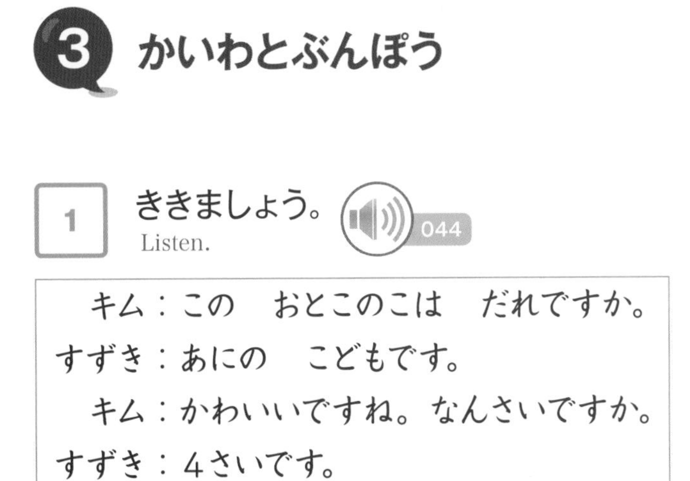

1 ききましょう。 044
Listen.

キム：この　おとこのこは　だれですか。
すずき：あにの　こどもです。
キム：かわいいですね。なんさいですか。
すずき：４さいです。

Kimu : Kono otoko-no-ko wa dare desu ka.
Suzuki : Ani no kodomo desu.
Kimu : Kawaii desu ne. Nan-sai desu ka.
Suzuki : Yon-sai desu.

2

□ の □
no

ききましょう。 045-049
Listen.

① だれですか。
Who are the people talking about?

② なんさいですか（おいくつですか）。
How old is he/she?

	❶	❷	❸	❹	❺
① だれ dare	b				
② なんさい nan-sai	４さい yon-sai	さい sai	さい sai	さい sai	さい sai

a あねの　こども ane no kodomo　b あにの　こども ani no kodomo　c はは haha　d あに ani　e あね ane

4 かぞくは　３にんです

4 どっかい

「わたしの　かぞく」
"Watashi no kazoku"

050-053

よんで、こたえましょう。どの　かぞくですか。
Read and answer. Which family is he/she describing?

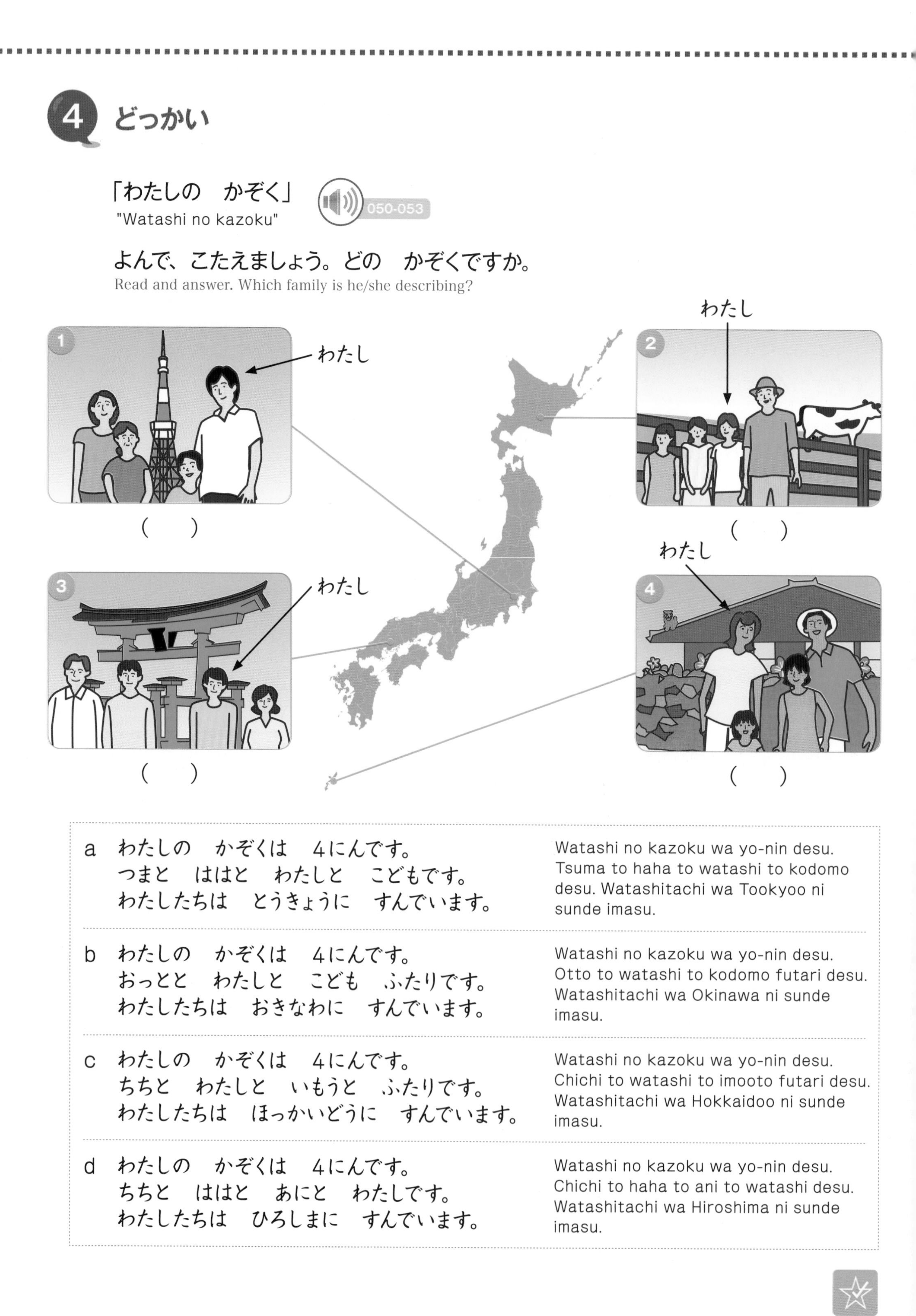

1 (　　)　2 (　　)　3 (　　)　4 (　　)

a	わたしの　かぞくは　4にんです。 つまと　ははと　わたしと　こどもです。 わたしたちは　とうきょうに　すんでいます。	Watashi no kazoku wa yo-nin desu. Tsuma to haha to watashi to kodomo desu. Watashitachi wa Tookyoo ni sunde imasu.
b	わたしの　かぞくは　4にんです。 おっとと　わたしと　こども　ふたりです。 わたしたちは　おきなわに　すんでいます。	Watashi no kazoku wa yo-nin desu. Otto to watashi to kodomo futari desu. Watashitachi wa Okinawa ni sunde imasu.
c	わたしの　かぞくは　4にんです。 ちちと　わたしと　いもうと　ふたりです。 わたしたちは　ほっかいどうに　すんでいます。	Watashi no kazoku wa yo-nin desu. Chichi to watashi to imooto futari desu. Watashitachi wa Hokkaidoo ni sunde imasu.
d	わたしの　かぞくは　4にんです。 ちちと　ははと　あにと　わたしです。 わたしたちは　ひろしまに　すんでいます。	Watashi no kazoku wa yo-nin desu. Chichi to haha to ani to watashi desu. Watashitachi wa Hiroshima ni sunde imasu.

なにが　すきですか

Nani ga suki desu ka

What kind of food do you like?

9. にくが　すきです。
   Niku ga suki desu.
10. やさいは　すきじゃないです。
    Yasai wa sukijanai desu.
11. あさごはんを　たべます。
    Asa-gohan o tabemasu.
12. コーヒーを　よく　のみます。
    Koohii o yoku nomimasu.

だい 6 か

どこで　たべますか

Doko de tabemasu ka

Where are you going to have lunch?

13. すきな　りょうりは　カレーです。
    Sukina ryoori wa karee desu.
14. ラーメンやさんで　ラーメンを　たべます。
    Raamen'ya-san de raamen o tabemasu.
15. あの　みせは　おいしいです。
    Ano mise wa oishii desu.

3

だい5か なにが　すきですか
Nani ga suki desu ka

べんきょうする　まえに

- あなたは　いつも　あさごはんを　たべますか。
  Do you always eat breakfast?
- たべものは　なにが　すきですか。のみものは　なにが　すきですか。
  What food and drinks do you like?

1 もじとことば　ごい

1 にほんごで　なんですか。 CHECK! 054
What is it in Japanese?

1 (c)　2 (　)　3 (　)　4 (　)

5 (　)　6 (　)　7 (　)　8 (　)

a ごはん gohan	b みず mizu	c パン pan	d にく niku
e さかな sakana	f ぎゅうにゅう gyuunyuu	g たまご tamago	h やさい yasai
i コーヒー koohii	j ワイン wain	k くだもの kudamono	l みそしる misoshiru

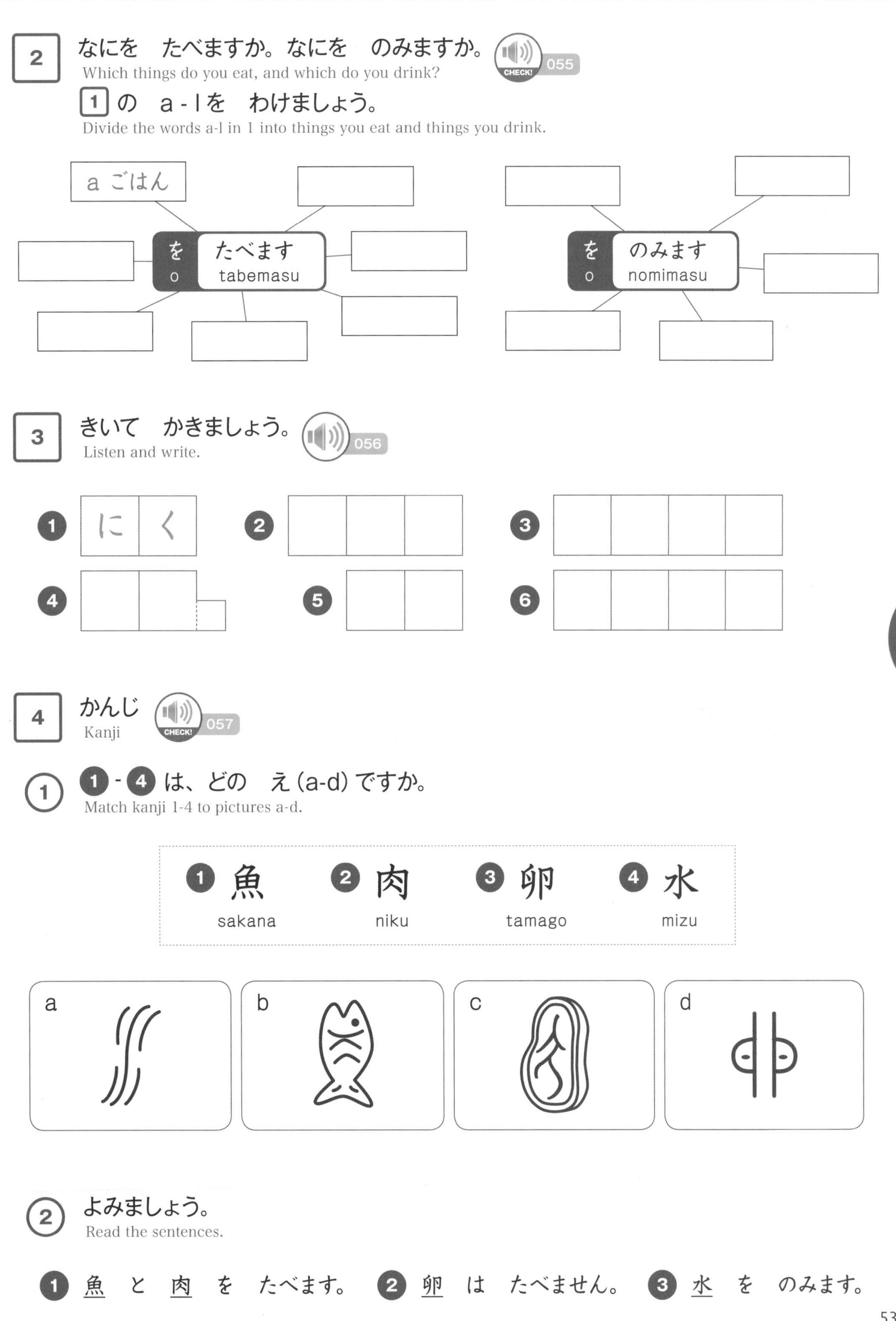

2 なにを　たべますか。なにを　のみますか。 CHECK! 055

Which things do you eat, and which do you drink?

1 の　a - l を　わけましょう。

Divide the words a-l in 1 into things you eat and things you drink.

3 きいて　かきましょう。 056

Listen and write.

4 かんじ CHECK! 057

Kanji

(1) 1 - 4 は、どの　え (a-d) ですか。

Match kanji 1-4 to pictures a-d.

1 魚 sakana　2 肉 niku　3 卵 tamago　4 水 mizu

(2) よみましょう。

Read the sentences.

1 魚　と　肉　を　たべます。　2 卵　は　たべません。　3 水　を　のみます。

5 なにが　すきですか

2 かいわとぶんぽう

1 ききましょう。 Listen. 058

ジョイ：たべものは　なにが　すきですか。
たなか：肉が　すきです。魚も　すきです。
ジョイ：やさいは？
たなか：やさいは　すきじゃないです。
ジョイ：わたしは　肉と　やさいが　すきです。

Joi : Tabemono wa nani ga suki desu ka.
Tanaka : Niku ga suki desu. Sakana mo suki desu.
Joi : Yasai wa?
Tanaka : Yasai wa sukijanai desu.
Joi : Watashi wa niku to yasai ga suki desu.

2

☐ が　すきです。 ga suki desu.

☐ は　すきじゃないです。 wa sukijanai desu.

なにが　すきですか。
Nani ga suki desu ka.

① ききましょう。 Listen. 059

のみものは　なにが　すきですか。すきじゃないですか。
Which drinks do the people like? Which drinks do they not like?

	すきです Suki desu	すきじゃないです Sukijanai desu
1 シンさん Shin-san	a コーヒー	b こうちゃ
2 あべさん Abe-san		
3 よしださん Yoshida-san		
4 ジョイさん Joi-san		
5 ホセさん Hose-san		

② （　　）に　ひらがな（は・が・も・と）を　かきましょう。 CHECK! 060
Write hiragana (*wa*, *ga*, *mo* or *to*) in the brackets.

ヤン：のださん、たべもの（は）　なに（　　）すきですか。
Yan : Noda-san, tabemono (wa) nani (　　) suki desu ka.

のだ：やさい（　　）さかなが　すきです。くだもの（　　）すきです。
Noda : Yasai (　　) sakana ga suki desu. Kudamono (　　) suki desu.

にく（　　）すきじゃないです。
Niku (　　) sukijanai desu.

ヤン：わたしは　にくが　すきです。さかな（　　）すきじゃないです。
Yan : Watashi wa niku ga suki desu. Sakana (　　) sukijanai desu.

3 ① あなたは　なにが　すきですか。かきましょう。
What do you like? Write your answer in the table.

② ペアで　はなしましょう。
Speak in pairs.

たべものは　なにが　すきですか。
Tabemono wa nani ga suki desu ka.

にくが　すきです。
Niku ga suki desu.

	たべもの tabemono	のみもの nomimono
れい ree	にく、くだもの niku,　kudamono	こうちゃ、コーヒー koocha,　koohii
わたし watashi		
（　　　）さん san		

3 かいわとぶんぽう

1 ききましょう。 Listen. 061

あべ：ホセさん、いつも　あさごはんを　たべますか。
ホセ：はい、たべます。
あべ：なにを　よく　たべますか。
ホセ：わたしは　パンと　くだものを　よく　たべます。
あべ：卵は？
ホセ：卵は　あまり　たべません。

Abe : Hose-san, itsumo asa-gohan o tabemasu ka.
Hose : Hai, tabemasu.
Abe : Nani o yoku tabemasu ka.
Hose : Watashi wa pan to kudamono o yoku tabemasu.
Abe : Tamago wa?
Hose : Tamago wa amari tabemasen.

2

[　]を o [　]ます。masu.　[　]は wa [　]ません。masen.

[　]を o [　]ますか。masu ka.　なにを Nani o [　]ますか。masu ka.

ききましょう。4にんは　あさごはんを　たべますか。たべませんか。
Listen. Do the four people eat, or not eat breakfast?

062-065

	❶ かわいさん Kawai-san	❷ たなかさん Tanaka-san	❸ キムさん Kimu-san	❹ カーラさん Kaara-san
あさごはんを　たべます。 Asa-gohan o tabemasu.	✓			
あさごはんは　たべません。 Asa-gohan wa tabemasen.				

3

よく Yoku [　]ます。masu.　あまり Amari [　]ません。masen.

たべますか、たべませんか。
Do they eat or not eat the following things? CHECK! 066

❶ あべさんは　やさいを　よく（ⓐ たべます　b たべません）。
Abe-san wa yasai o yoku (tabemasu　tabemasen).

❷ シンさんは　こうちゃは　あまり（ a のみます　b のみません）。
Shin-san wa koocha wa amari (nomimasu　nomimasen).

❸ ホセさんは　コーヒーを　よく（ a のみます　b のみません）。
Hose-san wa koohii o yoku (nomimasu　nomimasen).

❹ わたしは　パンは　あまり（ a たべます　b たべません）。
Watashi wa pan wa amari (tabemasu　tabemasen).

4 かわいさんの　あさごはんを　みて　えらびましょう。 CHECK! 067
Look at Kawai-san's breakfast and choose the correct answer.

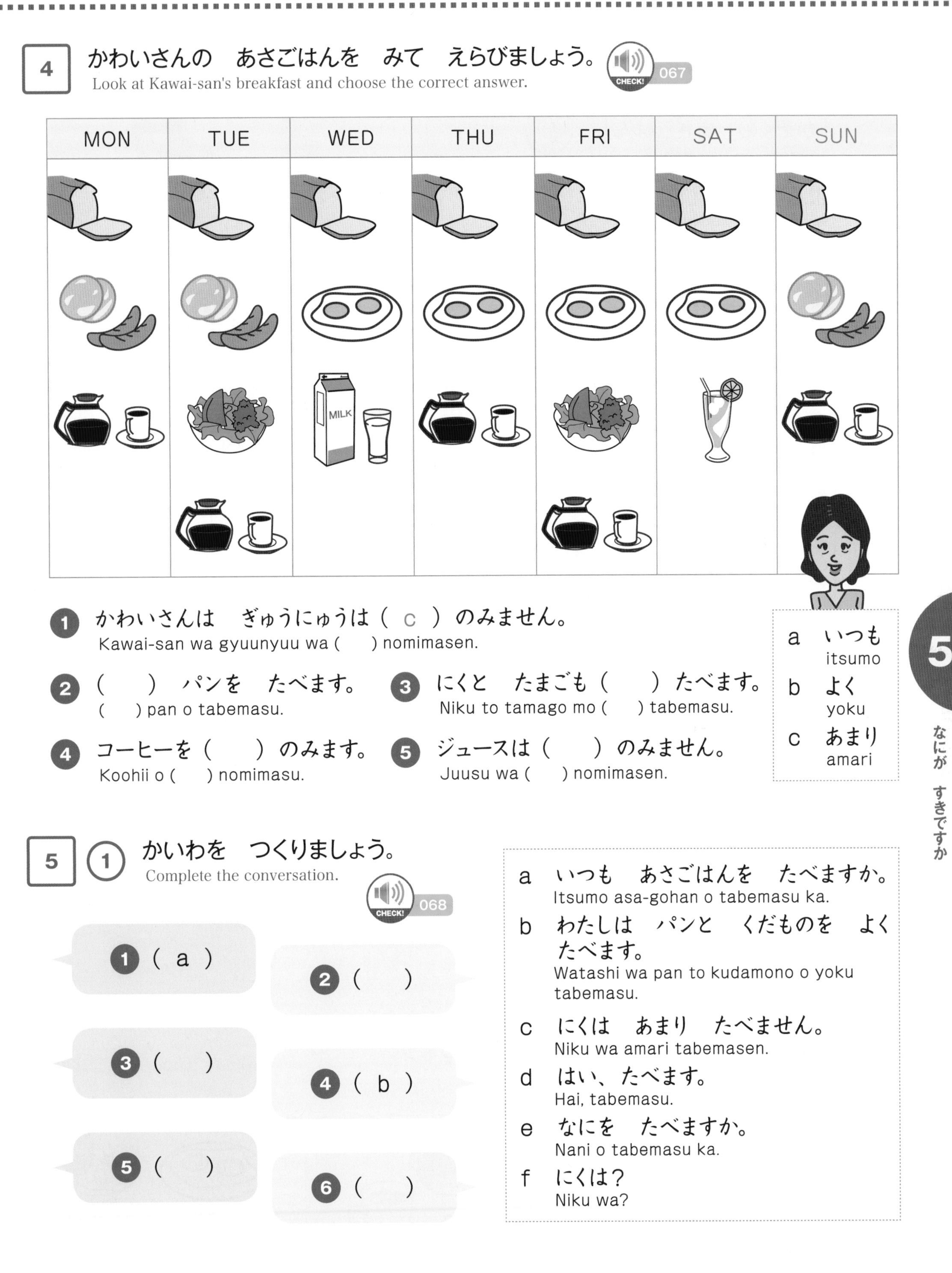

1. かわいさんは　ぎゅうにゅうは（ c ）のみません。
Kawai-san wa gyuunyuu wa (　) nomimasen.
2. （　）パンを　たべます。
(　) pan o tabemasu.
3. にくと　たまごも（　）たべます。
Niku to tamago mo (　) tabemasu.
4. コーヒーを（　）のみます。
Koohii o (　) nomimasu.
5. ジュースは（　）のみません。
Juusu wa (　) nomimasen.

a いつも itsumo
b よく yoku
c あまり amari

5 ① かいわを　つくりましょう。
Complete the conversation. CHECK! 068

1 (a)
2 (　)
3 (　)
4 (b)
5 (　)
6 (　)

a いつも　あさごはんを　たべますか。
Itsumo asa-gohan o tabemasu ka.
b わたしは　パンと　くだものを　よく　たべます。
Watashi wa pan to kudamono o yoku tabemasu.
c にくは　あまり　たべません。
Niku wa amari tabemasen.
d はい、たべます。
Hai, tabemasu.
e なにを　たべますか。
Nani o tabemasu ka.
f にくは？
Niku wa?

② あなたの　あさごはんは　どうですか。ペアで　はなしましょう。
What do you have for your breakfast? Talk in pairs.

4 どっかい

「かぞくの　あさごはん」 069
"Kazoku no asa-gohan"

よんで、こたえましょう。
Read and answer the question.

ちちは　ごはんと　みそしるが　すきです。
やさいも　たべます。
パンは　あまり　すきじゃないです。

ははも　ごはんと　みそしるが　すきです。
パンも　よく　たべます。
ははは　卵は　あまり　たべません。
魚を　よく　たべます。

わたしは　いつも　ごはんと　肉を　たべます。
魚も　すきです。
パンは　あまり　たべません。
くだものも　すきじゃないです。

Chichi wa gohan to misoshiru ga suki desu.
Yasai mo tabemasu.
Pan wa amari sukijanai desu.

Haha mo gohan to misoshiru ga suki desu.
Pan mo yoku tabemasu.
Haha wa tamago wa amari tabemasen.
Sakana o yoku tabemasu.

Watashi wa itsumo gohan to niku o tabemasu.
Sakana mo suki desu.
Pan wa amari tabemasen.
Kudamono mo sukijanai desu.

1 この　かぞくは　なにが　すきですか。なにを　よく　たべますか。
What does each family member like? What does he/she often eat?

	すきです／よく たべます Suki desu/Yoku tabemasu	すきじゃないです／あまり たべません Sukijanai desu/Amari tabemasen
ちち chichi	ごはん gohan	
はは haha		
わたし watashi		

3にんで　いっしょに　あさごはんを　たべます。
どれが　いいですか。ひとつ　えらびましょう。（　　）
The same family is going to have breakfast together.
Choose the best breakfast for everyone from the three below.

a

b

c

5 さくぶん

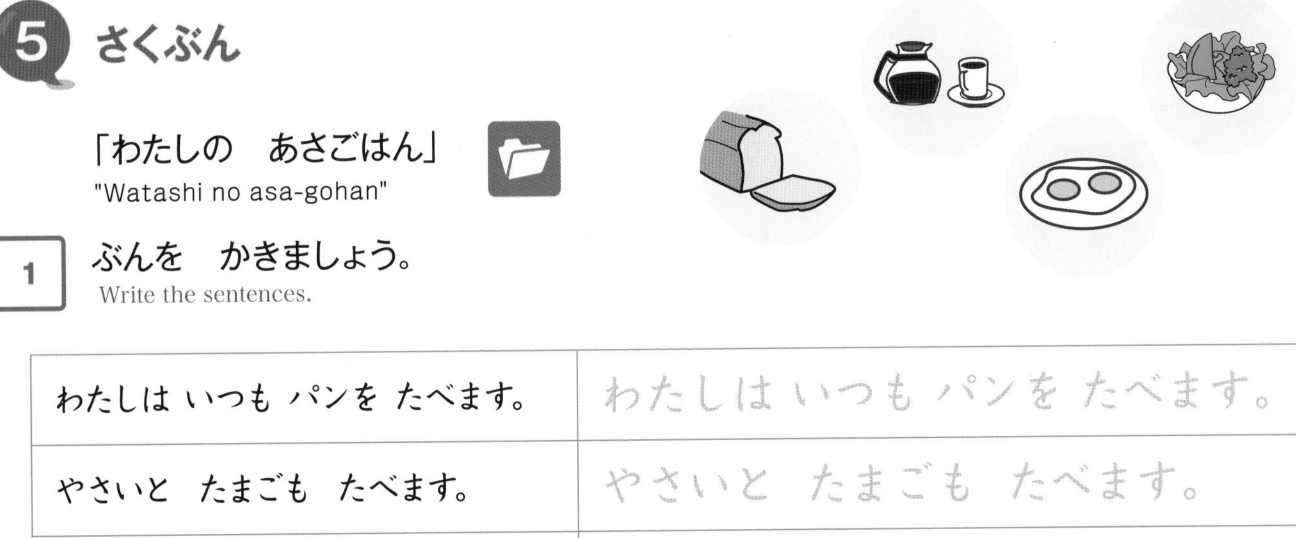

「わたしの　あさごはん」
"Watashi no asa-gohan"

1 ぶんを　かきましょう。
Write the sentences.

わたしは いつも パンを たべます。	わたしは いつも パンを たべます。
やさいと　たまごも　たべます。	やさいと　たまごも　たべます。
ごはんは　あまり　たべません。	ごはんは　あまり　たべません。
よく　コーヒーを　のみます。	よく　コーヒーを　のみます。
こうちゃも　すきです。	こうちゃも　すきです。
ジュースは あまり すきじゃないです。	ジュースは　あまり　すきじゃないです。

2 あなたは　なにが　すきですか。なにを　よく　たべますか。あなたの　あさごはんについて　えと　ぶんを　かきましょう。
What do you like? What do you often eat? Draw a picture and write about your breakfast.

だい6か　どこで　たべますか
Doko de tabemasu ka

べんきょうする　まえに

- あなたは　ひるごはんを　いつも　どこで　たべますか。
  Where do you always have lunch?
- ファーストフードの　みせで　たべますか。なにを　たべますか。
  Do you eat at fast food restaurants? What do you have?

1 もじとことば　ごい

a	すし sushi	b	そば soba	c	うどん udon
d	ハンバーガー hanbaagaa	e	サンドイッチ sandoicchi	f	カレー karee
g	ピザ piza	h	ラーメン raamen		

1 にほんごで　なんですか。
What is it in Japanese?

CHECK! 070

① (f)　② (　)　③ (　)　④ (　)　⑤ (　)

⑥ (　)　⑦ (　)　⑧ (　)

うどんやさん	udon'ya-san
ラーメンやさん	raamen'ya-san
おすしやさん	osushiya-san
おそばやさん	osobaya-san

2 かきましょう。みせの　なまえは　なんですか。
Write the name of the restaurant.

CHECK! 071

① うどん udon → うどんや udon'ya

② そば soba →

③ すし sushi →

④ ラーメン raamen →

⑤ ピザ piza →

⑥ カレー karee →

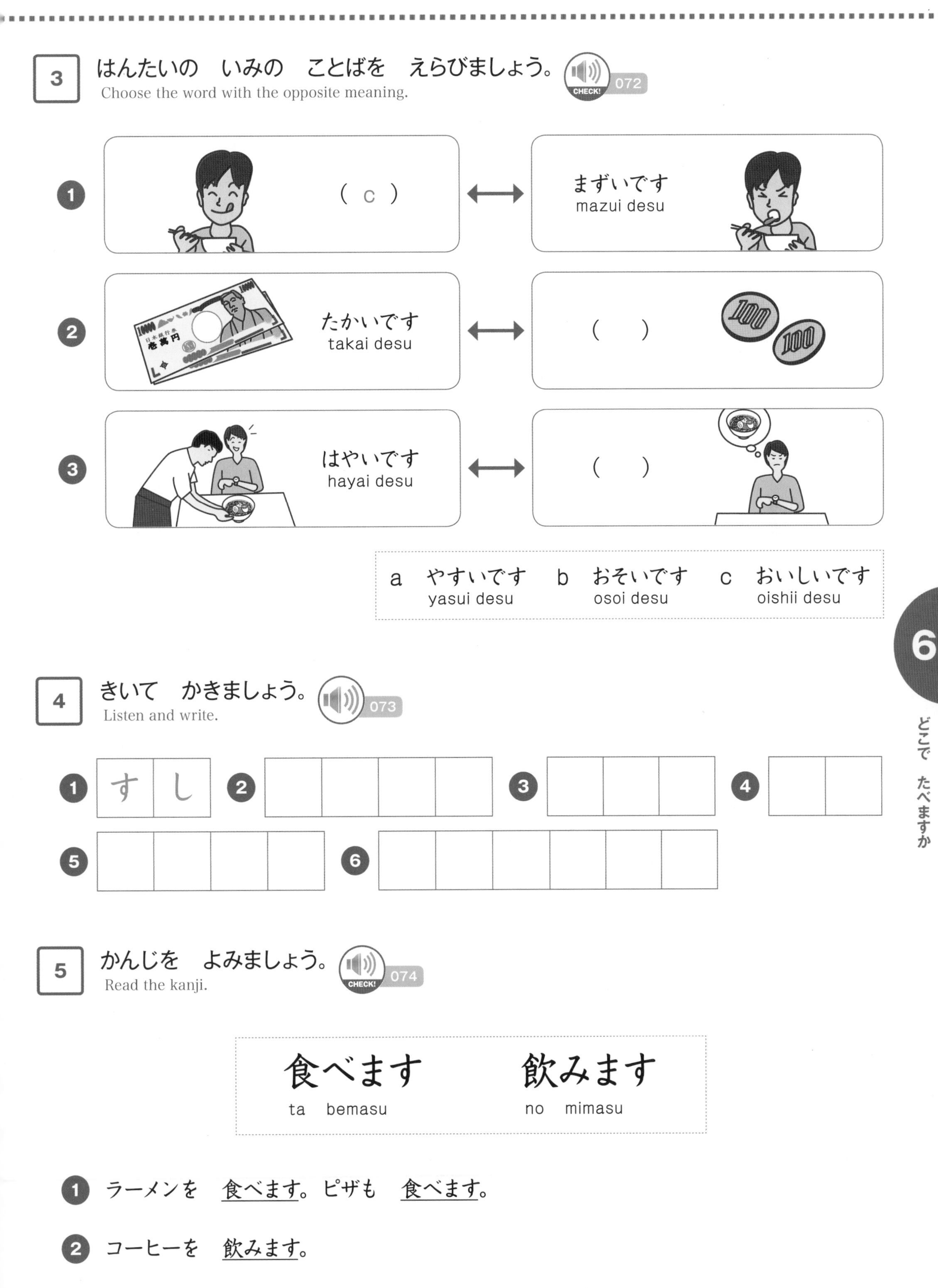

3 はんたいの　いみの　ことばを　えらびましょう。
Choose the word with the opposite meaning.

CHECK! 072

1. （ c ）　⟷　まずいです mazui desu
2. たかいです takai desu　⟷　（　　）
3. はやいです hayai desu　⟷　（　　）

a　やすいです yasui desu　b　おそいです osoi desu　c　おいしいです oishii desu

4 きいて　かきましょう。
Listen and write.

073

1. すし
2.
3.
4.
5.
6.

5 かんじを　よみましょう。
Read the kanji.

CHECK! 074

食べます ta bemasu　飲みます no mimasu

1. ラーメンを　食べます。ピザも　食べます。
2. コーヒーを　飲みます。

6　どこで　たべますか

2 かいわとぶんぽう

1 ききましょう。 075
Listen.

よしだ：すきな　りょうりは　なんですか。
キム：カレーです。
よしだ：わたしは　ハンバーガーが　すきです。
キム：そうですか。

Yoshida : Sukina ryoori wa nan desu ka.
Kimu : Karee desu.
Yoshida : Watashi wa hanbaagaa ga suki desu.
Kimu : Soo desu ka.

2

すきな Sukina	［　　］	は wa	［　　］	です。 desu.
きらいな Kiraina	［　　］	は wa	［　　］	です。 desu.

ただしい　じゅんばんに　ならべましょう。 CHECK! 076
Arrange the words in the correct order.

1 a すきな sukina　b は wa　c りょうり ryoori

［a すきな］［c りょうり］［b は］ピザです。 piza desu.

2 a バナナ banana　b くだもの kudamono　c です desu

すきな Sukina ［　　］ は wa ［　　］［　　］。

3 a こうちゃ koocha　b です desu　c すきな sukina　d は wa

［　　］ のみもの nomimono ［　　］［　　］［　　］。

4 a さかな sakana　b たべもの tabemono　c です desu　d きらいな kiraina

［　　］［　　］ は wa ［　　］［　　］。

3 ① あなたは　なにが　すきですか。きらいですか。かきましょう。
Write what you like and dislike.

② ペアで　はなしましょう。
Speak in pairs.

すきな　たべものは　なんですか。
Sukina tabemono wa nan desu ka.

すしです。
Sushi desu.

	すきな sukina		きらいな kiraina	
	たべもの／りょうり tabemono/ryoori	のみもの nomimono	たべもの／りょうり tabemono/ryoori	のみもの nomimono
わたし watashi				
(　　　　)さん san				

3 かいわとぶんぽう

1 ききましょう。 077
Listen.

カーラ：きょう　どこで　ひるごはんを　食べますか。
たなか：「いっぽ」で　食べます。
カーラ：「いっぽ」？
たなか：はい。ラーメンやさんです。おいしいですよ。
カーラ：じゃあ、わたしも　いきます。

Kaara : Kyoo doko de hiru-gohan o tabemasu ka.
Tanaka : "Ippo" de tabemasu.
Kaara : "Ippo" ?
Tanaka : Hai. Raamen'ya-san desu. Oishii desu yo.
Kaara : Jaa, watashi mo ikimasu.

2 ［　　］で　たべます。de tabemasu.　［　　］を　たべます。o tabemasu.

（　）に　ひらがな（で・を）を　かきましょう。 CHECK! 078
Write hiragana (*de* or *o*) in the brackets.

たなか：きょう　どこ（ で ）ひるごはんを　たべますか。
Tanaka : Kyoo doko (de) hiru-gohan o tabemasu ka.

カーラ：コーヒーショップ（　　）たべます。
Kaara : Koohii-shoppu (　　) tabemasu.

たなか：なに（　　）たべますか。
Tanaka : Nani (　　) tabemasu ka.

カーラ：サンドイッチ（　　）たべます。
Kaara : Sandoicchi (　　) tabemasu.

3

＿＿い i です。 desu.	＿＿く ku ないです。 nai desu.

たかいです takai desu → たかくないです takakunai desu

① ただしい　かたちを　かきましょう。 (CHECK! 079)
Write the correct form.

a おいしいです oishii desu	b	g	h まずくないです mazukunai desu
c	d やすくないです yasukunai desu	i たかいです takai desu	j
e はやいです hayai desu	f	k	l おそくないです osokunai desu

② ききましょう。どんな　みせですか。 (080-085)
Listen. What is the restaurant like?

①の a-l の　ことばを　えらびましょう。

Choose words a-l from ex.1 above.

1. (a) ラーメンや raamen'ya
2. (　　) カレーや kareeya
3. (　　) すしや sushiya
4. (　　) そばや sobaya
5. (　　) うどんや udon'ya
6. (　　) ピザや pizaya

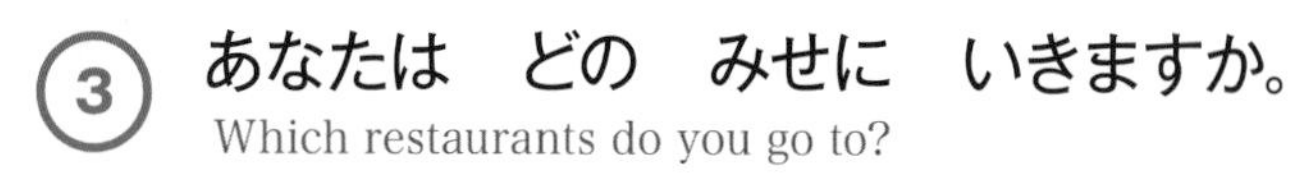

③ あなたは　どの　みせに　いきますか。
Which restaurants do you go to?

4 ① かいわを　つくりましょう。

Complete the conversation.

CHECK! 086

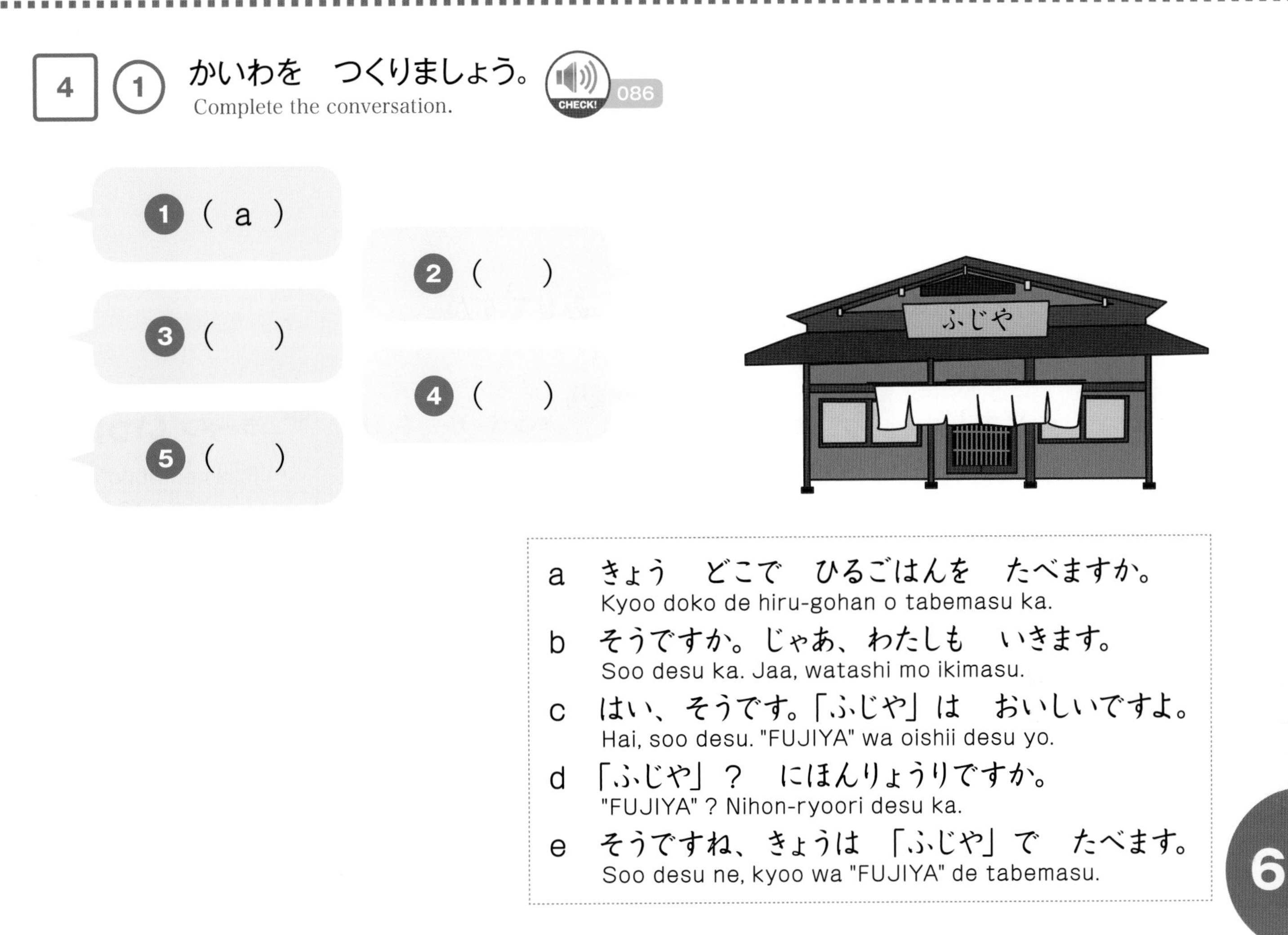

a　きょう　どこで　ひるごはんを　たべますか。
Kyoo doko de hiru-gohan o tabemasu ka.

b　そうですか。じゃあ、わたしも　いきます。
Soo desu ka. Jaa, watashi mo ikimasu.

c　はい、そうです。「ふじや」は　おいしいですよ。
Hai, soo desu. "FUJIYA" wa oishii desu yo.

d　「ふじや」？　にほんりょうりですか。
"FUJIYA" ? Nihon-ryoori desu ka.

e　そうですね、きょうは　「ふじや」で　たべます。
Soo desu ne, kyoo wa "FUJIYA" de tabemasu.

② どこで　ひるごはんを　たべますか。ペアで　はなしましょう。

Where do you have your lunch? Speak in pairs.

4 どっかい

「どこで　ひるごはんを　食べますか」
"Doko de hiru-gohan o tabemasu ka"

① よみましょう。4つの　みせは　どんな　みせですか。
Read about four restaurants. What are they like?

1 すし **えどずし**
Sushi "Edo-zushi"
Tel: 448-8699

おいしいです！
Oishii desu!
たかいです。
Takai desu.

2 そば **むさしや**
Soba "Musashi-ya"
Tel: 448-5741

はやいです！
Hayai desu!
おいしいです。
Oishii desu.
たかいです。
Takai desu.

3 ハンバーガー **もり**
Hanbaagaa "Mori"
Tel: 447-1148

やすいです！
Yasui desu!

4 ラーメン **いっぽ**
Raamen "Ippo"
Tel: 447-5329

やすいです！
Yasui desu!
はやいです！
Hayai desu!

② たなかさん、キムさん、のださんは　どこで　ひるごはんを　たべますか。
Where do Tanaka-san, Kim-san and Noda-san have their lunch?

● たなかさん：
じかんが　ありません。
おかねも　ありません。
Tanaka-san: Jikan ga arimasen.
Okane mo arimasen.

● キムさん：
じかんが　あります。おかねは　ありません。
きらいな　りょうりは　ラーメンです。
Kimu-san: Jikan ga arimasu. Okane wa arimasen.
Kiraina ryoori wa raamen desu.

● のださん：
じかんが　あります。おかねも　あります。
そばは　すきじゃないです。
さかなが　すきです。
Noda-san: Jikan ga arimasu. Okane mo arimasu.
Soba wa sukijanai desu. Sakana ga suki desu.

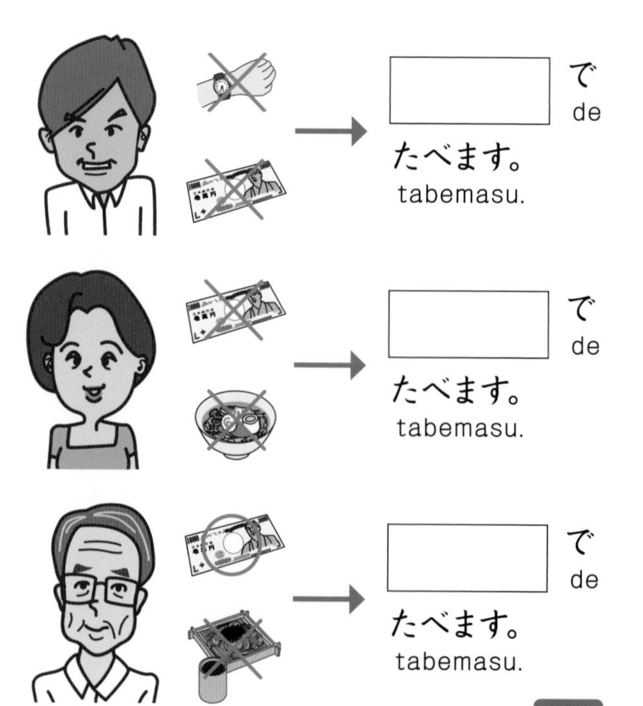

だい7か

へやが　3つ　あります

Heya ga mittsu arimasu

There are three rooms in my home

16. いえに　エアコンが　あります。
　Ie ni eakon ga arimasu.
17. いえに　ねこが　います。
　Ie ni neko ga imasu.
18. ベッドが　2つ　あります。
　Beddo ga futatsu arimasu.
19. わたしの　いえは　せまいです。
　Watashi no ie wa semai desu.

だい8か

いい　へやですね

Ii heya desu ne

It's a nice room

20. にんぎょうは　たなの　うえです。
　Ningyoo wa tana no ue desu.

4

だい7か

へやが　3つ　あります

Heya ga mittsu arimasu

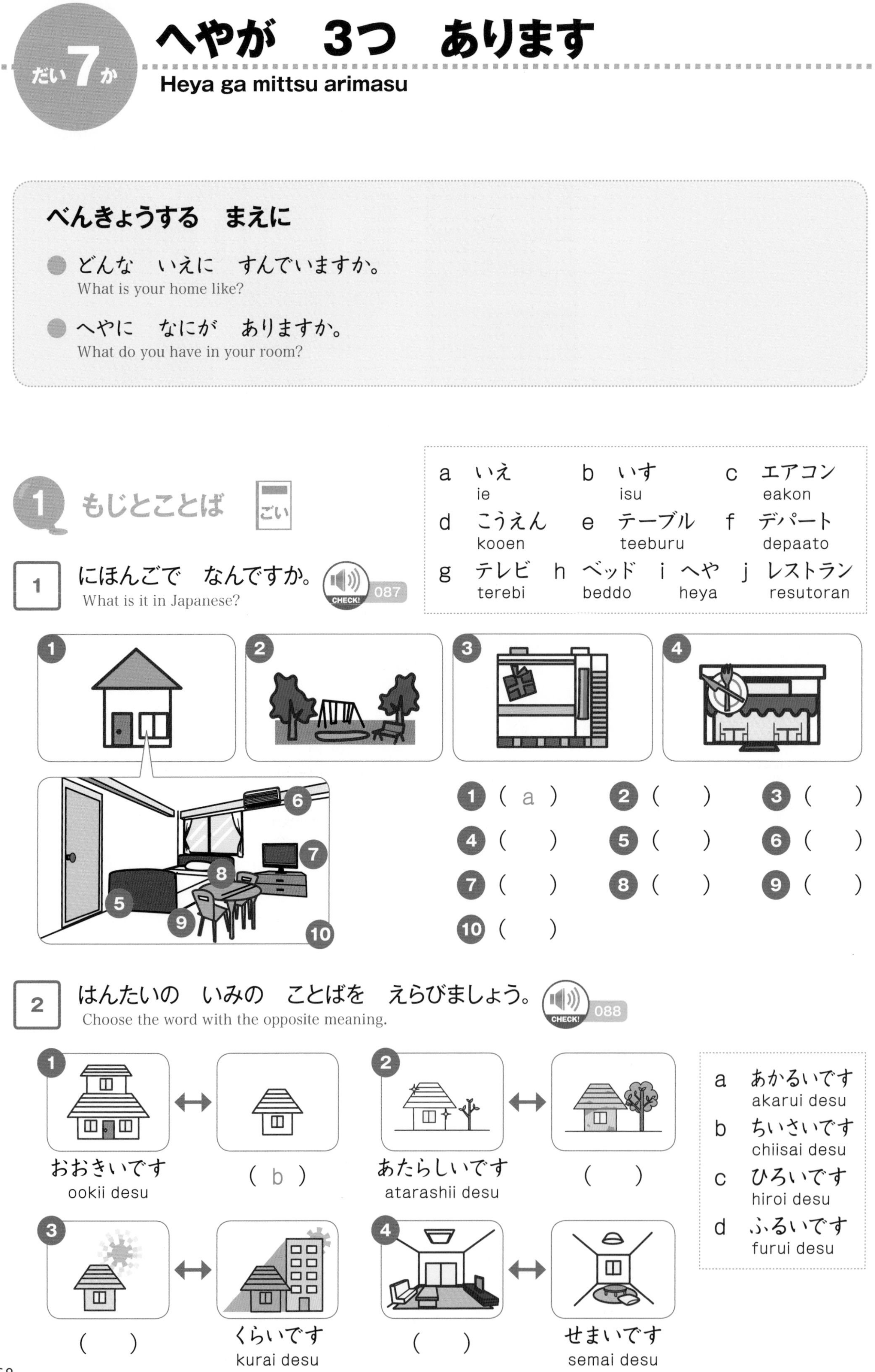

べんきょうする　まえに

- どんな　いえに　すんでいますか。
  What is your home like?
- へやに　なにが　ありますか。
  What do you have in your room?

1 もじとことば　ごい

1 にほんごで　なんですか。
What is it in Japanese?
CHECK! 087

a いえ ie	b いす isu	c エアコン eakon
d こうえん kooen	e テーブル teeburu	f デパート depaato
g テレビ terebi	h ベッド beddo	i へや heya
j レストラン resutoran		

1 (a)　2 (　)　3 (　)
4 (　)　5 (　)　6 (　)
7 (　)　8 (　)　9 (　)
10 (　)

2 はんたいの　いみの　ことばを　えらびましょう。
Choose the word with the opposite meaning.
CHECK! 088

a あかるいです akarui desu	b ちいさいです chiisai desu	c ひろいです hiroi desu
d ふるいです furui desu		

1 おおきいです ookii desu ↔ (b)

2 あたらしいです atarashii desu ↔ (　)

3 (　) ↔ くらいです kurai desu

4 (　) ↔ せまいです semai desu

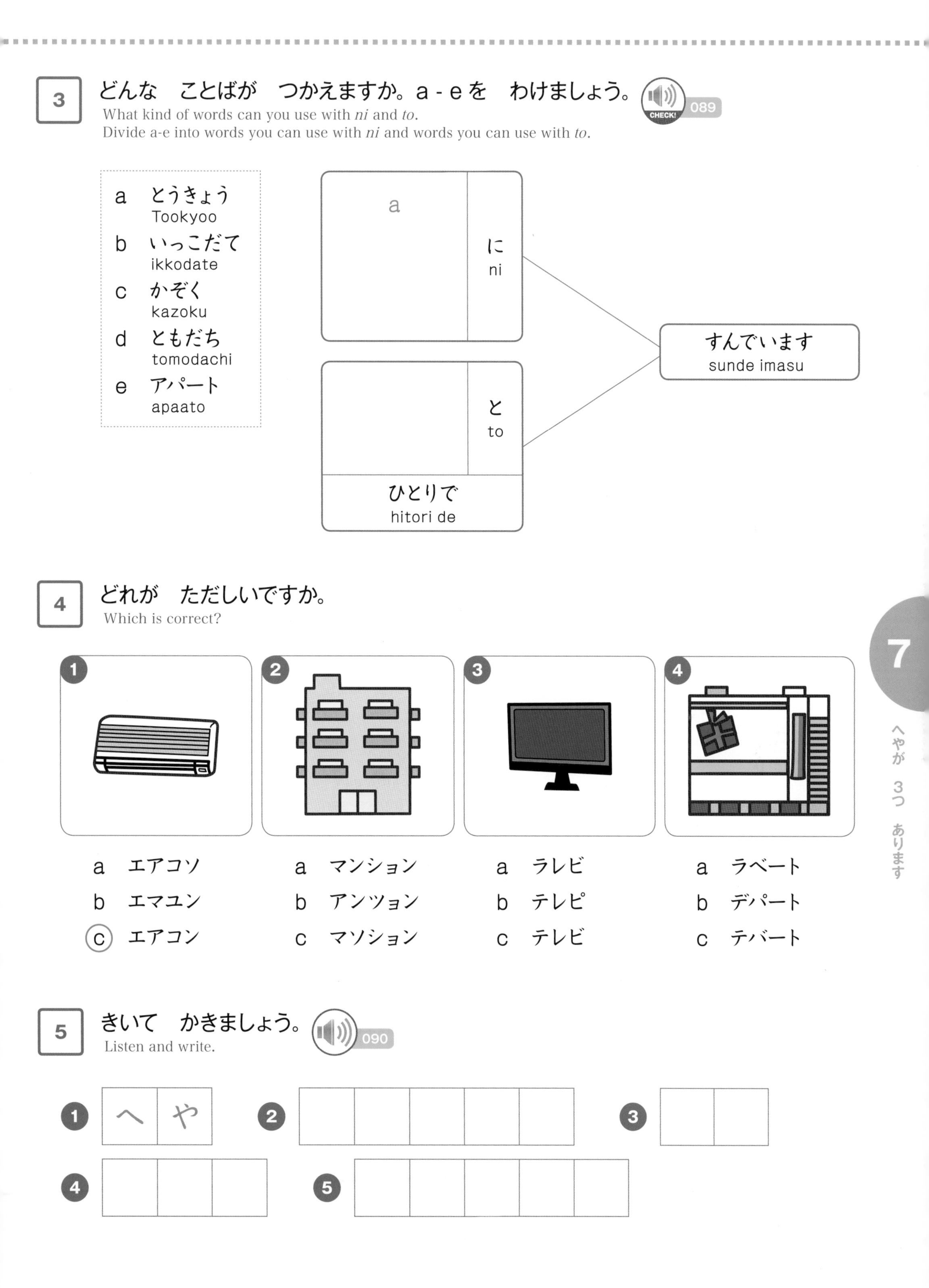

3 どんな　ことばが　つかえますか。a - e を　わけましょう。 CHECK! 089

What kind of words can you use with *ni* and *to*.
Divide a-e into words you can use with *ni* and words you can use with *to*.

- a　とうきょう Tookyoo
- b　いっこだて ikkodate
- c　かぞく kazoku
- d　ともだち tomodachi
- e　アパート apaato

a	に ni
	と to

ひとりで hitori de

すんでいます sunde imasu

4 どれが　ただしいですか。
Which is correct?

1
- a　エアコソ
- b　エマユン
- ⓒ　エアコン

2
- a　マンション
- b　アンツョン
- c　マソション

3
- a　ラレビ
- b　テレピ
- c　テレビ

4
- a　ラベート
- b　デパート
- c　テバート

5 きいて　かきましょう。 090
Listen and write.

1 へ や
2
3
4
5

2 かいわとぶんぽう

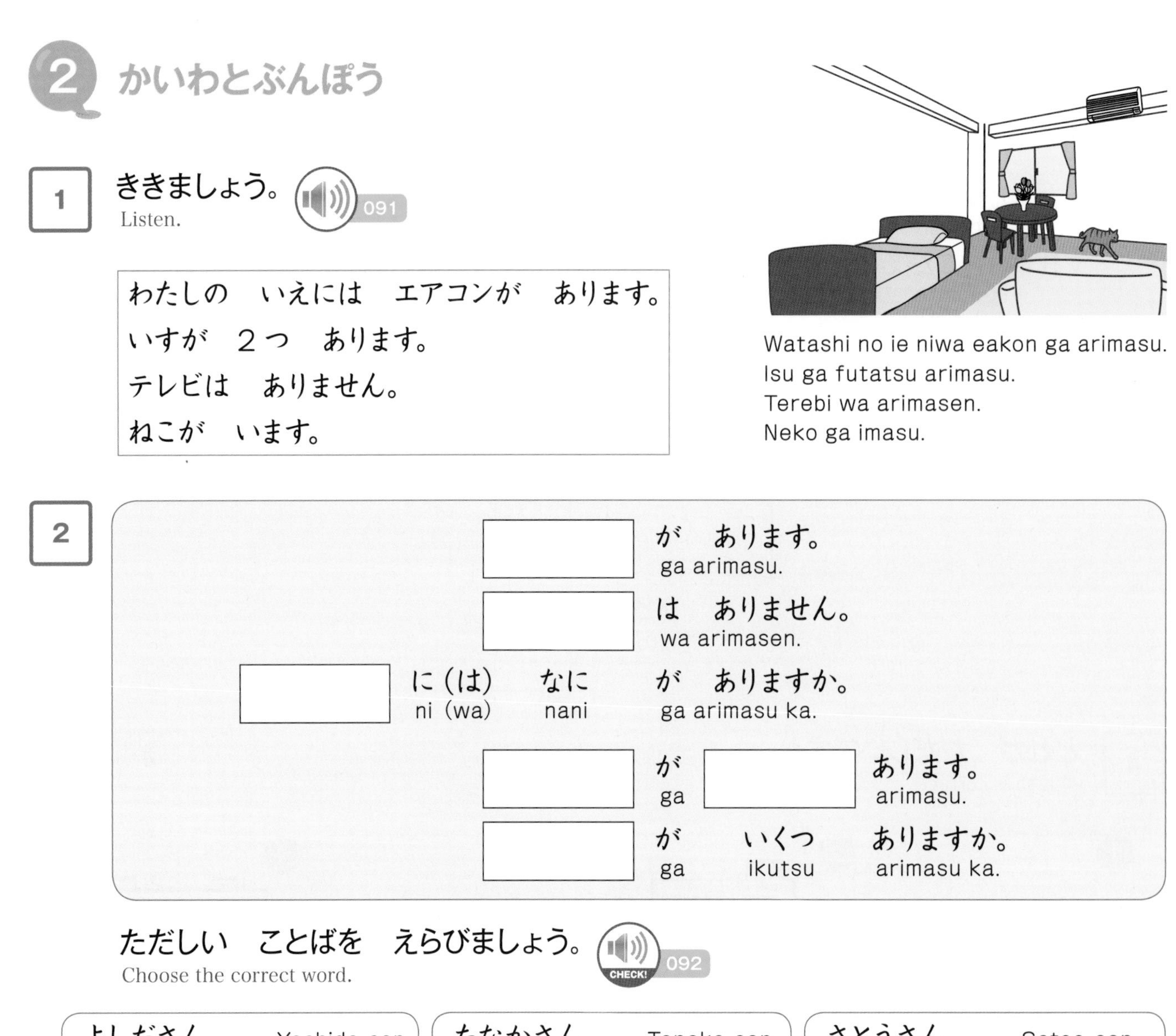

1 ききましょう。 091
Listen.

わたしの　いえには　エアコンが　あります。
いすが　２つ　あります。
テレビは　ありません。
ねこが　います。

Watashi no ie niwa eakon ga arimasu.
Isu ga futatsu arimasu.
Terebi wa arimasen.
Neko ga imasu.

2

［　　］が　あります。
ga arimasu.

［　　］は　ありません。
wa arimasen.

［　　］に（は）　なに　が　ありますか。
ni (wa)　nani　ga arimasu ka.

［　　］が［　　］あります。
ga　arimasu.

［　　］が　いくつ　ありますか。
ga　ikutsu　arimasu ka.

ただしい　ことばを　えらびましょう。 CHECK! 092
Choose the correct word.

よしださん　Yoshida-san

テレビ	1	terebi
テーブル	1	teeburu
エアコン	2	eakon
ベッド	×	beddo

たなかさん　Tanaka-san

テレビ	×	terebi
テーブル	2	teeburu
エアコン	1	eakon
ベッド	×	beddo

さとうさん　Satoo-san

テレビ	2	terebi
テーブル	1	teeburu
エアコン	2	eakon
ベッド	3	beddo

1. よしださんの　いえに　テレビ（ⓐ　が　あります　　b　は　ありません）。
Yoshida-san no ie ni terebi (ga arimasu　wa arimasen).
2. たなかさんの　いえに　テーブルが（ a　ひとつ　　b　ふたつ ）あります。
Tanaka-san no ie ni teeburu ga (hitotsu　futatsu) arimasu.
3. たなかさんの　いえに　ベッド（ a　が　あります　　b　は　ありません ）。
Tanaka-san no ie ni beddo (ga arimasu　wa arimasen).
4. さとうさんの　いえに（ a　エアコン　　b　テーブル ）が　ふたつ　あります。
Satoo-san no ie ni (eakon　teeburu) ga futatsu arimasu.

3

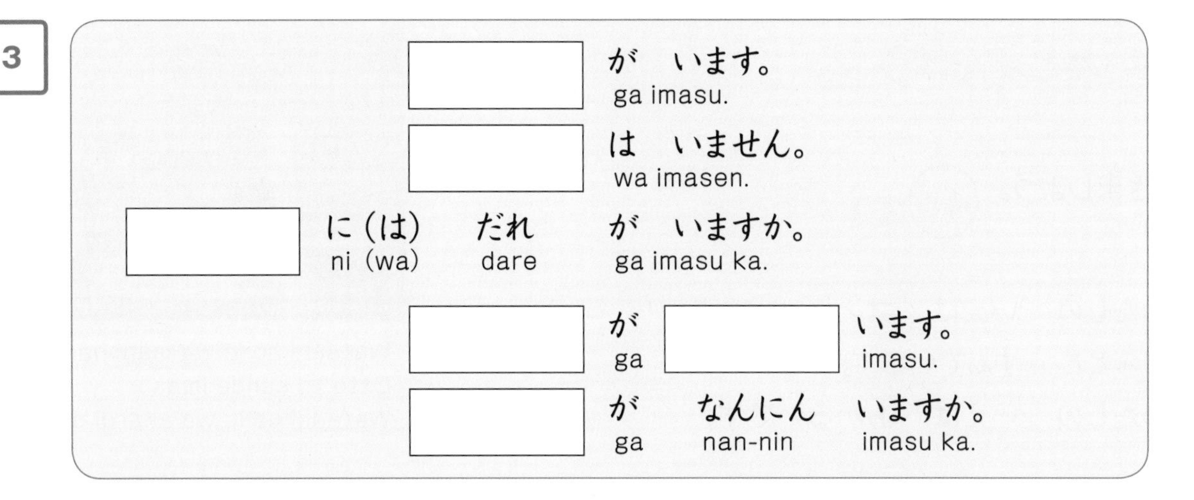

がくせいの　アパートです。みながら　ききましょう。
ただしいですか。（ ただしい ○、ただしくない × ）　093

Look at the students' apartments and listen.
Is the information correct?　correct (○)　incorrect (×)

３０１
san-zero-ichi

3F	301	302	303	304
2F	201	202	203	204
1F	101	102	103	104

1 (○)
2 (　　)
3 (　　)
4 (　　)

4 あなたの　いえは　どんな　いえですか。ペアで　はなしましょう。

What's your home like? Speak in pairs.

	わたし watashi	（　　　）さん san
1 いえに　へやが　いくつ　ありますか。 Ie ni heya ga ikutsu arimasu ka.		
2 へやに　なにが　ありますか。 Heya ni nani ga arimasu ka.		
3 だれと　すんでいますか。 Dare to sunde imasu ka.		
4 いえに　ペットが　いますか。 Ie ni petto ga imasu ka.		

5 （　）に　ひらがな（に・が・は）を　かきましょう。

CHECK! 094

Write hiragana (*ni*, *ga* or *wa*) in the brackets.

わたしの　いえ（ に ）へやが　３つ　あります。へや（　　）エアコンと　テレビ（　　）ありますｍ。テーブルと　いすも　あります。ソファ（　　）ありません。いぬ（　　）います。

Watashi no ie (ni) heya ga mittsu arimasu. Heya (　　) eakon to terebi (　　) arimasu. Teeburu to isu mo arimasu. Sofa (　　) arimasen. Inu (　　) imasu.

3 かいわとぶんぽう

1 ききましょう。 095
Listen.

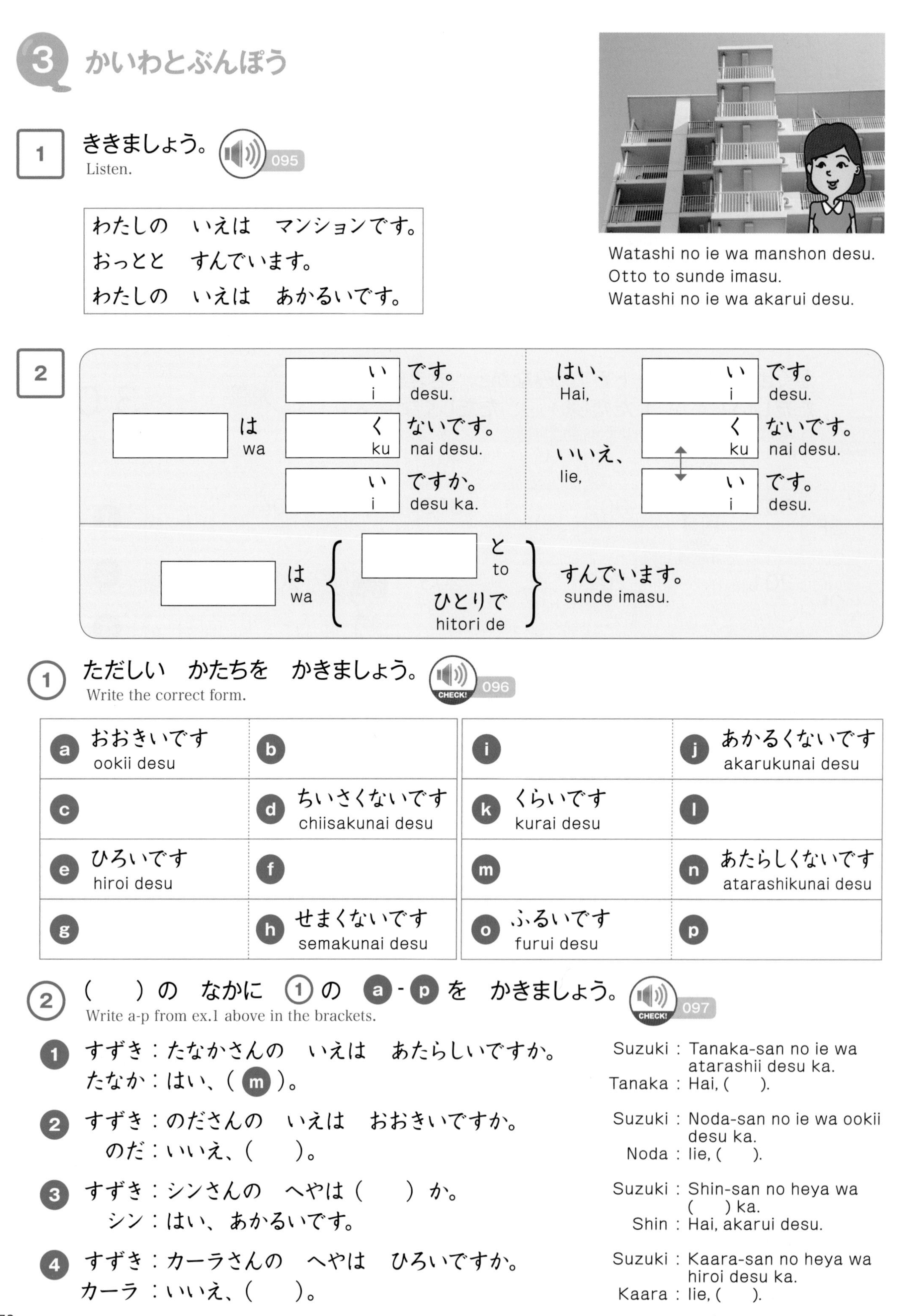

わたしの　いえは　マンションです。 おっとと　すんでいます。 わたしの　いえは　あかるいです。

Watashi no ie wa manshon desu.
Otto to sunde imasu.
Watashi no ie wa akarui desu.

2

[　　] は wa　[　　い i] です。desu. ／ [　　く ku] ないです。nai desu. ／ [　　い i] ですか。desu ka.

はい、Hai, [　　い i] です。desu.
いいえ、Iie, [　　く ku] ないです。nai desu. ↕ [　　い i] です。desu.

[　　] は wa　{ [　　] と to ／ ひとりで hitori de } すんでいます。sunde imasu.

① ただしい　かたちを　かきましょう。 CHECK! 096
Write the correct form.

a おおきいです ookii desu	b	i	j あかるくないです akarukunai desu
c	d ちいさくないです chiisakunai desu	k くらいです kurai desu	l
e ひろいです hiroi desu	f	m	n あたらしくないです atarashikunai desu
g	h せまくないです semakunai desu	o ふるいです furui desu	p

② （　　）の　なかに　①の　a - p を　かきましょう。 CHECK! 097
Write a-p from ex.1 above in the brackets.

1 すずき：たなかさんの　いえは　あたらしいですか。
たなか：はい、（ m ）。

Suzuki : Tanaka-san no ie wa atarashii desu ka.
Tanaka : Hai, (　　).

2 すずき：のださんの　いえは　おおきいですか。
のだ：いいえ、（　　）。

Suzuki : Noda-san no ie wa ookii desu ka.
Noda : Iie, (　　).

3 すずき：シンさんの　へやは（　　）か。
シン：はい、あかるいです。

Suzuki : Shin-san no heya wa (　　) ka.
Shin : Hai, akarui desu.

4 すずき：カーラさんの　へやは　ひろいですか。
カーラ：いいえ、（　　）。

Suzuki : Kaara-san no heya wa hiroi desu ka.
Kaara : Iie, (　　).

③ ききましょう。４にんの　いえは　どれですか。 098-101
Listen. Which house is each of the four people's house?

❶ くのさん Kuno-san (b)
❷ よしださん Yoshida-san (　　)
❸ パクさん Paku-san (　　)
❹ チョウさん Choo-san (　　)

a　b　c　d

④ ペアで　はなしましょう。
Speak in pairs.

③の　４つの　いえから　１つ　えらびましょう。
ほかの　ひとに　いわないで　ください。
ペアに　なって　しつもんしましょう。
あいての　ひとの　いえは　どれですか。
Choose one of the four houses a-d from ex.3 above.
Do not tell anyone else which house you chose.
Make pairs and ask each other questions.
Which house is your partner's house?

A：Bさんの　いえは　おおきいですか。
B：はい、おおきいです。
A：あたらしいですか。
B：いいえ、あたらしくないです。
A：Bさんの　いえは　b　ですか。
B：はい、そうです。／いいえ、b　じゃないです。

A : B san no ie wa ookii desu ka.
B : Hai, ookii desu.
A : Atarashii desu ka.
B : Iie, atarashikunai desu.
A : B san no ie wa b desu ka.
B : Hai, soo desu. / Iie, b janai desu.

⑤ (　　) に　ひらがな（の・と・で）を　かきましょう。 CHECK! 102
Write hiragana (*no*, *to* or *de*) in the brackets.

❶ わたし（ の ）いえは　ふるいです。
Watashi (no) ie wa furui desu.

❷ わたしは　かぞく（　　）すんでいます。
Watashi wa kazoku (　　) sunde imasu.

❸ わたし（　　）ともだちは　ひとり（　　）すんでいます。
Watashi (　　) tomodachi wa hitori (　　) sunde imasu.

4 どっかい

「あそびに　きて　ください」
"Asobi ni kite kudasai"

103-105

① よんで　えらびましょう。3にんの　いえは　どれですか。
Read and match the three people's e-mails (1-3) to their homes (a-c). Which home is each of the three people's home?

わたしは　とうきょうに　すんでいます。
わたしの　いえは　マンションです。
つまと　こどもと　すんでいます。
こどもは　2さいです。
わたしの　いえは　あたらしいです。
やすみに　あそびに　きて　ください。
きむら

Watashi wa Tookyoo ni sunde imasu.
Watashi no ie wa manshon desu.
Tsuma to kodomo to sunde imasu.
Kodomo wa ni-sai desu.
Watashi no ie wa atarashii desu.
Yasumi ni asobi ni kite kudasai.
Kimura

1 (　　)

わたしは　おおさかに　すんでいます。
わたしの　いえは　いっこだてです。
かぞくと　すんで　います。
いぬも　います。
わたしの　いえは　おおきいです。
やすみに　あそびに　きて　ください。
いまい

Watashi wa Oosaka ni sunde imasu.
Watashi no ie wa ikkodate desu.
Kazoku to sunde imasu.
Inu mo imasu.
Watashi no ie wa ookii desu.
Yasumi ni asobi ni kite kudasai.
Imai

2 (　　)

わたしは　ほっかいどうに　すんでいます。
わたしの　いえは　アパートです。
ひとりで　すんでいます。
わたしの　いえは　ふるいです。
でも、あかるいです。
ちかくに　こうえんが　あります。
やすみに　あそびに　きて　ください。
かわい

Watashi wa Hokkaidoo ni sunde imasu.
Watashi no ie wa apaato desu.
Hitori de sunde imasu.
Watashi no ie wa furui desu.
Demo, akarui desu.
Chikaku ni kooen ga arimasu.
Yasumi ni asobi ni kite kudasai.
Kawai

3 (　　)

a

b

c

② あなたは　だれの　いえに　あそびに　いきたいですか。
Whose home do you want to visit?

5 さくぶん

「わたしの　いえ」
"Watashi no ie"

1 ぶんを　かきましょう。
Write the sentences.

わたしは　きょうとに すんでいます。	わたしは　きょうとに すんでいます。
わたしの　いえは　いっこだてです。	わたしの　いえは　いっこだてです。
わたしの　いえは　あたらしいです。	わたしの　いえは　あたらしいです。
わたしは　かぞくと　すんでいます。	わたしは　かぞくと　すんでいます。
ねこと　いぬも　います。	ねこと　いぬも　います。

2 あなたの　いえについて　ともだちに　Ｅメールか　てがみを　かきましょう。
Write an e-mail or letter about your home to a friend.

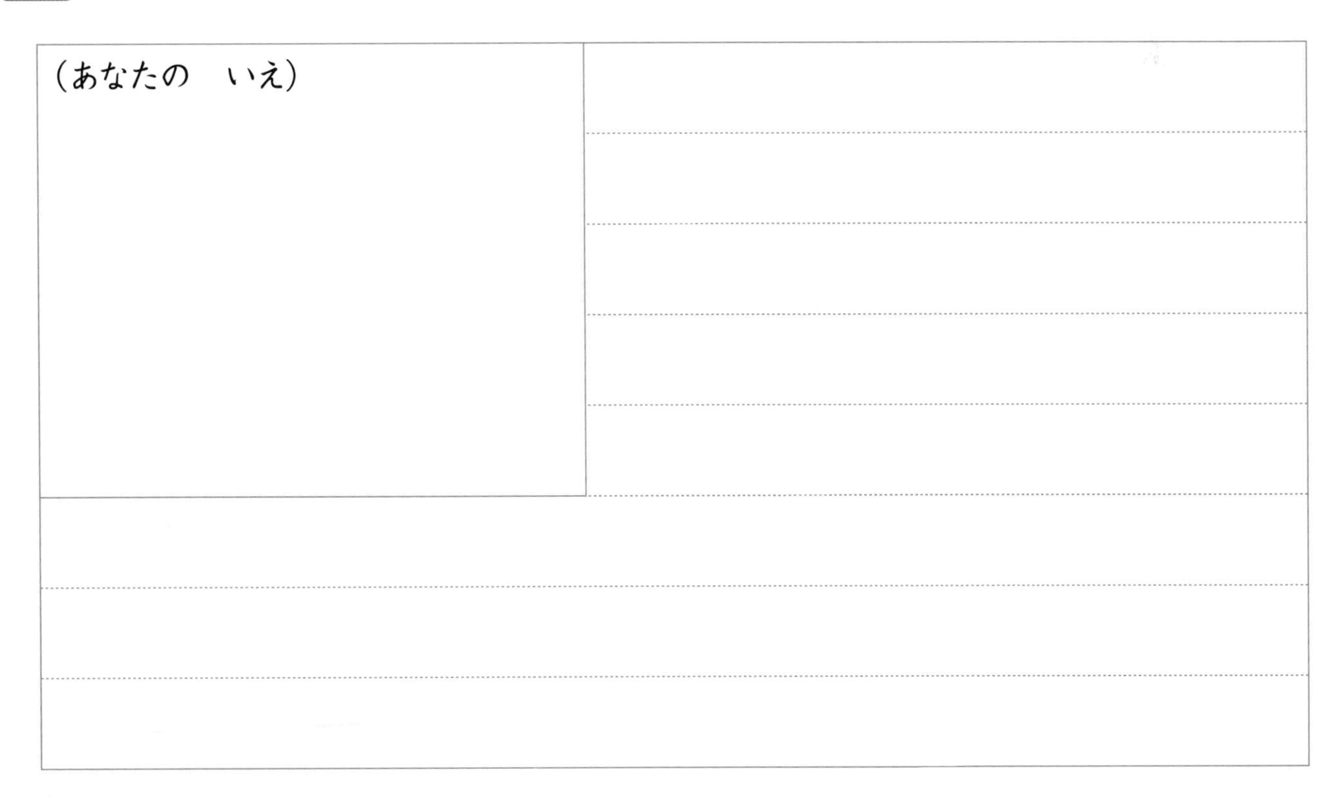

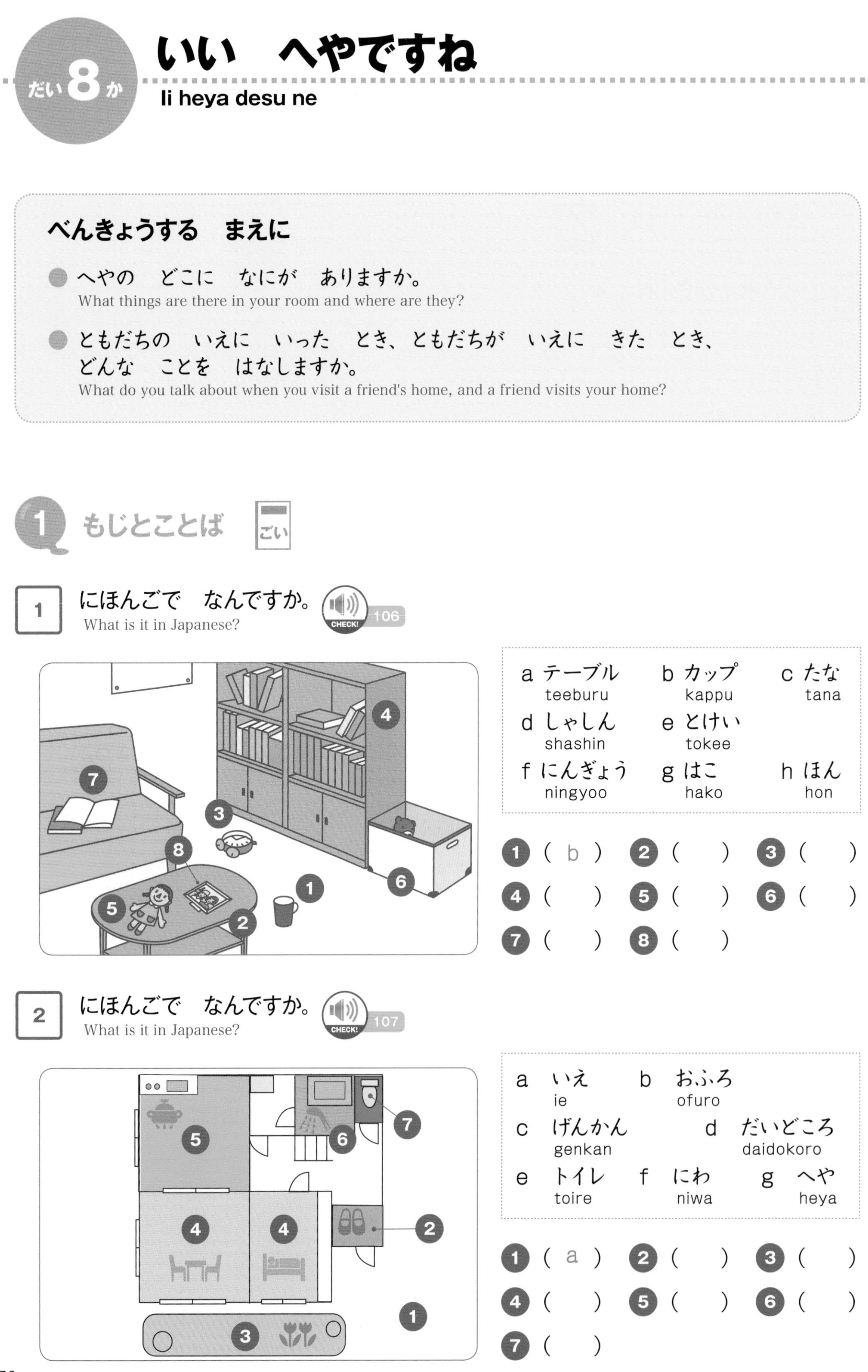

だい8か　いい　へやですね

Ii heya desu ne

べんきょうする　まえに

- へやの　どこに　なにが　ありますか。
  What things are there in your room and where are they?
- ともだちの　いえに　いった　とき、ともだちが　いえに　きた　とき、どんな　ことを　はなしますか。
  What do you talk about when you visit a friend's home, and a friend visits your home?

1　もじとことば　ごい

1　にほんごで　なんですか。 CHECK! 106

What is it in Japanese?

a テーブル teeburu	b カップ kappu	c たな tana
d しゃしん shashin	e とけい tokee	
f にんぎょう ningyoo	g はこ hako	h ほん hon

❶（ b ）　❷（　　）　❸（　　）
❹（　　）　❺（　　）　❻（　　）
❼（　　）　❽（　　）

2　にほんごで　なんですか。 CHECK! 107

What is it in Japanese?

a いえ ie	b おふろ ofuro	
c げんかん genkan	d だいどころ daidokoro	
e トイレ toire	f にわ niwa	g へや heya

❶（ a ）　❷（　　）　❸（　　）
❹（　　）　❺（　　）　❻（　　）
❼（　　）

3 どれが　ちがいますか。
Which is different?

1.
   - a にんぎょう ningyoo
   - b とけい tokee
   - ⓒ だいどころ daidokoro
2.
   - a テーブル teeburu
   - b しゃしん shashin
   - c いす isu
3.
   - a おふろ ofuro
   - b へや heya
   - c にわ niwa
4.
   - a カップ kappu
   - b トイレ toire
   - c ほん hon

4 ことばを　さがしましょう。 CHECK! 108
Search for the words.

1

は	こ	お	な	ん	だ
ん	し	ふ	と	け	い
な	ゃ	ろ	あ	く	ど
え	し	た	ち	す	こ
に	ん	ぎ	ょ	う	ろ
ね	え	ゅ	へ	や	か

5 きいて　かきましょう。 109
Listen and write.

1 に わ　2 □□□　3 □□□
4 □ー□□　5 □□□□□

6 かんじを　よみましょう。 CHECK! 110
Read the kanji.

大きい oo kii　小さい chii sai　新しい atara shii　古い furu i

1 たなかさんの　いえは　大きいです。
2 わたしの　いえは　小さいです。
3 さとうさんの　いえは　新しくないです。古いです。

8 いい　へやですね

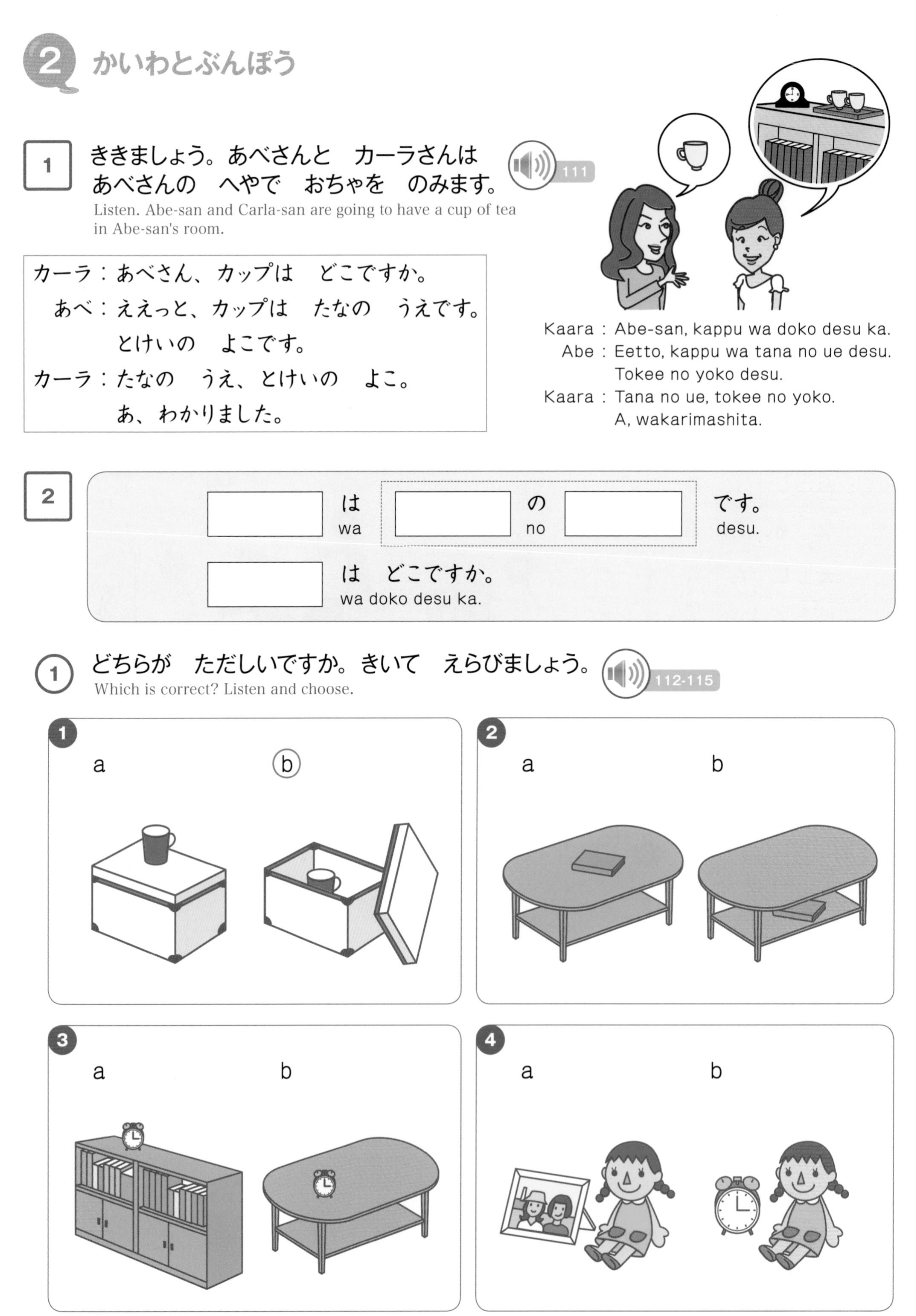
2 かいわとぶんぽう
1 ききましょう。あべさんと　カーラさんは　あべさんの　へやで　おちゃを　のみます。
111
Listen. Abe-san and Carla-san are going to have a cup of tea in Abe-san's room.
カーラ：あべさん、カップは　どこですか。
あべ：ええっと、カップは　たなの　うえです。とけいの　よこです。
カーラ：たなの　うえ、とけいの　よこ。あ、わかりました。
Kaara : Abe-san, kappu wa doko desu ka.
Abe : Eetto, kappu wa tana no ue desu. Tokee no yoko desu.
Kaara : Tana no ue, tokee no yoko. A, wakarimashita.
2
は wa
の no
です。desu.
は　どこですか。wa doko desu ka.
1 どちらが　ただしいですか。きいて　えらびましょう。
112-115
Which is correct? Listen and choose.
1 a b
2 a b
3 a b
4 a b

② ただしい　じゅんばんに　ならべましょう。 CHECK! 116

Arrange the words in the correct order.

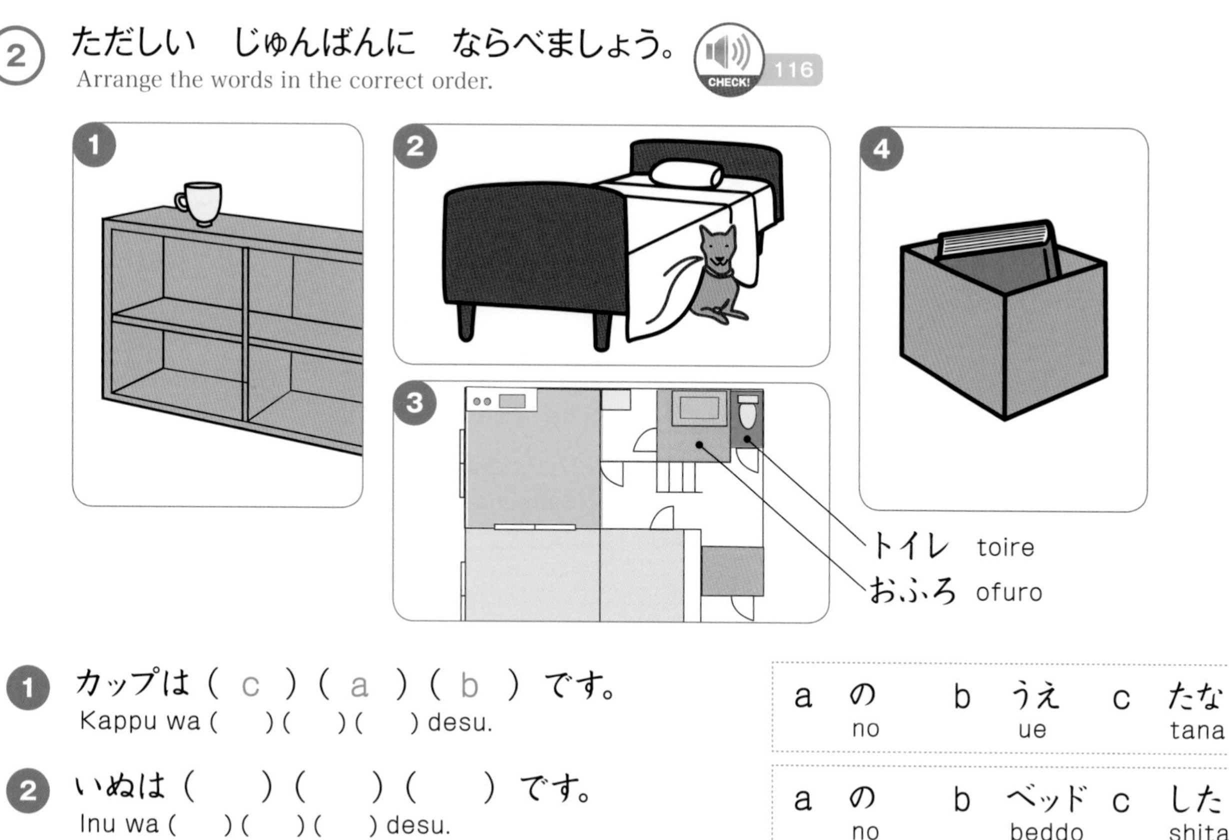

❶ カップは（ c ）（ a ）（ b ）です。
Kappu wa (　) (　) (　) desu.

a	の no	b	うえ ue	c	たな tana

❷ いぬは（　）（　）（　）です。
Inu wa (　) (　) (　) desu.

a	の no	b	ベッド beddo	c	した shita

❸ おふろは（　）（　）（　）です。
Ofuro wa (　) (　) (　) desu.

a	の no	b	よこ yoko	c	トイレ toire

❹ ほんは（　）（　）（　）です。
Hon wa (　) (　) (　) desu.

a	の no	b	はこ hako	c	なか naka

③ ペアで　はなしましょう。
へやの　なかに　❶-❹を　おいて　ください。
おたがいの　へやについて　ききましょう。

Speak in pairs.
Put 1-4 in the room below. Ask about each other's rooms.

とけいは　どこですか。
Tokee wa doko desu ka.

3 かいわ

① いえの　ひとと　おきゃくさんの　かいわを　きいて、ぶんを　えらびましょう。
Listen to a conversation between a Japanese couple and their guest, and choose the correct sentence.

117

a トイレは　どこですか。
Toire wa doko desu ka.

b いい　へやですね。
Ii heya desu ne.

c おじゃまします。
Ojamashimasu.

d いただきます。…おいしいですね。
Itadakimasu. ...Oishii desu ne.

e そうですか。きれいですね。
Soo desu ka. Kiree desu ne.

ごめんください。
Gomenkudasai.

いらっしゃい。
Irasshai.
どうぞ　あがって　ください。
Doozo agatte kudasai.

1 (c)

2 (　　)

どうも　ありがとう。
Doomo arigatoo.

おちゃ、どうぞ。
Ocha, doozo.

3 (　　)

これ、なんですか。
Kore, nan desu ka.

かんこくの　にんぎょうです。
Kankoku no ningyoo desu.

❹（　　）

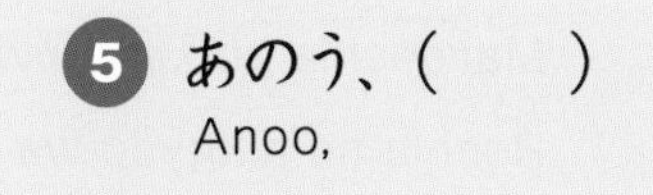
❺ あのう、（　　）
Anoo,

あ、こちらへ　どうぞ。
A, kochira e doozo.

はい、すみません。
Hai, sumimasen.

② ペアで　れんしゅうしましょう。
Practise in pairs.

「ちちの　へや」
"Chichi no heya"

よみましょう。1 - 4 は　どこに　ありますか。
Read the passage below. Where are 1-4?

ちちの　へやに　たなが　あります。
フランスの　とけいは　アメリカの　しゃしんの　よこです。
ちゅうごくの　しゃしんは　にほんの　にんぎょうの　うえです。
マレーシアの　カップは　かんこくの　にんぎょうの　したです。
ロシアの　にんぎょうは　エジプトの　しゃしんの　したです。

Chichi no heya ni tana ga arimasu.
Furansu no tokee wa Amerika no shashin no yoko desu.
Chuugoku no shashin wa Nihon no ningyoo no ue desu.
Mareeshia no kappu wa Kankoku no ningyoo no shita desu.
Roshia no ningyoo wa Ejiputo no shashin no shita desu.

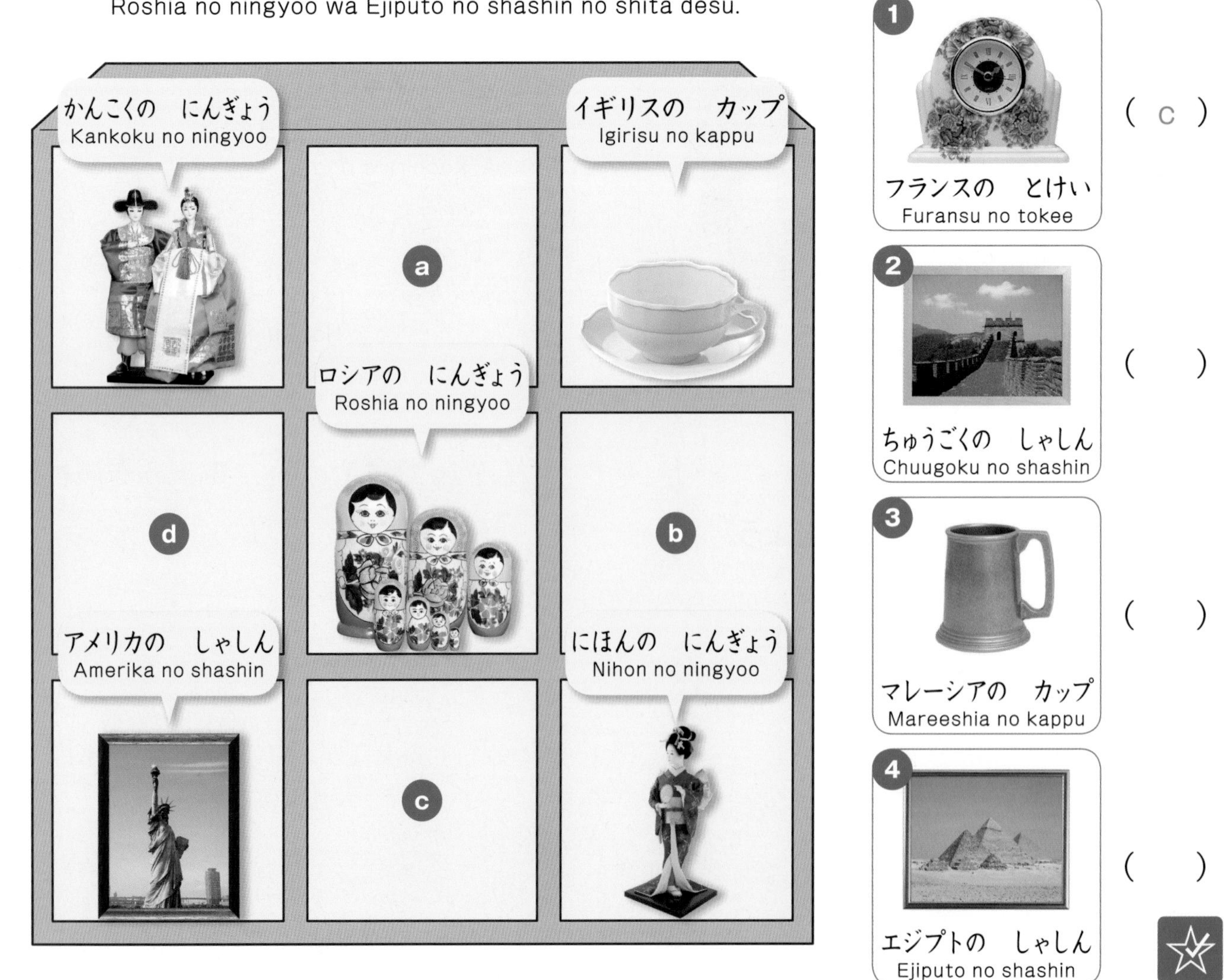

せいかつ

だい9か

なんじに　おきますか
Nan-ji ni okimasu ka
What time do you get up?

21. いま　なんじですか。9じです。
    Ima nan-ji desu ka. Ku-ji desu.
22. わたしは　7じに　おきます。
    Watashi wa shichi-ji ni okimasu.

だい10か

いつが　いいですか
Itsu ga ii desu ka
When is convenient for you?

23. かいしゃは　9じから　5じまでです。
    Kaisha wa ku-ji kara go-ji made desu.
24. 7じかん　しごとを　します。
    Shichi-jikan shigoto o shimasu.
25. きんようびが　いいです。
    Kin'yoobi ga ii desu.

5

だい9か なんじに　おきますか
Nan-ji ni okimasu ka

べんきょうする　まえに

- いま　なんじですか。
  What time is it now?
- まいにち　なんじに　おきますか。なんじに　ねますか。
  What time do you get up and go to bed every day?

1 もじとことば　ごい

1 にほんごで　なんですか。
What is it in Japanese?

CHECK! 119

a おきます okimasu	b ねます nemasu
c しごとを　します shigoto o shimasu	d べんきょうします benkyoo-shimasu
e うんどうを　します undoo o shimasu	f さんぽを　します sanpo o shimasu
g がっこうに　いきます gakkoo ni ikimasu	h かいしゃに　いきます kaisha ni ikimasu

1 (a)　2 (　)　3 (　)　4 (　)

5 (　)　6 (　)　7 (　)　8 (　)

2 どれですか。
Which is the correct word?

CHECK! 120

1 テレビを terebi o (a)
2 おんがくを ongaku o (　)
3 しんぶんを shinbun o (　)
4 にっきを nikki o (　)
5 かじを kaji o (　)
6 おふろに ofuro ni (　)
7 がっこうに gakkoo ni (　)
8 うちに uchi ni (　)

a みます mimasu	b よみます yomimasu
c かきます kakimasu	d ききます kikimasu
e します shimasu	f いきます ikimasu
g かえります kaerimasu	h はいります hairimasu

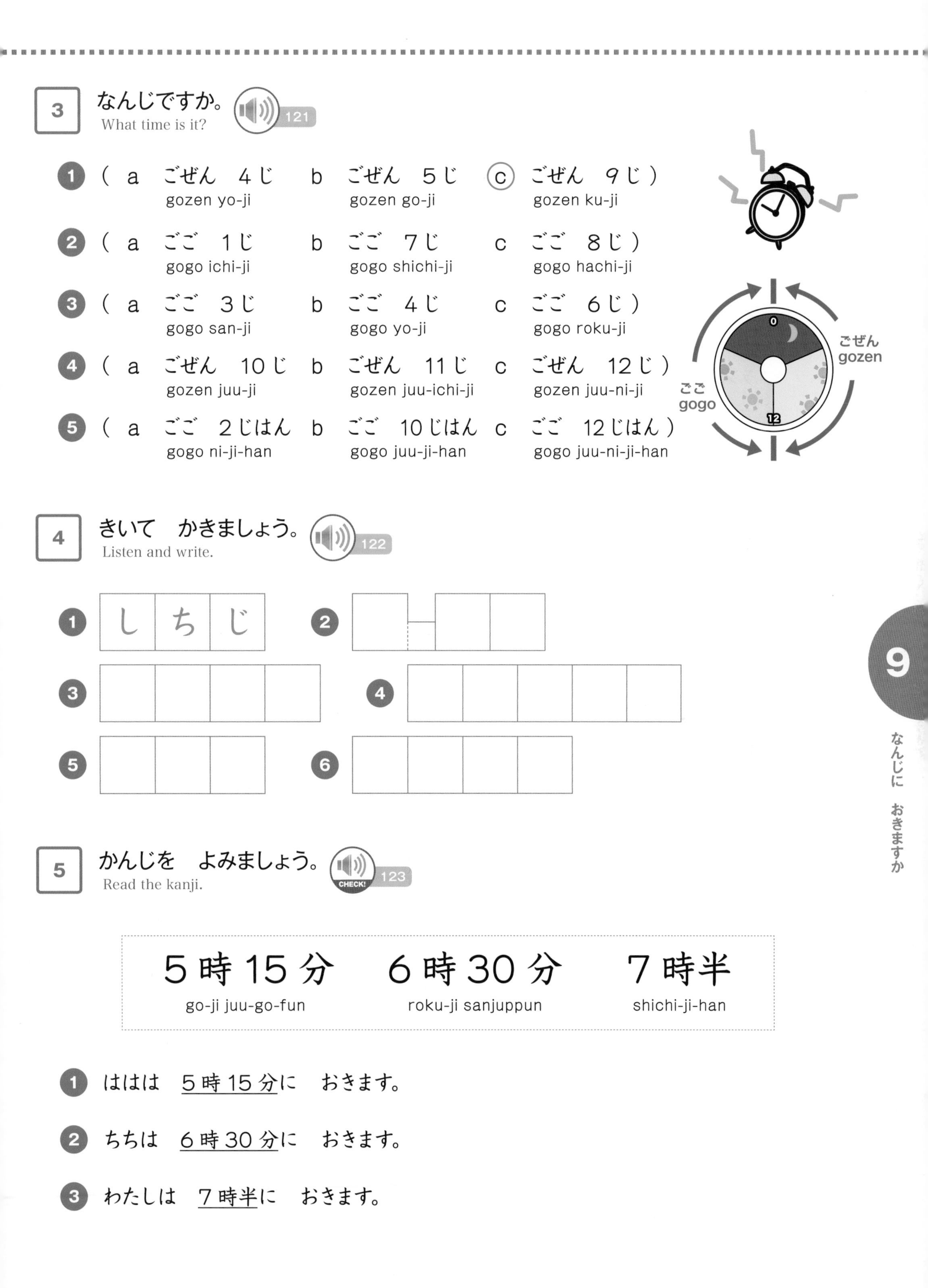

3 なんじですか。
What time is it? 121

1. (a ごぜん　4じ gozen yo-ji　b ごぜん　5じ gozen go-ji　ⓒ ごぜん　9じ gozen ku-ji)
2. (a ごご　1じ gogo ichi-ji　b ごご　7じ gogo shichi-ji　c ごご　8じ gogo hachi-ji)
3. (a ごご　3じ gogo san-ji　b ごご　4じ gogo yo-ji　c ごご　6じ gogo roku-ji)
4. (a ごぜん　10じ gozen juu-ji　b ごぜん　11じ gozen juu-ichi-ji　c ごぜん　12じ gozen juu-ni-ji)
5. (a ごご　2じはん gogo ni-ji-han　b ごご　10じはん gogo juu-ji-han　c ごご　12じはん gogo juu-ni-ji-han)

4 きいて　かきましょう。
Listen and write. 122

1. し ち じ
2.
3.
4.
5.
6.

5 かんじを　よみましょう。
Read the kanji. CHECK! 123

5時15分	6時30分	7時半
go-ji juu-go-fun	roku-ji sanjuppun	shichi-ji-han

1. ははは　5時15分に　おきます。
2. ちちは　6時30分に　おきます。
3. わたしは　7時半に　おきます。

9 なんじに　おきますか

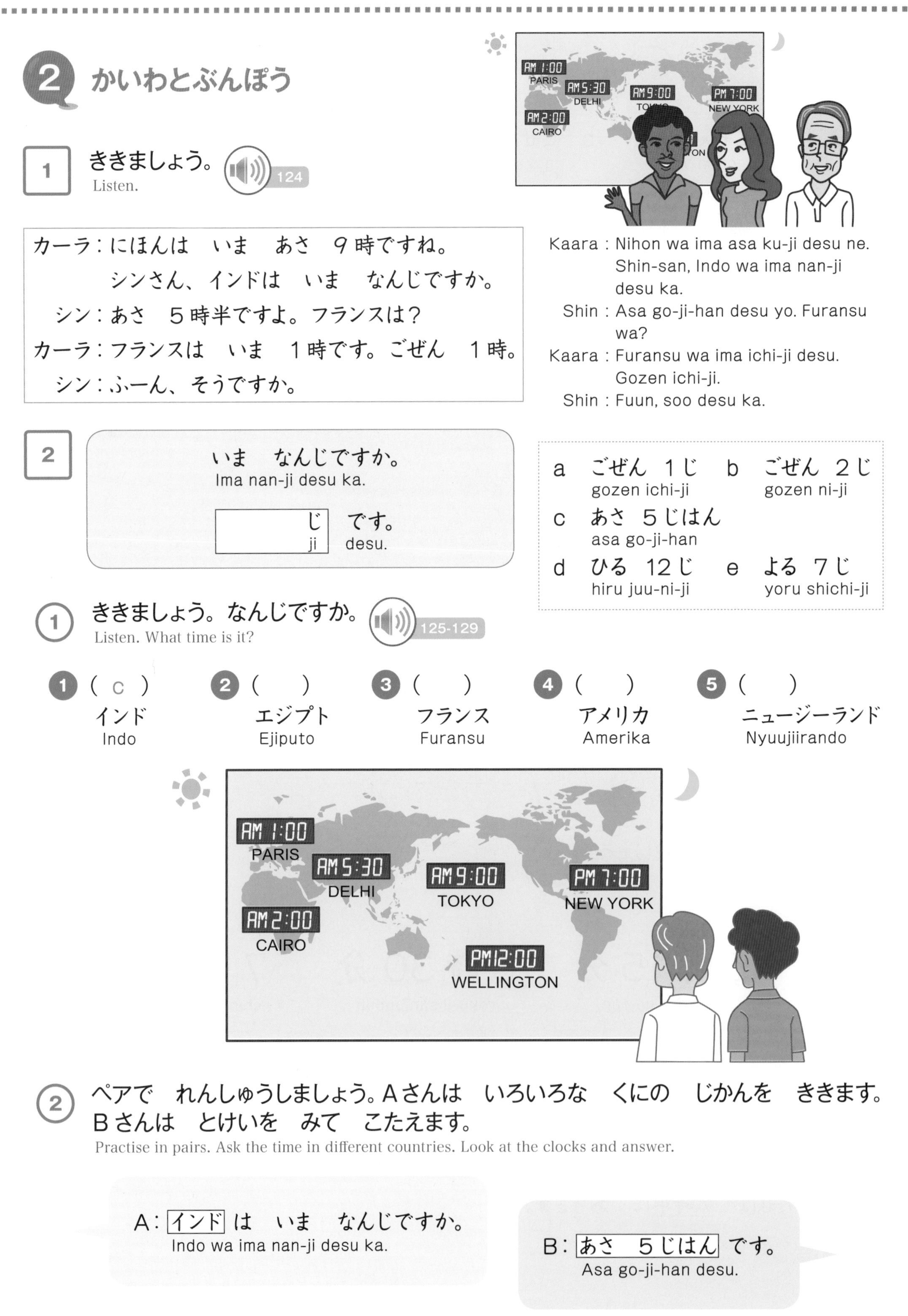

2 かいわとぶんぽう

1 ききましょう。 Listen. 124

カーラ：にほんは　いま　あさ　９時ですね。
　　　　シンさん、インドは　いま　なんじですか。
シン：あさ　５時半ですよ。フランスは？
カーラ：フランスは　いま　１時です。ごぜん　１時。
シン：ふーん、そうですか。

Kaara : Nihon wa ima asa ku-ji desu ne. Shin-san, Indo wa ima nan-ji desu ka.
Shin : Asa go-ji-han desu yo. Furansu wa?
Kaara : Furansu wa ima ichi-ji desu. Gozen ichi-ji.
Shin : Fuun, soo desu ka.

2

いま　なんじですか。
Ima nan-ji desu ka.

［　　　じ］です。
　　　　ji　desu.

a　ごぜん　１じ　gozen ichi-ji
b　ごぜん　２じ　gozen ni-ji
c　あさ　５じはん　asa go-ji-han
d　ひる　12じ　hiru juu-ni-ji
e　よる　７じ　yoru shichi-ji

① ききましょう。なんじですか。 125-129
Listen. What time is it?

1 (c)	2 (　)	3 (　)	4 (　)	5 (　)
インド Indo	エジプト Ejiputo	フランス Furansu	アメリカ Amerika	ニュージーランド Nyuujiirando

② ペアで　れんしゅうしましょう。Aさんは　いろいろな　くにの　じかんを　ききます。Bさんは　とけいを　みて　こたえます。
Practise in pairs. Ask the time in different countries. Look at the clocks and answer.

A：［インド］は　いま　なんじですか。
Indo wa ima nan-ji desu ka.

B：［あさ　５じはん］です。
Asa go-ji-han desu.

３ かいわとぶんぽう

１ ききましょう。 130
Listen.

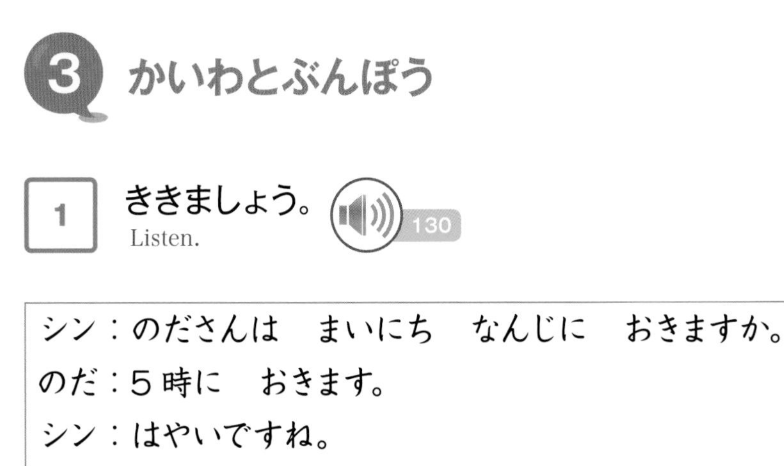
シン：のださんは　まいにち　なんじに　おきますか。
のだ：５時に　おきます。
シン：はやいですね。
のだ：ええ。シンさんは？
シン：わたしは　７時ごろ　おきます。
のだ：そうですか。

Shin : Noda-san wa mainichi nan-ji ni okimasu ka.
Noda : Go-ji ni okimasu.
Shin : Hayai desu ne.
Noda : Ee. Shin-san wa?
Shin : Watashi wa shichi-ji goro okimasu.
Noda : Soo desu ka.

２

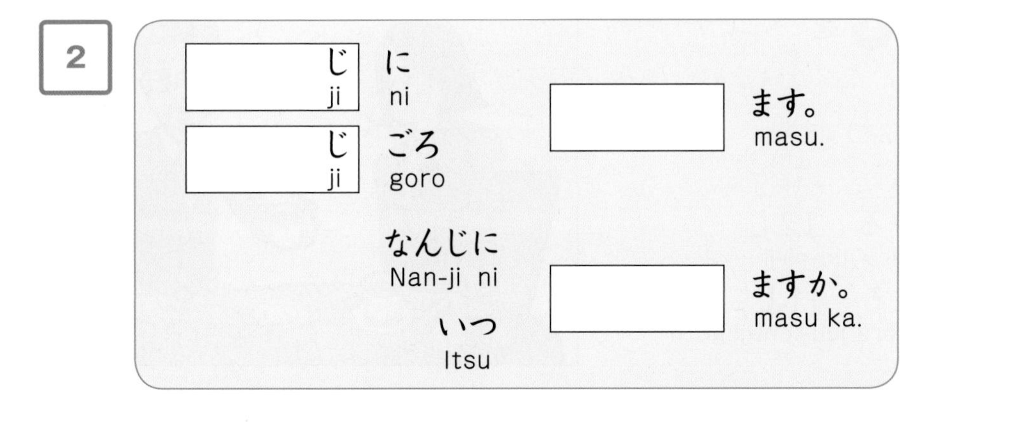

① ききましょう。 131-135
Listen.

(1) 5にんの　しごとは　なんですか。
What are the five people's jobs.

(2) 5にんは　なんじに　おきますか。
What time do the five people get up at?

	(1) しごと shigoto	(2) なんじに　おきますか。 Nan-ji ni okimasu ka.
1	a	i
2		
3		
4		
5		

a かいしゃいん kaishain
b こうむいん koomuin
c しゅふ shufu
d がくせい gakusee
e しごとは　ありません shigoto wa arimasen

f ５じはん go-ji-han
g ６じごろ roku-ji goro
h ６じ 15 ふん roku-ji juu-go-fun
i ７じ shichi-ji
j 10 じごろ juu-ji goro

9 なんじに　おきますか

3 グループで　はなしましょう。

Speak in groups.

	なんじに　おきますか。 Nan-ji ni okimasu ka.	なんじに　ねますか。 Nan-ji ni nemasu ka.
わたし watashi		
(　　　　) さん san		
(　　　　) さん san		
(　　　　) さん san		

4 インタビューを　ききましょう。おとこの　ひとは ①-④ を　いつ　しますか。

Listen to the interview.
When does the man do these things 1-4?

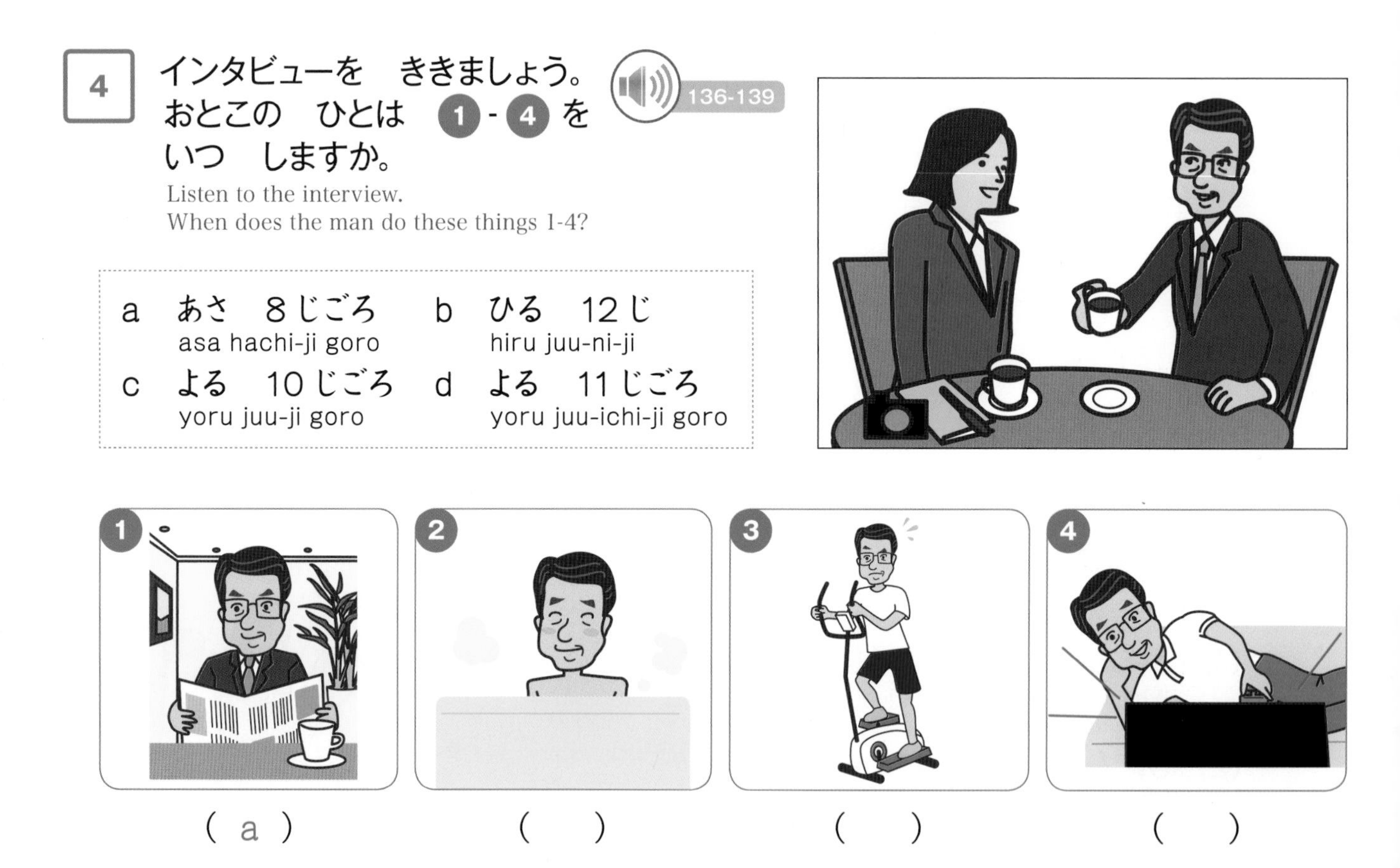

a　あさ　8じごろ
asa hachi-ji goro

b　ひる　12じ
hiru juu-ni-ji

c　よる　10じごろ
yoru juu-ji goro

d　よる　11じごろ
yoru juu-ichi-ji goro

① (a)　② (　　)　③ (　　)　④ (　　)

5 えを　みて　ただしい　ことばを　かきましょう。

Look at the picture and write the correct words.

CHECK! 140

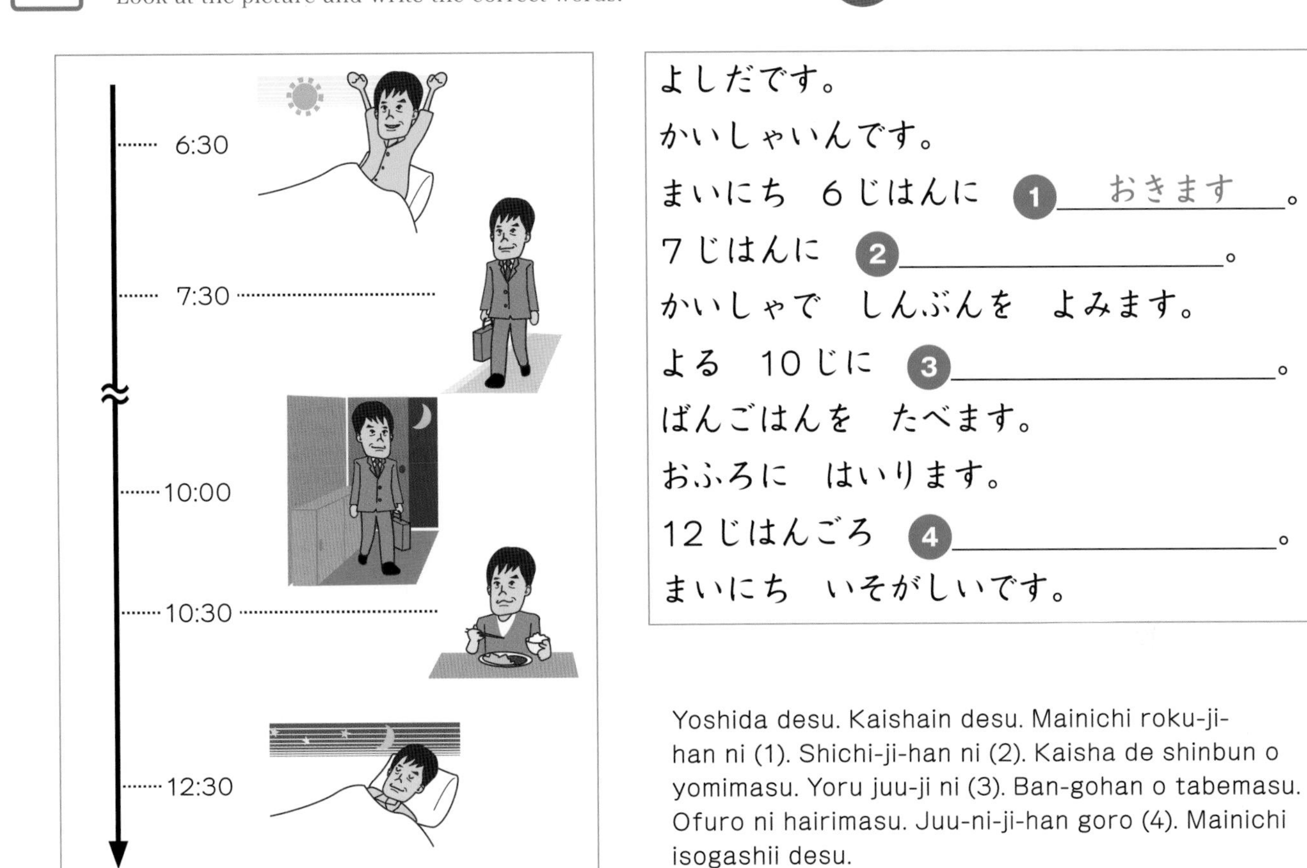

よしだです。
かいしゃいんです。
まいにち　６じはんに　❶ おきます 。
７じはんに　❷ ＿＿＿＿＿＿ 。
かいしゃで　しんぶんを　よみます。
よる　10じに　❸ ＿＿＿＿＿＿ 。
ばんごはんを　たべます。
おふろに　はいります。
12じはんごろ　❹ ＿＿＿＿＿＿ 。
まいにち　いそがしいです。

Yoshida desu. Kaishain desu. Mainichi roku-ji-han ni (1). Shichi-ji-han ni (2). Kaisha de shinbun o yomimasu. Yoru juu-ji ni (3). Ban-gohan o tabemasu. Ofuro ni hairimasu. Juu-ni-ji-han goro (4). Mainichi isogashii desu.

6 ペアで　はなしましょう。ふたりの　いちにちは　にていますか。

Speak in pairs. Are your daily lives similar?

わたし watashi	（　　　　）さん san

9 なんじに　おきますか

4 どっかい

「わたしの　いちにち」
"Watashi no ichinichi"

141・142

よみましょう。1 - 5 は　ただしいですか。（ただしい ○、ただしくない ×）
Read the passage below. Are 1-5 correct?　correct (○)　incorrect (×)

(1) たなかさんは　かいしゃいんです。とうきょうに　すんでいます。
まいにち　7時15分に　おきます。8時に　かいしゃに　いきます。しごとを　します。よる　8時ごろ　うちに　かえります。ばんごはんを　食べます。テレビを　みます。シャワーを　あびます。12時半ごろ　ねます。

Tanaka-san wa kaishain desu. Tookyoo ni sunde imasu. Mainichi shichi-ji juu-go-fun ni okimasu. Hachi-ji ni kaisha ni ikimasu. Shigoto o shimasu. Yoru hachi-ji goro uchi ni kaerimasu. Ban-gohan o tabemasu. Terebi o mimasu. Shawaa o abimasu. Juu-ni-ji-han goro nemasu.

1. あさ　シャワーを　あびます。　（　）
2. 7じに　おきます。　（　）
3. 8じに　かいしゃに　いきます。　（　）
4. 9じに　うちに　かえります。　（　）
5. よる　テレビを　みます。　（　）

(1) Asa shawaa o abimasu.
(2) Shichi-ji ni okimasu.
(3) Hachi-ji ni kaisha ni ikimasu.
(4) Ku-ji ni uchi ni kaerimasu.
(5) Yoru terebi o mimasu.

(2) クリスティーナさんは　しゅふです。
まいにち　6時30分に　おきます。あさごはんを　食べます。かじを　します。10時に　うんどうを　します。ひる　2時半に　にほんごの　がっこうに　いきます。べんきょうします。5時ごろ　うちに　かえります。かじを　します。にっきを　かきます。12時ごろ　ねます。

Kurisuthiina-san wa shufu desu.
Mainichi roku-ji sanjuppun ni okimasu. Asa-gohan o tabemasu. Kaji o shimasu. Juu-ji ni undoo o shimasu. Hiru ni-ji-han ni Nihongo no gakkoo ni ikimasu. Benkyoo-shimasu. Go-ji goro uchi ni kaerimasu. Kaji o shimasu. Nikki o kakimasu. Juu-ni-ji goro nemasu.

1. あさと　よる　かじを　します。　（　）
2. うんどうは　しません。　（　）
3. ごぜん　べんきょうします。　（　）
4. よる　にっきを　かきます。　（　）
5. 2じごろ　ねます。　（　）

(1) Asa to yoru kaji o shimasu.
(2) Undoo wa shimasen.
(3) Gozen benkyoo-shimasu.
(4) Yoru nikki o kakimasu.
(5) Ni-ji goro nemasu.

5 さくぶん

「わたしの　いちにち」
"Watashi no ichinichi"

1 ぶんを　かきましょう。
Write the sentences.

7じ 15ふんに　おきます。	7じ 15ふんに　おきます。
8じに　かいしゃに　いきます。	8じに　かいしゃに　いきます。
よる　8じごろ　うちに　かえります。	よる　8じごろ　うちに かえります。
テレビを　みます。	テレビを　みます。
シャワーを　あびます。	シャワーを　あびます。
12じはんごろ　ねます。	12じはんごろ　ねます。

2 あなたは　まいにち　なんじに　なにを　しますか。
What do you do every day, and what time do you do it?

....	
....	
....	
....	
....	
....	
....	

だい10か いつが　いいですか
Itsu ga ii desu ka

べんきょうする　まえに

- あなたの　かいしゃは　なんじから　なんじまでですか。
  What time do you start and finish work?
- あなたは　まいにち　なんじかん　しごとを　しますか。
  How many hours do you work every day?

1 もじとことば　ごい

1 にほんごで　なんですか。
What is it in Japanese?　CHECK! 143

a しょくじを　します shokuji o shimasu　b テニスを　します tenisu o shimasu　c かいものを　します kaimono o shimasu　d びじゅつかん bijutsukan　e コンサート konsaato　f パーティー paathii　g びょういん byooin

1 (a)　2 (　)　3 (　)　4 (　)　5 (　)　6 (　)　7 (　)

2 にほんごで　なんですか。
What is it in Japanese?　CHECK! 144

a せんしゅう senshuu　b かようび kayoobi　c もくようび mokuyoobi　d きのう kinoo　e あした ashita　f らいしゅう raishuu

	げつようび getsuyoobi	③ (　)	すいようび suiyoobi	④ (　)	きんようび kin'yoobi	どようび doyoobi	にちようび nichiyoobi
	Monday	Tuesday	Wednesday	Thursday	Friday	Saturday	Sunday
① (a)	1	2	3	4	5	6	7
こんしゅう konshuu	8	9	10 ⑤ (　)	11 きょう kyoo	12 ⑥ (　)	13	14
② (　)	15	16	17	18	19	20	21

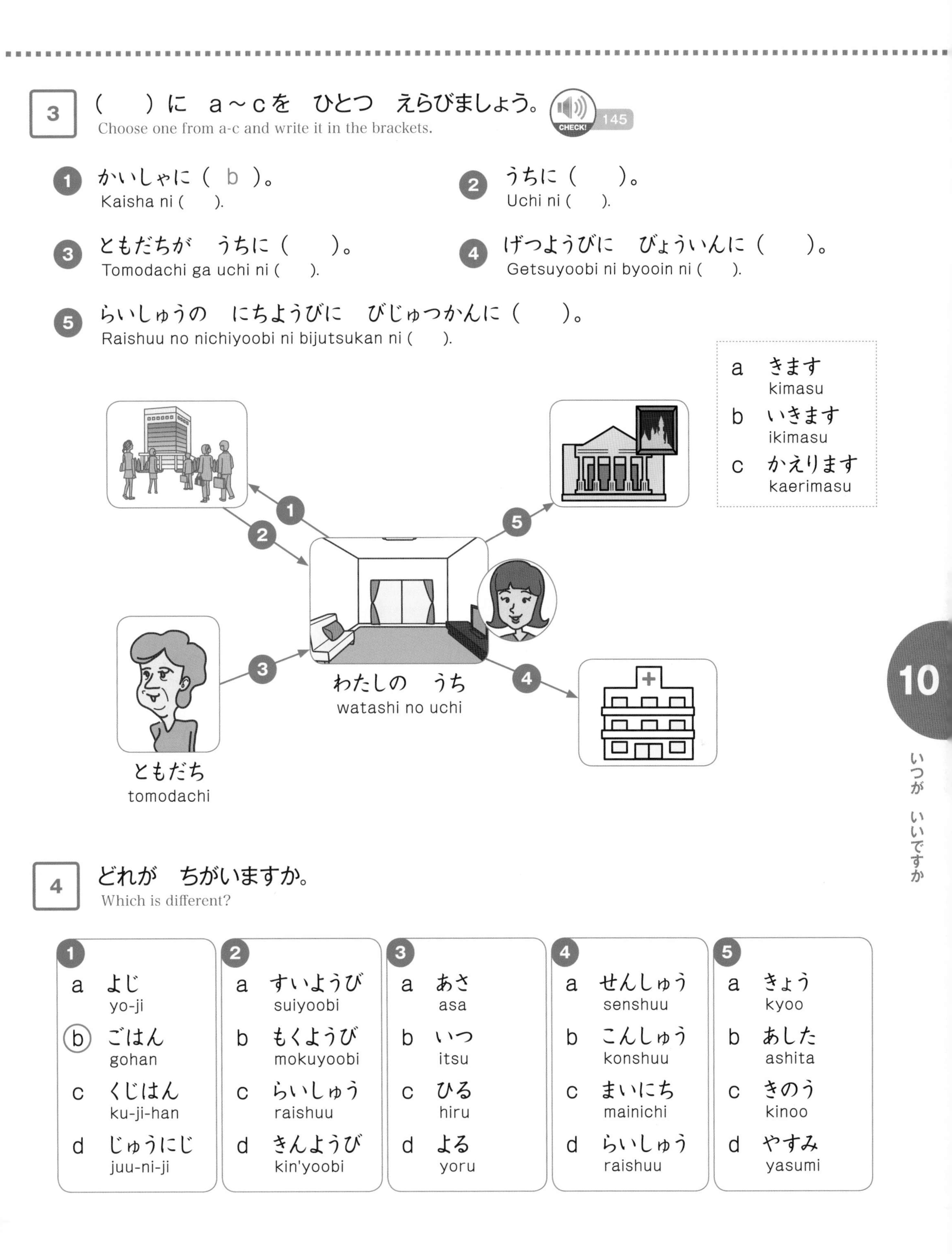

3 （　　）に　a～cを　ひとつ　えらびましょう。

Choose one from a-c and write it in the brackets.

CHECK! 145

1. かいしゃに（ b ）。
Kaisha ni (　　).

2. うちに（　　）。
Uchi ni (　　).

3. ともだちが　うちに（　　）。
Tomodachi ga uchi ni (　　).

4. げつようびに　びょういんに（　　）。
Getsuyoobi ni byooin ni (　　).

5. らいしゅうの　にちようびに　びじゅつかんに（　　）。
Raishuu no nichiyoobi ni bijutsukan ni (　　).

a　きます
kimasu

b　いきます
ikimasu

c　かえります
kaerimasu

4 どれが　ちがいますか。

Which is different?

1
- a　よじ　yo-ji
- (b)　ごはん　gohan
- c　くじはん　ku-ji-han
- d　じゅうにじ　juu-ni-ji

2
- a　すいようび　suiyoobi
- b　もくようび　mokuyoobi
- c　らいしゅう　raishuu
- d　きんようび　kin'yoobi

3
- a　あさ　asa
- b　いつ　itsu
- c　ひる　hiru
- d　よる　yoru

4
- a　せんしゅう　senshuu
- b　こんしゅう　konshuu
- c　まいにち　mainichi
- d　らいしゅう　raishuu

5
- a　きょう　kyoo
- b　あした　ashita
- c　きのう　kinoo
- d　やすみ　yasumi

5 きいて　かきましょう。
Listen and write.

146

❶ き ょ う　❷

❸ 　❹

❺ 　❻

6 かんじ
Kanji

① どの　かんじですか。
Match the pictures to the kanji.

❶ (b)　❷ (　)　❸ (　)　❹ (　)　❺ (　)　❻ (　)　❼ (　)

a 月　b 火　c 水　d 木　e 金　f 土　g 日

② かんじを　よみましょう。
Read the kanji.

CHECK! 147

月	火	水	木	金	土	日
getsu	ka	sui	moku	kin	do	nichi/bi

❶ 月よう日に　びょういんに　いきます。

❷ 火よう日に　コンサートに　いきます。

❸ 水よう日に　テニスを　します。

❹ 木よう日に　あねが　うちに　きます。

❺ 金よう日に　ともだちと　しょくじを　します。

❻ 土よう日に　パーティーを　します。

❼ 日よう日に　かいものに　いきます。

2 かいわとぶんぽう

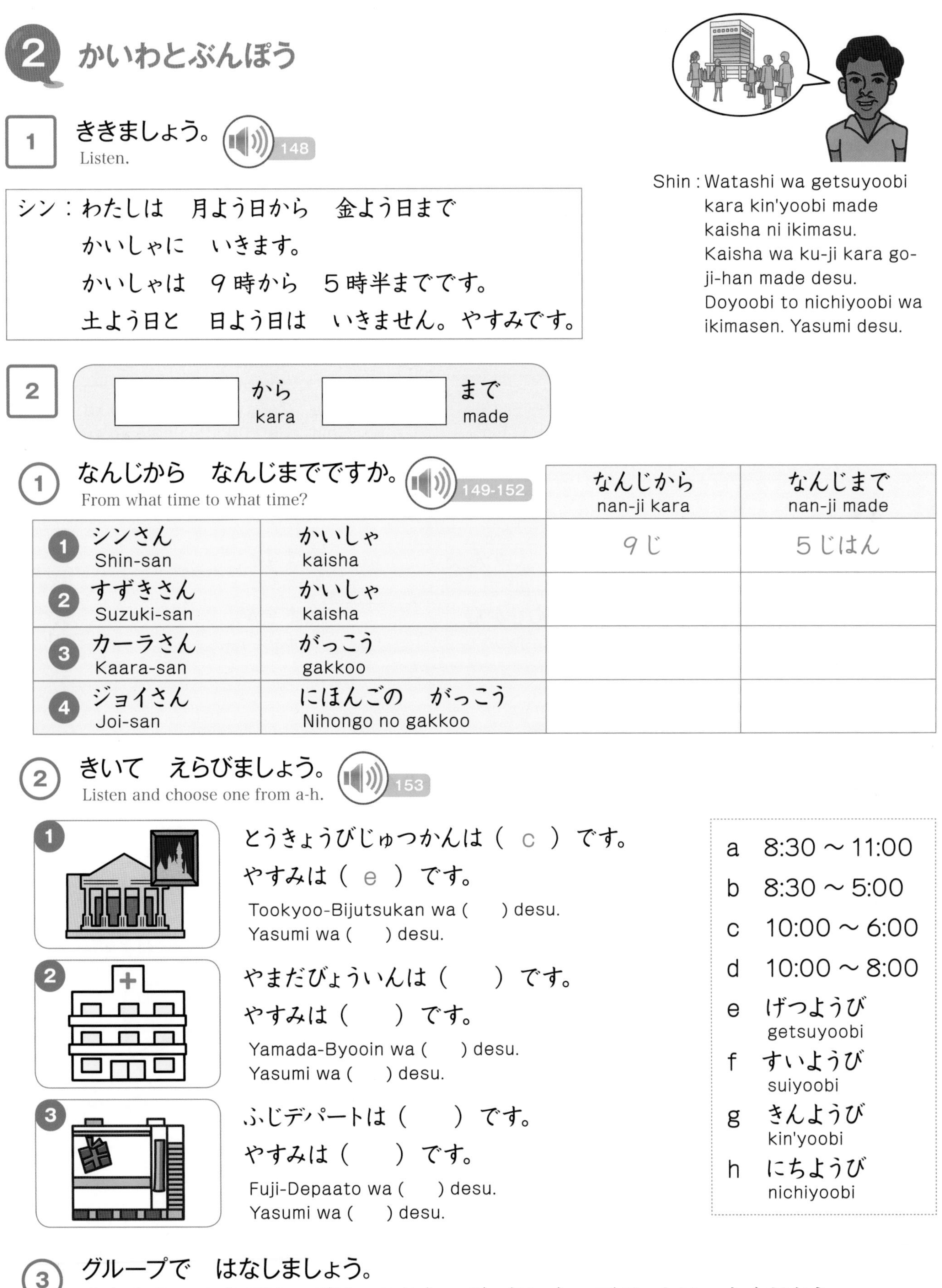

1 ききましょう。 148
Listen.

シン：わたしは　月よう日から　金よう日まで
かいしゃに　いきます。
かいしゃは　9時から　5時半までです。
土よう日と　日よう日は　いきません。やすみです。

Shin : Watashi wa getsuyoobi kara kin'yoobi made kaisha ni ikimasu. Kaisha wa ku-ji kara go-ji-han made desu. Doyoobi to nichiyoobi wa ikimasen. Yasumi desu.

2 [　　] から kara [　　] まで made

① なんじから　なんじまでですか。 149-152
From what time to what time?

		なんじから nan-ji kara	なんじまで nan-ji made
① シンさん Shin-san	かいしゃ kaisha	9じ	5じはん
② すずきさん Suzuki-san	かいしゃ kaisha		
③ カーラさん Kaara-san	がっこう gakkoo		
④ ジョイさん Joi-san	にほんごの　がっこう Nihongo no gakkoo		

② きいて　えらびましょう。 153
Listen and choose one from a-h.

① とうきょうびじゅつかんは（ c ）です。
やすみは（ e ）です。
Tookyoo-Bijutsukan wa (　　) desu.
Yasumi wa (　　) desu.

② やまだびょういんは（　　）です。
やすみは（　　）です。
Yamada-Byooin wa (　　) desu.
Yasumi wa (　　) desu.

③ ふじデパートは（　　）です。
やすみは（　　）です。
Fuji-Depaato wa (　　) desu.
Yasumi wa (　　) desu.

a　8:30 ～ 11:00
b　8:30 ～ 5:00
c　10:00 ～ 6:00
d　10:00 ～ 8:00
e　げつようび getsuyoobi
f　すいようび suiyoobi
g　きんようび kin'yoobi
h　にちようび nichiyoobi

③ グループで　はなしましょう。
あなたの　まちでは　びじゅつかん、びょういん、デパートは　なんじから
なんじまでですか。やすみは　いつですか。
Speak in groups. What time do art galleries, hospitals and department stores open and close in your town? What day are they closed?

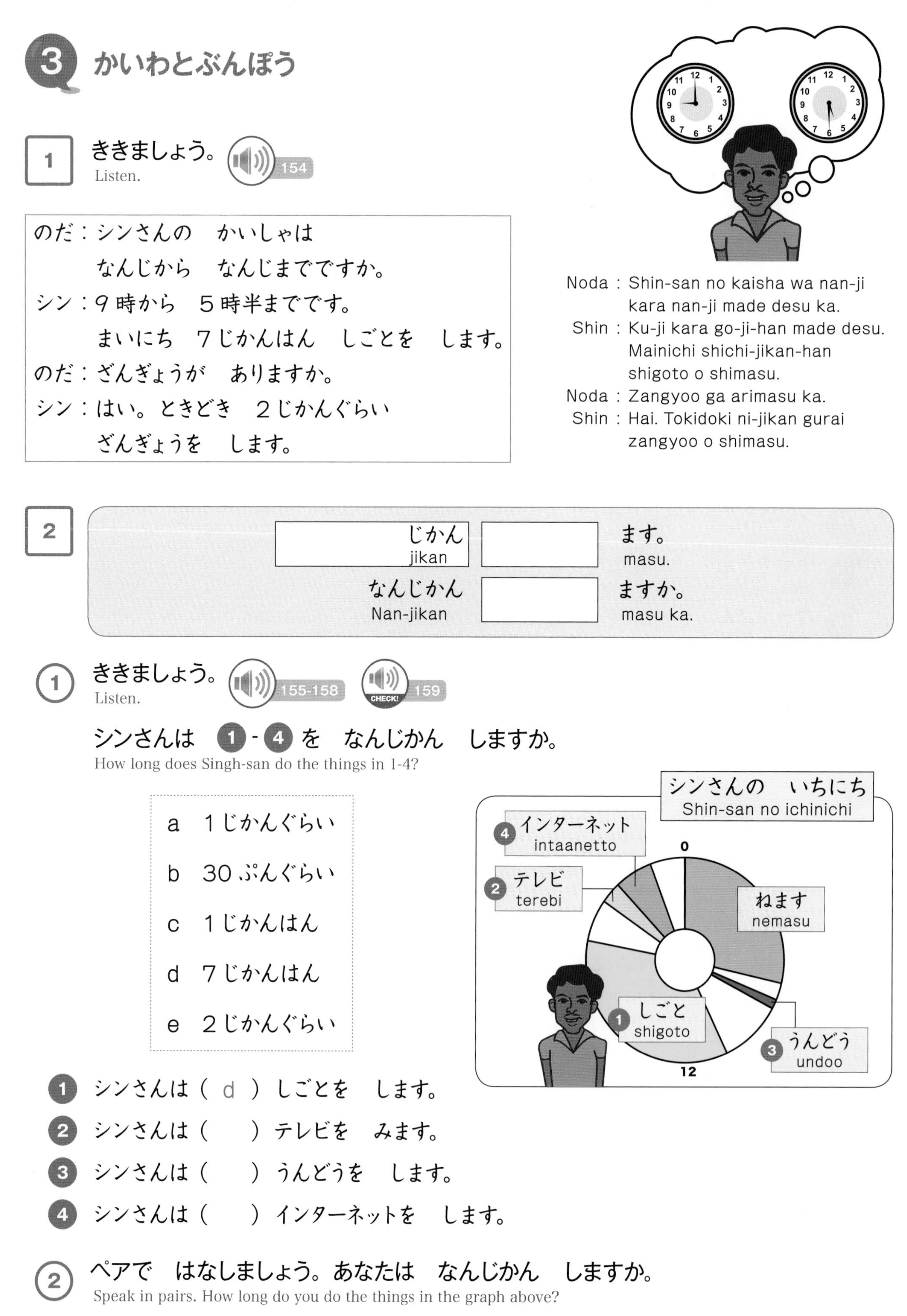

3 かいわとぶんぽう

1 ききましょう。 154
Listen.

のだ：シンさんの　かいしゃは
　　　なんじから　なんじまでですか。
シン：９時から　５時半までです。
　　　まいにち　７じかんはん　しごとを　します。
のだ：ざんぎょうが　ありますか。
シン：はい。ときどき　２じかんぐらい
　　　ざんぎょうを　します。

Noda : Shin-san no kaisha wa nan-ji kara nan-ji made desu ka.
Shin : Ku-ji kara go-ji-han made desu. Mainichi shichi-jikan-han shigoto o shimasu.
Noda : Zangyoo ga arimasu ka.
Shin : Hai. Tokidoki ni-jikan gurai zangyoo o shimasu.

2

［　　　］じかん（jikan）［　　　］ます。（masu.）
なんじかん（Nan-jikan）［　　　］ますか。（masu ka.）

① ききましょう。 155-158　CHECK! 159
Listen.

シンさんは　1-4　を　なんじかん　しますか。
How long does Singh-san do the things in 1-4?

a　１じかんぐらい
b　30 ぷんぐらい
c　１じかんはん
d　７じかんはん
e　２じかんぐらい

1 シンさんは（ d ）しごとを　します。
2 シンさんは（　　）テレビを　みます。
3 シンさんは（　　）うんどうを　します。
4 シンさんは（　　）インターネットを　します。

② ペアで　はなしましょう。あなたは　なんじかん　しますか。
Speak in pairs. How long do you do the things in the graph above?

4 かいわとぶんぽう

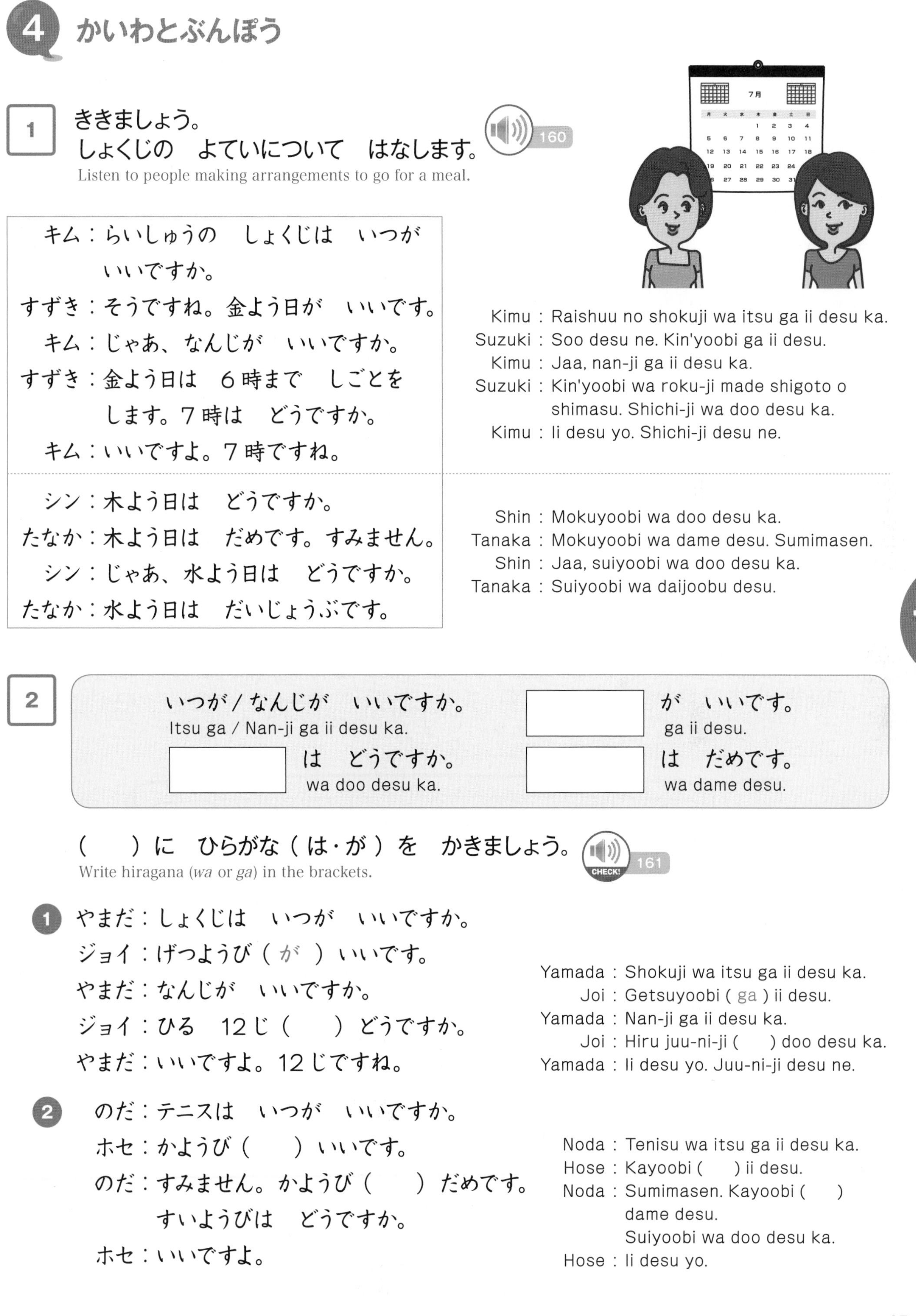

1 ききましょう。
しょくじの　よていについて　はなします。 160

Listen to people making arrangements to go for a meal.

キム：らいしゅうの　しょくじは　いつが　いいですか。
すずき：そうですね。金よう日が　いいです。
キム：じゃあ、なんじが　いいですか。
すずき：金よう日は　６時まで　しごとを　します。７時は　どうですか。
キム：いいですよ。７時ですね。

Kimu : Raishuu no shokuji wa itsu ga ii desu ka.
Suzuki : Soo desu ne. Kin'yoobi ga ii desu.
Kimu : Jaa, nan-ji ga ii desu ka.
Suzuki : Kin'yoobi wa roku-ji made shigoto o shimasu. Shichi-ji wa doo desu ka.
Kimu : Ii desu yo. Shichi-ji desu ne.

シン：木よう日は　どうですか。
たなか：木よう日は　だめです。すみません。
シン：じゃあ、水よう日は　どうですか。
たなか：水よう日は　だいじょうぶです。

Shin : Mokuyoobi wa doo desu ka.
Tanaka : Mokuyoobi wa dame desu. Sumimasen.
Shin : Jaa, suiyoobi wa doo desu ka.
Tanaka : Suiyoobi wa daijoobu desu.

2

いつが／なんじが　いいですか。
Itsu ga / Nan-ji ga ii desu ka.

［　　］が　いいです。
ga ii desu.

［　　］は　どうですか。
wa doo desu ka.

［　　］は　だめです。
wa dame desu.

（　）に　ひらがな（は・が）を　かきましょう。 CHECK! 161

Write hiragana (*wa* or *ga*) in the brackets.

1
やまだ：しょくじは　いつが　いいですか。
ジョイ：げつようび（ が ）いいです。
やまだ：なんじが　いいですか。
ジョイ：ひる　12じ（　　）どうですか。
やまだ：いいですよ。12じですね。

Yamada : Shokuji wa itsu ga ii desu ka.
Joi : Getsuyoobi (ga) ii desu.
Yamada : Nan-ji ga ii desu ka.
Joi : Hiru juu-ni-ji (　　) doo desu ka.
Yamada : Ii desu yo. Juu-ni-ji desu ne.

2
のだ：テニスは　いつが　いいですか。
ホセ：かようび（　　）いいです。
のだ：すみません。かようび（　　）だめです。すいようびは　どうですか。
ホセ：いいですよ。

Noda : Tenisu wa itsu ga ii desu ka.
Hose : Kayoobi (　　) ii desu.
Noda : Sumimasen. Kayoobi (　　) dame desu. Suiyoobi wa doo desu ka.
Hose : Ii desu yo.

5 どっかい

「らいしゅうの　よてい」 162
"Raishuu no yotee"

① Eメールを　よみましょう。❶-❸は　いつですか。
キムさんの　よていを　てちょうに　かきましょう。
Read the e-mail. When is Kim-san going to do the things in 1-3?
Write Kim-san's plans in the diary.

❶ びょういん
byooin

❷ コンサート
konsaato

❸ フランスご
Furansugo

カーラさん、こんにちは。

らいしゅうの　しょくじは　いつが　いいですか。
わたしは　月よう日から　金よう日まで
かいしゃに　いきます。
かいしゃは　6時までです。ざんぎょうしません！

火よう日は　びょういんに　いきます。
水よう日は　フランスごの　がっこうに　いきます。
金よう日は　コンサートに　いきます。
コンサートは　7時から　9時までです。

キム

Kaara-san, konnichiwa.

Raishuu no shokuji wa itsu ga ii desu ka.
Watashi wa getsuyoobi kara kin'yoobi made kaisha ni ikimasu.
Kaisha wa roku-ji made desu. Zangyoo-shimasen!

Kayoobi wa byooin ni ikimasu.
Suiyoobi wa Furansugo no gakkoo ni ikimasu.
Kin'yoobi wa konsaato ni ikimasu.
Konsaato wa shichi-ji kara ku-ji made desu.

Kimu

6月　JUNE

月	火	水	木	金	土	日
		1	2	3	4 きょう	5
6	7	8	9	10	11	12

② キムさんと　カーラさんは　いつ　しょくじが　できますか。　(　　)(　　)
When can Kim-san and Carla-san have a meal together?

a げつようび getsuyoobi　b かようび kayoobi　c すいようび suiyoobi
d もくようび mokuyoobi　e きんようび kin'yoobi

テストとふりかえり 1（トピック 1-5） Test and Reflection 1 (Topics 1-5)

この　じかん（120 ぷん）では、つぎの　4つの　ことを　します。

In the time (120 minutes) you will do the following four things.

40 ぷん (40 minutes)	10 ぷん (10 minutes)	30 ぷん (30 minutes)	20 ぷん (20 minutes)	20 ぷん (20 minutes)
1 テスト Test	やすみ break	2 テストの せつめい Test explanation	3 テストの ふりかえり Test reflection	4 さくぶんの はっぴょう Discuss your compositions

1 テストの もんだいれい Test example questions

1 きいて　ひらがなか　カタカナで　かいて　ください。

Listen and write in hiragana or katakana.

❶ (　　　　　　　　)

❷ (　　　　　　　　)

スクリプト

❶ かいしゃいん

❷ コーヒー

2 かんじの　よみかたを　ローマじか　ひらがなで　かいて　ください。

Write the kanji reading in Roman alphabet or hiragana.

❶ ぎゅうにゅうを　飲みます。　(　　　　　　　　)

❷ ちちは　6時半に　おきます。　(　　　　　　　　)

❸ さとうさんの　いえは　新しくないです。　(　　　　　　　　)

3 ただしい　ものを　えらんで　ください。

Choose the correct answer.

ヤン：のださん、たべもの（❶）　なに（❷）　すきですか。

のだ：やさい（❸）　さかなが　すきです。

❶（ a は　b が　c も　d と ）

❷（ a は　b が　c も　d と ）

❸（ a は　b が　c も　d と ）

4 ただしい　ぶんを　つくって　ください。

Make correct sentences.

❶（ a たべもの　b きらいな　c は ）

_________ _________ _________ さかなです。

❷（ a した　b の　c ベッド ）

いぬは _________ _________ _________ です。

5 ぶんを　よんで、しつもんに　こたえてください。
Read the short passages below and answer the question.

≪しつもん≫　ふたりは　なにごで　はなしますか。ただしい　こたえを　えらんで　ください。
《question》What language do the two people use to communicate with each other? Choose the correct answer.

（　a　にほんご　b　ドイツご　c　えいご　）

たけしさんは　にほんじんです。にほんごが　できます。えいごも　できます。ドイツごは　できません。	クリスティーナさんは　ドイツじんです。ドイツごと　えいごが　できます。にほんごは　すこし　できます。

6 きいて　ください。えを　みて、ただしい　ものに（○）、ただしくない　ものに（×）を　つけて　ください。
Listen. Look at the picture and write (○) for the correct sentences and (×) for the incorrect sentences.

1 (　　)
2 (　　)
3 (　　)

スクリプト
1 へやに　エアコンが　あります。
2 へやに　いすが　ふたつ　あります。
3 へやに　ねこが　います。

2 テストの せつめい　Test explanation

テストの　こたえを　チェックしましょう。しつもんが　あったら、せんせいに　ききましょう。
Check the answers to the test. Ask the teacher if you have any questions.

3 テストの ふりかえり　Test reflection

まちがえた　もんだいを　もう　いちど　みて　みましょう。
Look again at the questions you got wrong.

4 さくぶんの はっぴょう　Discuss your compositions (*Sakubun*)

だい3か、5か、7か、9かの　「さくぶん」について　グループで　はなしましょう。
Speak in groups about your compositions from lessons 3, 5, 7 and 9.

ともだちの　さくぶんを　よんで、いろいろ　しつもんして　みましょう。
Read your classmates' compositions and try to ask a lot of different questions.

じぶんの　さくぶんの　にほんごについて　せんせいに　しつもんして　みましょう。
Ask your teacher questions about the Japanese in your compositions.

もんだいれいの　こたえ　Answers to test example questions

1 1 かいしゃいん　2 コーヒー
2 1 nomimasu／のみます　2 rokujihan／ろくじはん　3 atarashikunai／あたらしくない
3 1 a　2 b　3 d　4 1 b-a-c　2 c-b-a　5 a, c　6 1 ○　2 ○　3 ×

やすみのひ 1

だい 11 か

しゅみは　なんですか

Shumi wa nan desu ka

What's your hobby?

26. どくしょが　すきです。
    Dokusho ga suki desu.
27. ギターが　できます。
    Gitaa ga dekimasu.
28. うちで　えいがを　みます。
    Uchi de eega o mimasu.
29. ときどき　かいものを　します。
    Tokidoki kaimono o shimasu.

だい 12 か

いっしょに　いきませんか

Issho ni ikimasen ka

Shall we go together?

30. どようびに　コンサートが　あります。
    Doyoobi ni konsaato ga arimasu.
31. こくさいホールで　えいがが　あります。
    Kokusai-Hooru de eega ga arimasu.
32. すもうを　みに　いきます。
    Sumoo o mi ni ikimasu.
33. いっしょに　こうえんに　いきませんか。
    Issho ni kooen ni ikimasen ka.
34. いきましょう。
    Ikimashoo.

6

だい11か しゅみは　なんですか

Shumi wa nan desu ka

べんきょうする　まえに

- あなたの　しゅみは　なんですか。なにが　すきですか。
  What is your hobby? What do you like?
- やすみの　ひは　なにを　しますか。
  What do you do on your days off?

1 もじとことば　ごい

1 ことばを　わけましょう。

Divide the words into groups.　CHECK! 163

① スポーツ

a サッカー

② えいが

b れんあい

③ おんがく

c クラシック

2 ただしい　ことばを　えらびましょう。
Choose the correct word.

CHECK! 164

1. マンガを
   a　します。
   b　みます。
   ⓒ　よみます。

2. おんがくを
   a　ききます。
   b　かきます。
   c　とります。

3. うちで　ゆっくり
   a　とります。
   b　みます。
   c　します。

4. サッカーを
   a　します。
   b　かきます。
   c　とります。

5. しゃしんを
   a　ききます。
   b　とります。
   c　よみます。

6. えを
   a　ききます。
   b　かきます。
   c　よみます。

3 きいて　かきましょう。
Listen and write.

165

1. ほ ん
2.
3.
4.
5.

4 かんじを　よみましょう。
Read the kanji.

CHECK! 166

言います (i)	話します (hana)	読みます (yo)
見ます (mi)	聞きます (ki)	書きます (ka)

1. おんがくを　聞きます。
2. ほんを　読みます。
3. Eメールを　書きます。
4. にほんごを　話します。
5. えいがを　見ます。
6. なまえを　言います。

2 かいわとぶんぽう

1 ききましょう。 Listen. 167

パク：しゅみは　なんですか。
すずき：どくしょです。
パク：そうですか。
どんな　ほんが　すきですか。
すずき：マンガが　だいすきです。
パク：そうですか。わたしもです。

Paku : Shumi wa nan desu ka.
Suzuki : Dokusho desu.
Paku : Soo desu ka.
Donna hon ga suki desu ka.
Suzuki : Manga ga daisuki desu.
Paku : Soo desu ka. Watashi mo desu.

2

［　　］が　すきです。　［　　］は　すきじゃないです。

どんな［　　］が　すきですか。

ききましょう。4にんの　しゅみは　なんですか。 168-171
Listen. What are the four people's hobbies?

	しゅみは？	どんな？
1 さいとうさん	a スポーツ	g じゅうどう
2 あべさん		
3 カーラさん		
4 パクさん		

a　スポーツ
b　おんがく
c　どくしょ
d　えいが

e　ホラー
f　SF（エスエフ）
g　じゅうどう
h　クラシック

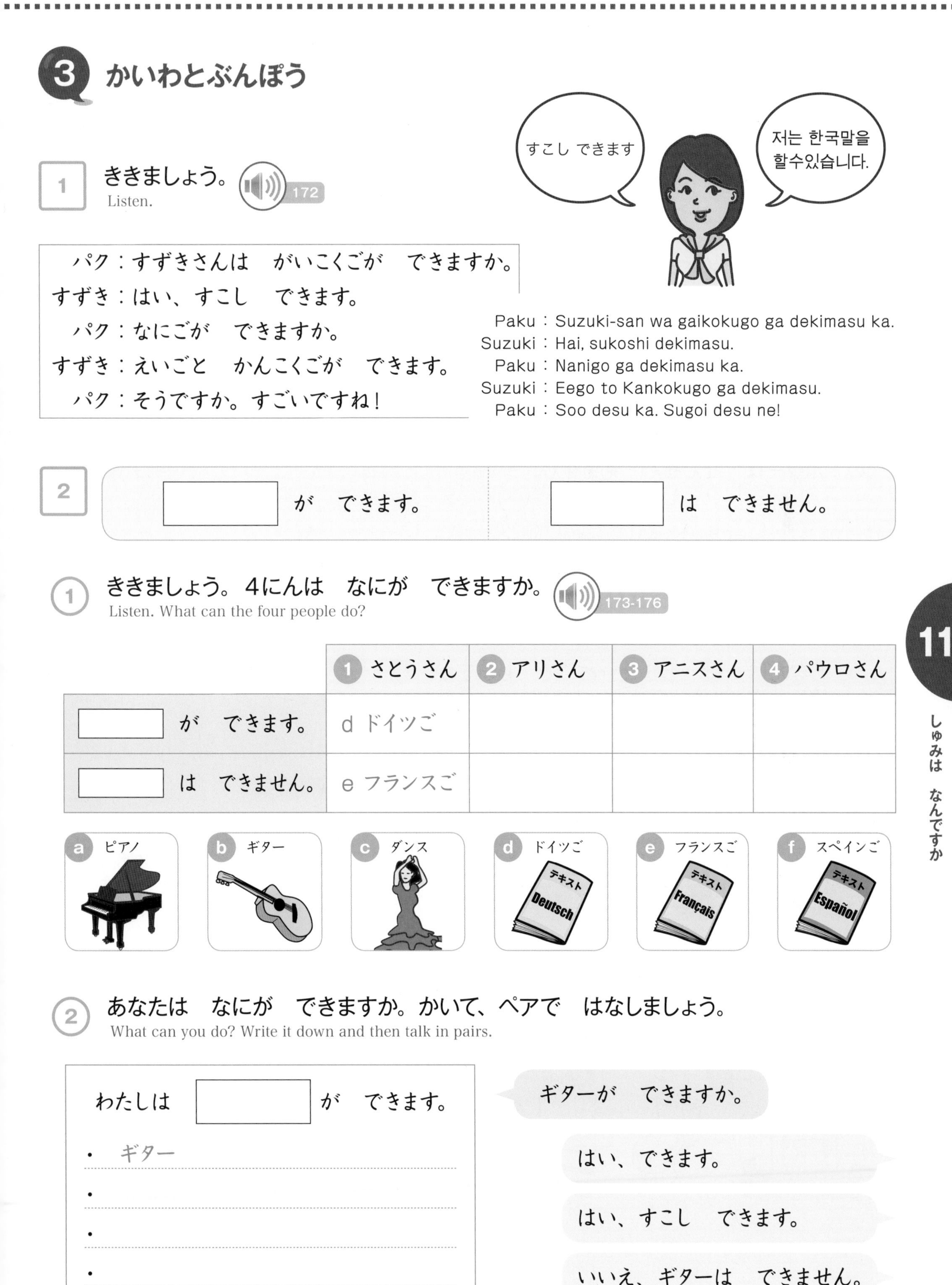

3 かいわとぶんぽう

1 ききましょう。 172
Listen.

パク：すずきさんは　がいこくごが　できますか。
すずき：はい、すこし　できます。
パク：なにごが　できますか。
すずき：えいごと　かんこくごが　できます。
パク：そうですか。すごいですね！

Paku : Suzuki-san wa gaikokugo ga dekimasu ka.
Suzuki : Hai, sukoshi dekimasu.
Paku : Nanigo ga dekimasu ka.
Suzuki : Eego to Kankokugo ga dekimasu.
Paku : Soo desu ka. Sugoi desu ne!

2 [　　] が　できます。　[　　] は　できません。

① ききましょう。4にんは　なにが　できますか。 173-176
Listen. What can the four people do?

	① さとうさん	② アリさん	③ アニスさん	④ パウロさん
[　　] が　できます。	d ドイツご			
[　　] は　できません。	e フランスご			

a ピアノ　b ギター　c ダンス　d ドイツご　e フランスご　f スペインご

② あなたは　なにが　できますか。かいて、ペアで　はなしましょう。
What can you do? Write it down and then talk in pairs.

わたしは [　　] が　できます。

- ギター
-
-
-

ギターが　できますか。

はい、できます。

はい、すこし　できます。

いいえ、ギターは　できません。

4 かいわとぶんぽう

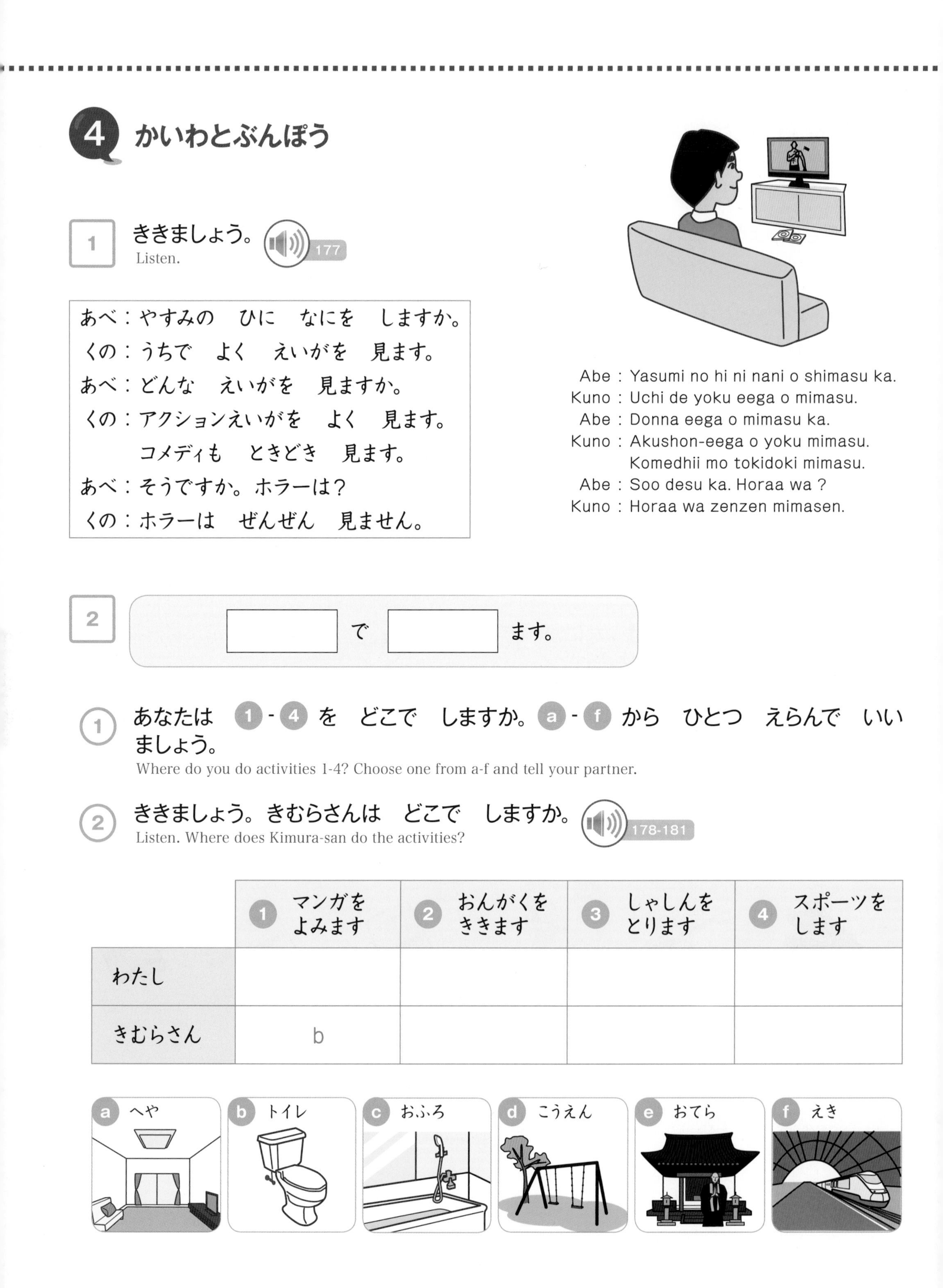

1 きききましょう。 177
Listen.

あべ：やすみの　ひに　なにを　しますか。
くの：うちで　よく　えいがを　見ます。
あべ：どんな　えいがを　見ますか。
くの：アクションえいがを　よく　見ます。
　　　コメディも　ときどき　見ます。
あべ：そうですか。ホラーは？
くの：ホラーは　ぜんぜん　見ません。

Abe：Yasumi no hi ni nani o shimasu ka.
Kuno：Uchi de yoku eega o mimasu.
Abe：Donna eega o mimasu ka.
Kuno：Akushon-eega o yoku mimasu.
　Komedhii mo tokidoki mimasu.
Abe：Soo desu ka. Horaa wa ?
Kuno：Horaa wa zenzen mimasen.

2 ［　　］で［　　］ます。

① あなたは 1-4 を　どこで　しますか。a-f から　ひとつ　えらんで　いいましょう。
Where do you do activities 1-4? Choose one from a-f and tell your partner.

② きききましょう。きむらさんは　どこで　しますか。 178-181
Listen. Where does Kimura-san do the activities?

	① マンガを よみます	② おんがくを ききます	③ しゃしんを とります	④ スポーツを します
わたし				
きむらさん	b			

a へや　b トイレ　c おふろ　d こうえん　e おてら　f えき

3

よく／ときどき ＿＿＿ ます。　あまり／ぜんぜん ＿＿＿ ません。

① やすみの　ひについて　20 にんの　ひとに　ききました。グラフを　みて　こたえを　かきましょう。 CHECK! 182

We asked twenty people about their days off. Look at the graph and write the answers.

やすみの　ひに　かいものを　しますか。

a よく　b ときどき
c あまり　d ぜんぜん

おとこのひと 10にん

よく (1)
ときどき (3)
あまり (4)
ぜんぜん (2)

1 ひとりは a よく （します・しません）
2 4 にんは ＿＿＿ （します・しません）
3 ふたりは ＿＿＿ （します・しません）

おんなのひと 10にん

ぜんぜん (0)
よく (5)
ときどき (3)
あまり (2)

4 5 にんは ＿＿＿ （します・しません）
5 3 にんは ＿＿＿ （します・しません）

② グループで　はなしましょう。

Speak in groups.

スポーツ、おんがく、どくしょ、えいが、かいもの…

やすみの　ひに
スポーツを　しますか。

はい、よく／ときどき　します。 ／ いいえ、スポーツは　あまり／ぜんぜん
しません。

どんな　スポーツを　しますか。　テニスです。

どこで　しますか。　こうえんで　します。

だれと　しますか。　ともだちと　します。

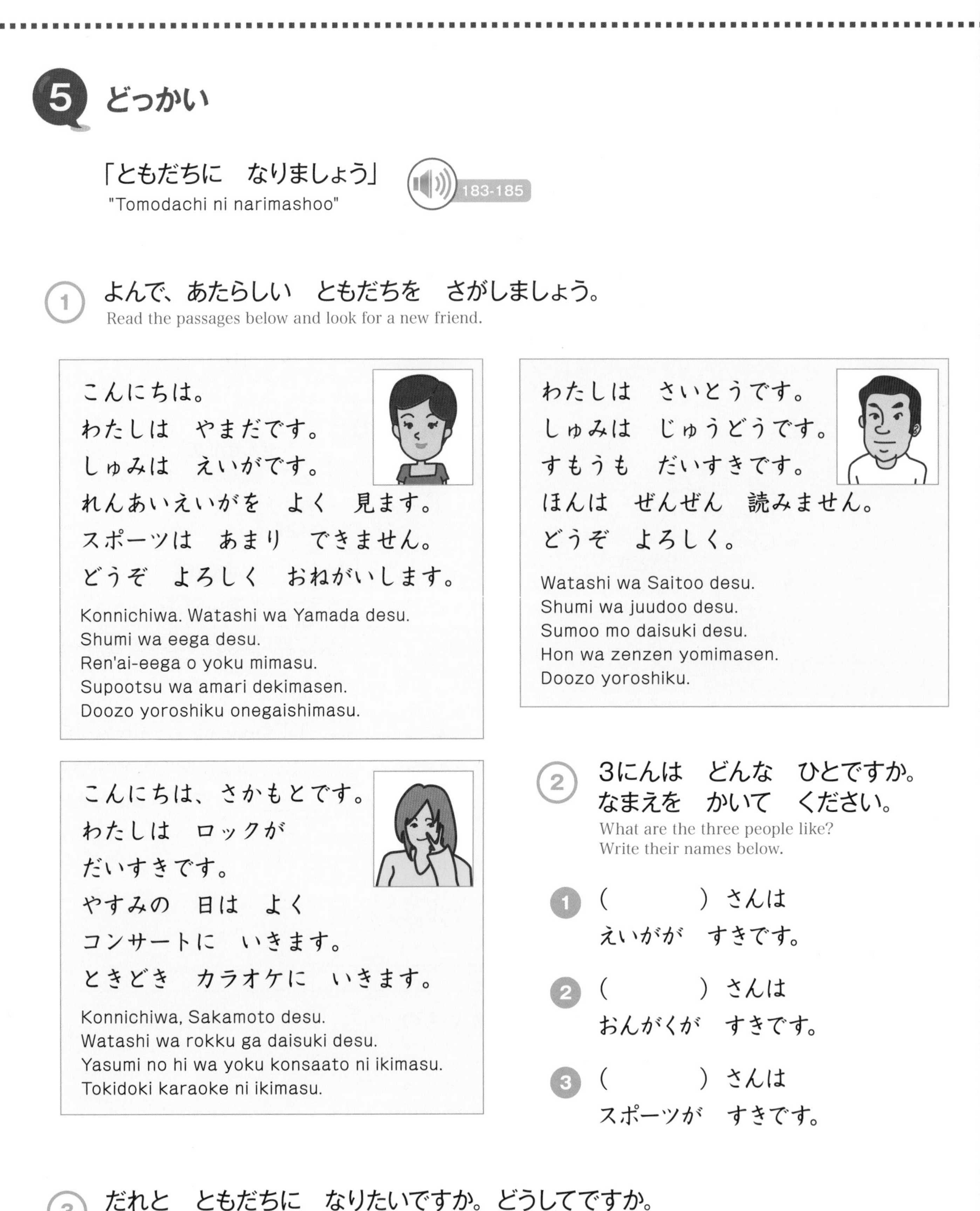

5 どっかい

「ともだちに　なりましょう」
"Tomodachi ni narimashoo"

183-185

1 よんで、あたらしい　ともだちを　さがしましょう。
Read the passages below and look for a new friend.

こんにちは。
わたしは　やまだです。
しゅみは　えいがです。
れんあいえいがを　よく　見ます。
スポーツは　あまり　できません。
どうぞ　よろしく　おねがいします。

Konnichiwa. Watashi wa Yamada desu.
Shumi wa eega desu.
Ren'ai-eega o yoku mimasu.
Supootsu wa amari dekimasen.
Doozo yoroshiku onegaishimasu.

わたしは　さいとうです。
しゅみは　じゅうどうです。
すもうも　だいすきです。
ほんは　ぜんぜん　読みません。
どうぞ　よろしく。

Watashi wa Saitoo desu.
Shumi wa juudoo desu.
Sumoo mo daisuki desu.
Hon wa zenzen yomimasen.
Doozo yoroshiku.

こんにちは、さかもとです。
わたしは　ロックが
だいすきです。
やすみの　日は　よく
コンサートに　いきます。
ときどき　カラオケに　いきます。

Konnichiwa, Sakamoto desu.
Watashi wa rokku ga daisuki desu.
Yasumi no hi wa yoku konsaato ni ikimasu.
Tokidoki karaoke ni ikimasu.

2 3にんは　どんな　ひとですか。なまえを　かいて　ください。
What are the three people like?
Write their names below.

1. (　　　　) さんは
えいがが　すきです。

2. (　　　　) さんは
おんがくが　すきです。

3. (　　　　) さんは
スポーツが　すきです。

3 だれと　ともだちに　なりたいですか。どうしてですか。
Who would you like to become friends with? Why?

(　　　　) さんです。

6 さくぶん

「わたしの　しゅみ」
"Watashi no shumi"

1 ぶんを　かきましょう。
Write the sentences.

こんにちは。わたしは　リサです。	こんにちは。わたしは　リサです。
わたしの　しゅみは　どくしょです。	わたしの　しゅみは　どくしょです。
しょうせつが　すきです。	しょうせつが　すきです。
よく　うちで　ほんを　よみます。	よく　うちで　ほんを　よみます。
スポーツは　ぜんぜん　しません。	スポーツは　ぜんぜん　しません。
どうぞ　よろしく　おねがいします。	どうぞ　よろしく　おねがいします。

2 じこしょうかいの　E メールを　かきましょう。
Write an e-mail of self-introduction.

send　attach a file

to :

cc :

subject :

だい12か　いっしょに　いきませんか

Issho ni ikimasen ka

べんきょうする　まえに

- あなたの　まちでは、どんな　イベントが　ありますか。
  What kinds of events are there in your town?
- だれと　いっしょに　いきますか。
  Who are you going with?

1 もじとことば　ごい

1 にほんごで　なんですか。（CHECK! 186）

What is it in Japanese?

a　まつり　　b　しあい　　c　コンサート
d　ポスター　　e　チケット　　f　カレンダー

① (d)　② (　　)　③ (　　)　④ (　　)　⑤ (　　)　⑥ (　　)

2 ただしい　ことばを　かきましょう。（CHECK! 187）

Write the correct word.

① g　きのう	きょう	②
せんしゅう	③	④
⑤	こんげつ	⑥
⑦	⑧	らいねん

a　きょねん　　b　らいしゅう　　c　あした
d　らいげつ　　e　ことし　　f　こんしゅう
g　きのう　　h　せんげつ

3 かんじを　よみましょう。 188
Read the kanji.

一	二	三	四	五	六	七	八	九	十
ichi	ni	san	yon/shi	go	roku	nana/shichi	hachi	kyuu/ku	juu

4 ＿＿年（ねん）＿＿月（がつ）＿＿日（にち）　→p193

① あなたの　たんじょうびは　いつですか。
あなたの　かぞくの　たんじょうびは　いつですか。
When is your birthday? When are your family's birthdays?

② あなたの　くにの　しゅくじつは　いつですか。
When are national holidays in your country?

5 きいて　えらびましょう。 189
Listen and choose.

1. ⓐ 1月　b 7月
2. a 7月　b 8月
3. a 2月　b 4月
4. a 3日　b 6日
5. a 4日　b 8日
6. a 5日　b 20日
7. a 7月7日　b 8月7日
8. a 5月11日　b 9月21日
9. a 11月23日　b 12月13日

6 きいて　かきましょう。 190
Listen and write.

1. つ い た ち
2. □□□
3. □□□
4. □□□
5. □□□
6. □□□

12 いっしょに　いきませんか

2 かいわとぶんぽう

1 ききましょう。
Listen.

191

あべ：シンさん、らいげつ　すもうが　ありますよ。
シン：え、そうですか。どこで　ありますか。
あべ：23 日に　こくさいホールで　あります。
シン：あべさん、いきますか。
あべ：はい、たぶん　いきます。

Abe： Shin-san, raigetsu sumoo ga arimasu yo.
Shin： E, soo desu ka. Doko de arimasu ka.
Abe： Nijuu-san-nichi ni Kokusai-Hooru de arimasu.
Shin： Abe-san, ikimasu ka.
Abe： Hai, tabun ikimasu.

2

～がつ／～にち／～ようび／～じ	に	9がつに　すもうが　あります。
きょう／らいしゅう／らいげつ／らいねん	~~に~~	らいげつ　すもうが　あります。

あべさんの　スケジュールを　みて、（　　）に　ひらがな（に・の・×）を　かきましょう。×：ないとき
Look at Abe-san's schedule and write hiragana (*ni*, *no* or ×) in the brackets.
×: when you do not need any hiragana

CHECK! 192

1. アニメえいが？ — きょう（ × ）　あります。
   ホラーえいが？ — 15 日（ に ）　あります。
2. パーティー？ — らいしゅう（　　）　あります。
3. びじゅつかん？ — もくようび（　　）　いきます。
4. コンサート？ — こんしゅう（　　）どようび（　　）いきます。

〈あべさんの　スケジュール〉

月	火	水	木	金	土	日	月
11	12 きょう えいが	13	14 びじゅつかん	15 えいが	16 コンサート	17	18 パーティー

3

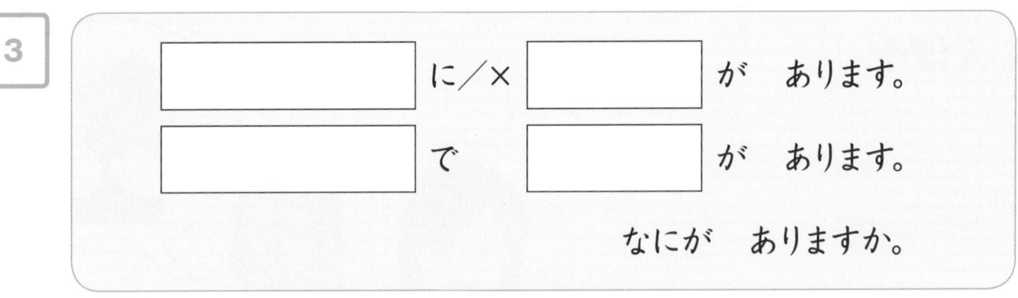

[　　　] に／× [　　　] が　あります。

[　　　] で [　　　] が　あります。

なにが　ありますか。

ゴールデンウィークに　いろいろな　イベントが　あります。

There are a lot of different events in Golden Week.

なに	みんなのまつり	おんがくまつり	えいがまつり
いつ ＼ どこ	みなとパーク	こくさいホール	
4月29日（土）	ぼんさいコンテスト		アニメえいが
4月30日（日）		たいこコンサート	
5月　1日（月）	しゃしんコンテスト		れんあいえいが
5月　2日（火）	カラオケコンテスト		
5月　3日（水）		ジャズコンサート	ホラーえいが
5月　4日（木）	ダンスコンテスト		
5月　5日（金）		Ｊポップコンサート	

① すきな　イベントを　3つ　えらんで　かきましょう。 CHECK! 193

Choose three events that you like and write about them below.

・ [4月30日] に [こくさいホール] で [たいこコンサート] が　あります。

・

・

・

② グループで　①を　いいましょう。

In groups say what you wrote in ex.1 above.

③ あなたの　まちでは　いつ、どんな　イベントが　ありますか。はなしましょう。

What kinds of events are there in your home town and when are they? Talk with your classmates.

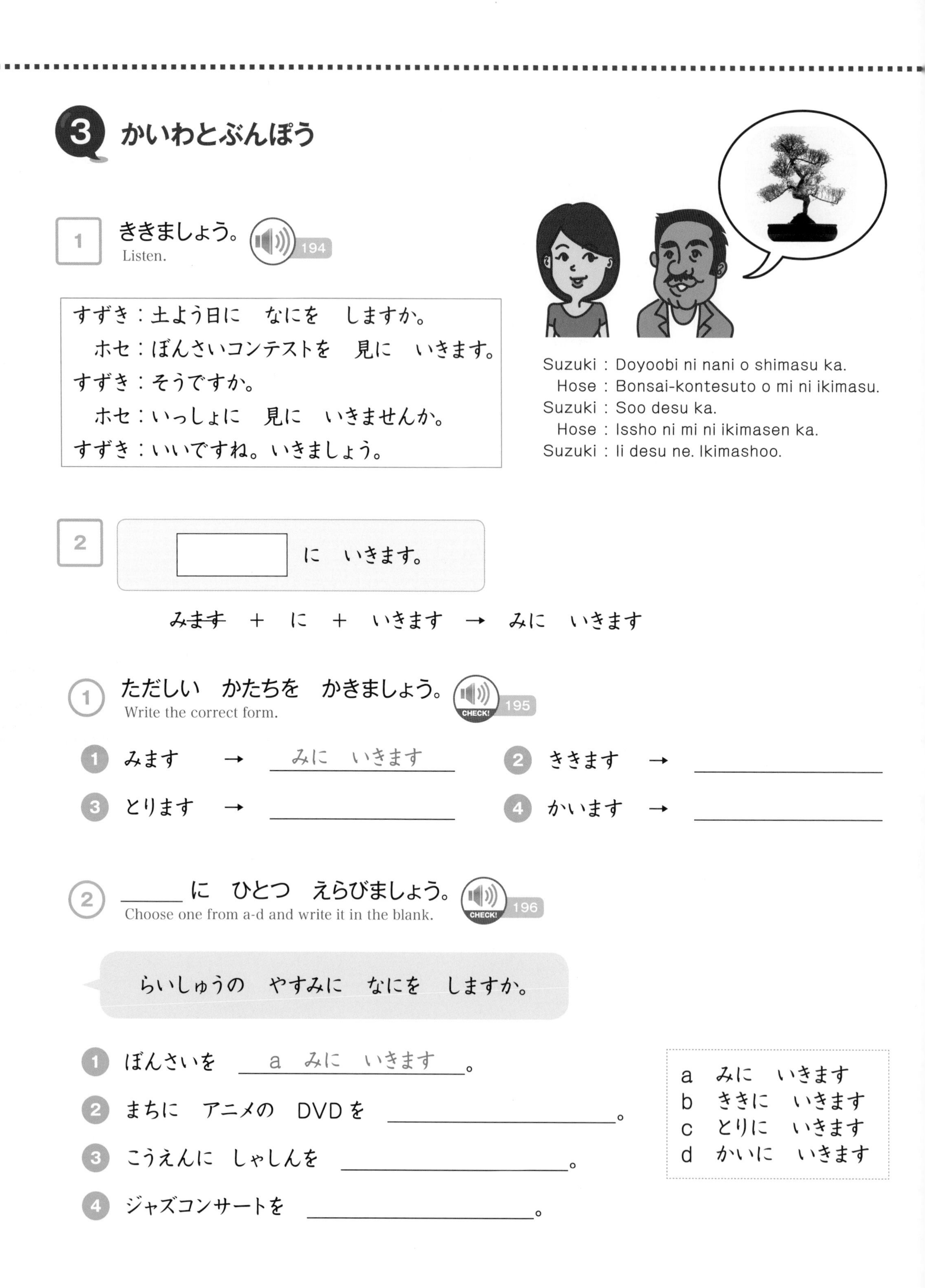

3 かいわとぶんぽう

1 ききましょう。 194
Listen.

すずき：土よう日に　なにを　しますか。
ホセ：ぼんさいコンテストを　見に　いきます。
すずき：そうですか。
ホセ：いっしょに　見に　いきませんか。
すずき：いいですね。いきましょう。

Suzuki : Doyoobi ni nani o shimasu ka.
Hose : Bonsai-kontesuto o mi ni ikimasu.
Suzuki : Soo desu ka.
Hose : Issho ni mi ni ikimasen ka.
Suzuki : Ii desu ne. Ikimashoo.

2 ［　　　］に　いきます。

~~みます~~　＋　に　＋　いきます　→　みに　いきます

① ただしい　かたちを　かきましょう。 CHECK! 195
Write the correct form.

1. みます　→　みに　いきます
2. ききます　→　＿＿＿＿＿＿
3. とります　→　＿＿＿＿＿＿
4. かいます　→　＿＿＿＿＿＿

② ＿＿＿に　ひとつ　えらびましょう。 CHECK! 196
Choose one from a-d and write it in the blank.

らいしゅうの　やすみに　なにを　しますか。

1. ぼんさいを　a　みに　いきます　。
2. まちに　アニメの　DVD を　＿＿＿＿＿＿。
3. こうえんに　しゃしんを　＿＿＿＿＿＿。
4. ジャズコンサートを　＿＿＿＿＿＿。

a　みに　いきます
b　ききに　いきます
c　とりに　いきます
d　かいに　いきます

3

いっしょに [　　　] ませんか。　　[　　　] ましょう。

いきます	→	いきませんか	いきましょう
みに　いきます	→	みに　いきませんか	みに　いきましょう

ことばを　えらんで、ぶんを　かきましょう。
Choose the correct word and write sentences.

CHECK! 197-200

1. あした　いっしょに　こうえんに　いきませんか＿＿＿。　｜　いいですね。いきましょう＿＿＿。
2. らいしゅう　いっしょに　カラオケを＿＿＿＿＿。　｜　いいですね。＿＿＿＿＿。
3. どようびに　ジャズコンサートを＿＿＿＿＿。　｜　いいですね。＿＿＿＿＿。
4. いっしょに　ダンスコンテストを＿＿＿＿＿。　｜　いいですね。＿＿＿＿＿。

いきます　　します　　みに　いきます　　ききに　いきます

4

① かいわを　つくりましょう。
Complete the conversation.

CHECK! 201・202

1.
かわい：らいしゅう　みなとパークで
　　　　カラオケコンテストが　ありますよ。
ヤン：へえ、らいしゅう？ 1＿＿c＿＿。
かわい：16日です。いっしょに　2＿＿＿＿。
ヤン：いいですね。3＿＿＿＿。

a　みに　いきませんか
b　いきましょう
c　いつですか

2.
パク：9月に　こくさいホールで　1＿＿＿＿。
すずき：いいですね。9月の　いつですか。
パク：2＿＿＿＿。
　　　いっしょに　ききに　いきませんか。
すずき：30日は　ちょっと…。3＿＿＿＿。
パク：そうですか。

a　コンサートが　ありますよ
b　すみません
c　30日です

② ペアで　れんしゅうしましょう。
Practise in pairs.

4 どっかい

「いっしょに　見に　いきませんか」
"Issho ni mi ni ikimasen ka"

Eメールを　よんで、しつもんに　こたえましょう。
Read the e-mail and answer the questions.

リリーさん、おげんきですか。
みなとまちでは　ゴールデンウィークに　いろいろな　イベントが　あります。
わたしは　カラオケコンテストを　見に　いきます。
リリーさんも　いっしょに　見に　いきませんか。
ゆうき
http://www.gw-event.minato-machi.jp/

Ririi-san, ogenki desu ka.
Minato machi dewa Gooruden-Uiiku ni iroirona ibento ga arimasu.
Watashi wa karaoke-kontesuto o mini ikimasu.
Ririi-san mo issho ni mi ni ikimasen ka.
Yuuki

1. ゴールデンウィークは　いつから　いつまでですか。
   (　　　　　　　　) から (　　　　　　　　) までです。
2. みなとパークと　こくさいホールで　どんな　イベントが　ありますか。
   ・みなとパーク (　　　　　　　　) (　　　　　　　　)
   ・こくさいホール (　　　　　　　　) (　　　　　　　　)
3. ゆうきさんは　なにを　みに　いきますか。
   (　　　　　　　　) を　みに　いきます。

どうやって　いきますか
Doo yatte ikimasu ka
How are you going to get there?

35. うちから　えきまで　バスで　いきます。
Uchi kara eki made basu de ikimasu.

36. えきで　でんしゃに　のります。
Eki de densha ni norimasu.

37. くうこうは　でんしゃが　いいです。
Kuukoo wa densha ga ii desu.

38. はやいですから。
Hayai desu kara.

だい 14 か

ゆうめいな　おてらです
Yuumeena otera desu
It's a famous temple

39. ふるいじんじゃ、にぎやかな　まち
furui jinja, nigiyakana machi

40. さいたまに　ふるい　じんじゃが　あります。
Saitama ni furui jinja ga arimasu.

41. えきの　となり、きっさてんの　まえ
eki no tonari, kissaten no mae

42. きっさてんは　えきの　となりに　あります。
Kissaten wa eki no tonari ni arimasu.

43. わたしは　きっさてんの　まえに　います。
Watashi wa kissaten no mae ni imasu.

だい13か どうやって　いきますか
Doo yatte ikimasu ka

べんきょうする　まえに

- あなたは　うちから　がっこうまで　どうやって　いきますか。
  How do you get from your home to school?
- タクシーで　うんてんしゅに　どんな　ことを　いいますか。
  What do you say to a taxi driver?

1 もじとことば ごい

1 ① にほんごで　なんですか。(a - e)　どこで　のりますか。(f - j)
What is it in Japanese? (a-e) Where can you catch it from? (f-j)

1 (c)(g)　2 (　)(　)　3 (　)(　)　4 (　)(　)　5 (　)(　)

a　バス　b　タクシー　c　でんしゃ　d　ちかてつ　e　ひこうき

f　くうこう　g　えき　h　バスのりば／バスてい　i　えき　j　タクシーのりば

② きいて　こたえを　チェックしましょう。 CHECK! 204
Listen and check your answers.

[g　えき] で [c　でんしゃ] に　のります。

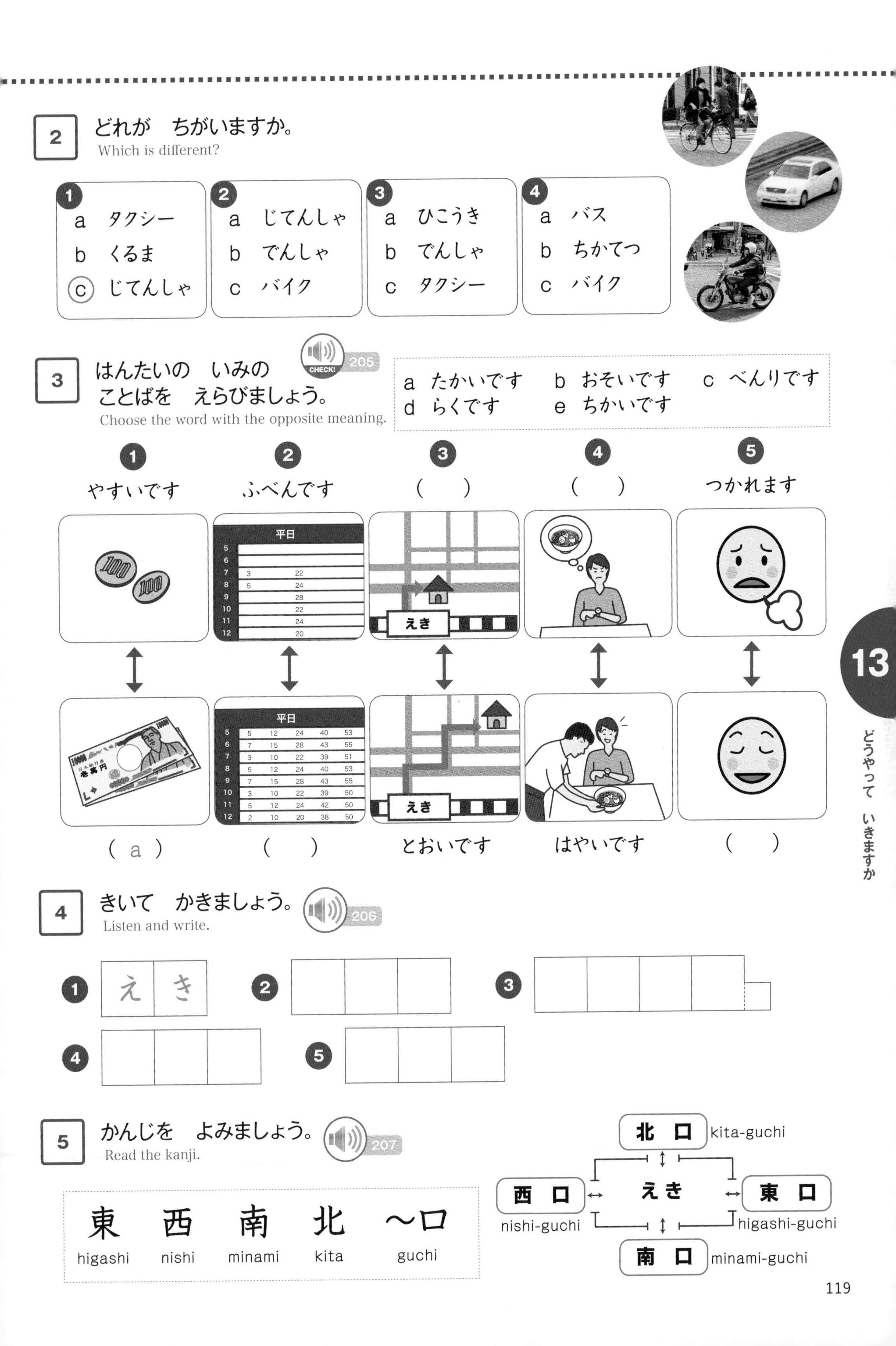

2 どれが　ちがいますか。
Which is different?

1
a　タクシー
b　くるま
ⓒ　じてんしゃ

2
a　じてんしゃ
b　でんしゃ
c　バイク

3
a　ひこうき
b　でんしゃ
c　タクシー

4
a　バス
b　ちかてつ
c　バイク

3 はんたいの　いみの　ことばを　えらびましょう。
CHECK! 205

Choose the word with the opposite meaning.

a　たかいです　　b　おそいです　　c　べんりです
d　らくです　　e　ちかいです

1	2	3	4	5
やすいです	ふべんです	(　　)	(　　)	つかれます
↕	↕	↕	↕	↕
(a)	(　　)	とおいです	はやいです	(　　)

4 きいて　かきましょう。
206

Listen and write.

1 え き
2
3
4
5

5 かんじを　よみましょう。
207

Read the kanji.

東	西	南	北	～口
higashi	nishi	minami	kita	guchi

2 かいわとぶんぽう

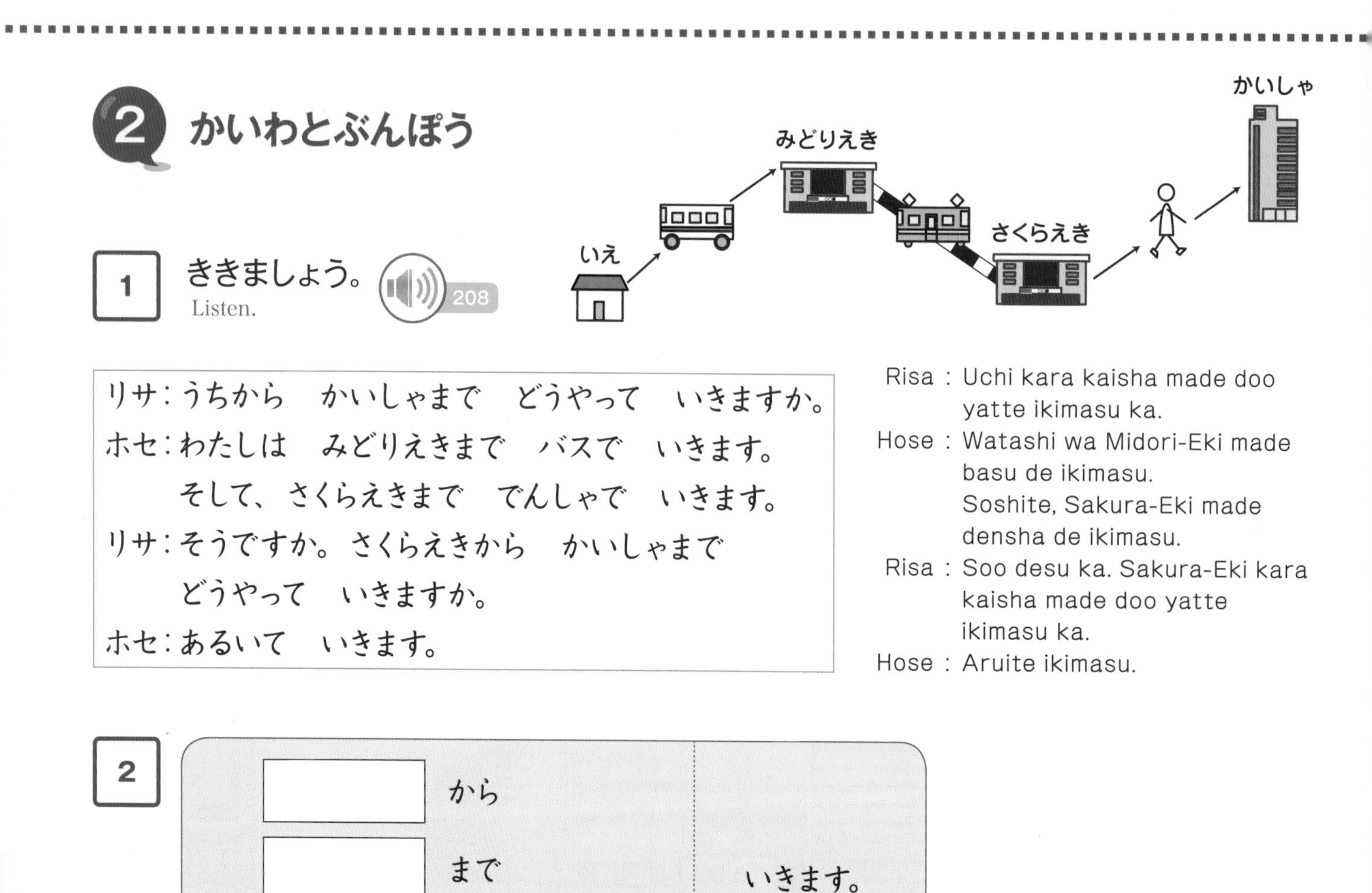

1 ききましょう。 208
Listen.

リサ：うちから　かいしゃまで　どうやって　いきますか。
ホセ：わたしは　みどりえきまで　バスで　いきます。
　　　そして、さくらえきまで　でんしゃで　いきます。
リサ：そうですか。さくらえきから　かいしゃまで
　　　どうやって　いきますか。
ホセ：あるいて　いきます。

Risa : Uchi kara kaisha made doo yatte ikimasu ka.
Hose : Watashi wa Midori-Eki made basu de ikimasu.
Soshite, Sakura-Eki made densha de ikimasu.
Risa : Soo desu ka. Sakura-Eki kara kaisha made doo yatte ikimasu ka.
Hose : Aruite ikimasu.

2

［　　］から ［　　］まで	いきます。
［　　］で ／ あるいて	
どうやって　いきますか。	

（　　）に　ひらがな（から・まで・で）を　かきましょう。 CHECK! 209
Write hiragana (*kara*, *made* or *de*) in the brackets.

ホセ：リサさんは　がっこう（ まで ）　どうやって　いきますか。
リサ：わたしは　さくらえき（　　　）ふじえき（　　　）
　　　ちかてつ（　　　）いきます。
ホセ：ふじえき（　　　）どうやって　いきますか。
リサ：がっこう（　　　）あるいて　いきます。

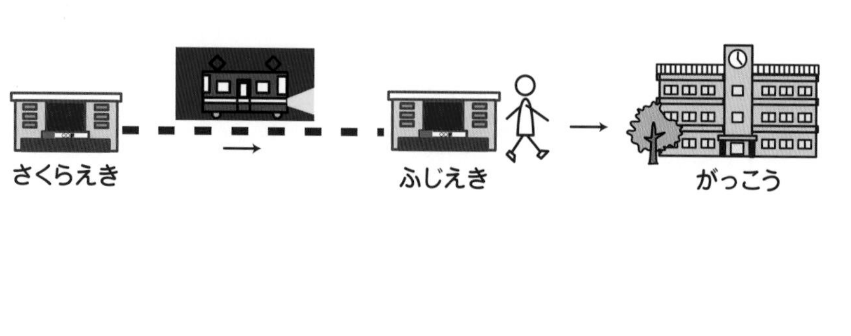

3 かいわとぶんぽう

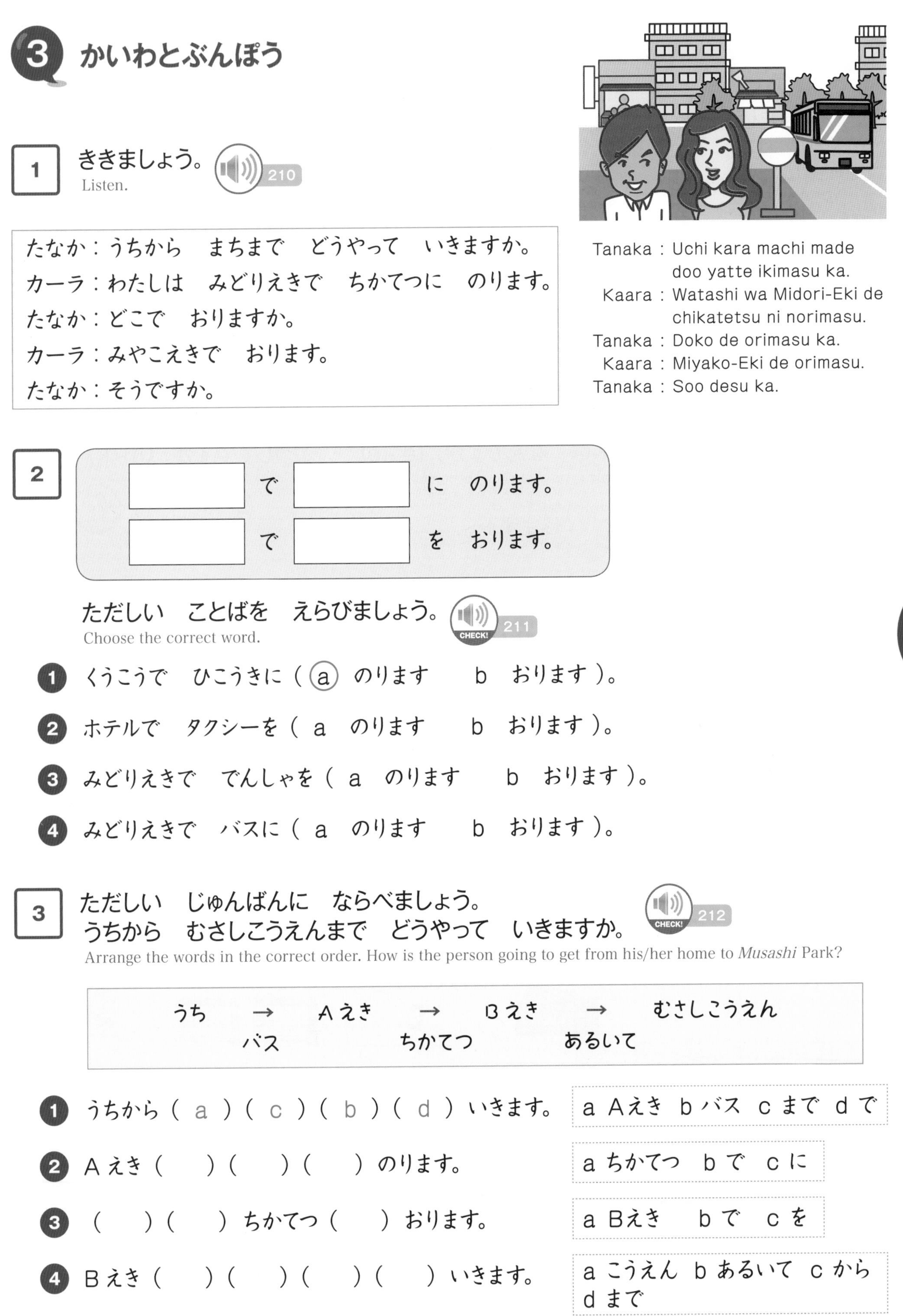

1 ききましょう。 210
Listen.

たなか：うちから　まちまで　どうやって　いきますか。
カーラ：わたしは　みどりえきで　ちかてつに　のります。
たなか：どこで　おりますか。
カーラ：みやこえきで　おります。
たなか：そうですか。

Tanaka : Uchi kara machi made doo yatte ikimasu ka.
Kaara : Watashi wa Midori-Eki de chikatetsu ni norimasu.
Tanaka : Doko de orimasu ka.
Kaara : Miyako-Eki de orimasu.
Tanaka : Soo desu ka.

2

[　　　] で [　　　] に　のります。
[　　　] で [　　　] を　おります。

ただしい　ことばを　えらびましょう。 CHECK! 211
Choose the correct word.

1. くうこうで　ひこうきに（ ⓐ　のります　　b　おります ）。
2. ホテルで　タクシーを（ a　のります　　b　おります ）。
3. みどりえきで　でんしゃを（ a　のります　　b　おります ）。
4. みどりえきで　バスに（ a　のります　　b　おります ）。

3 ただしい　じゅんばんに　ならべましょう。
うちから　むさしこうえんまで　どうやって　いきますか。 CHECK! 212
Arrange the words in the correct order. How is the person going to get from his/her home to *Musashi* Park?

うち　→　A えき　→　B えき　→　むさしこうえん
　バス　　ちかてつ　　あるいて

1. うちから（ a ）（ c ）（ b ）（ d ）いきます。　a Aえき　b バス　c まで　d で
2. A えき（　）（　）（　）のります。　a ちかてつ　b で　c に
3. （　）（　）ちかてつ（　）おります。　a Bえき　b で　c を
4. B えき（　）（　）（　）（　）いきます。　a こうえん　b あるいて　c から　d まで

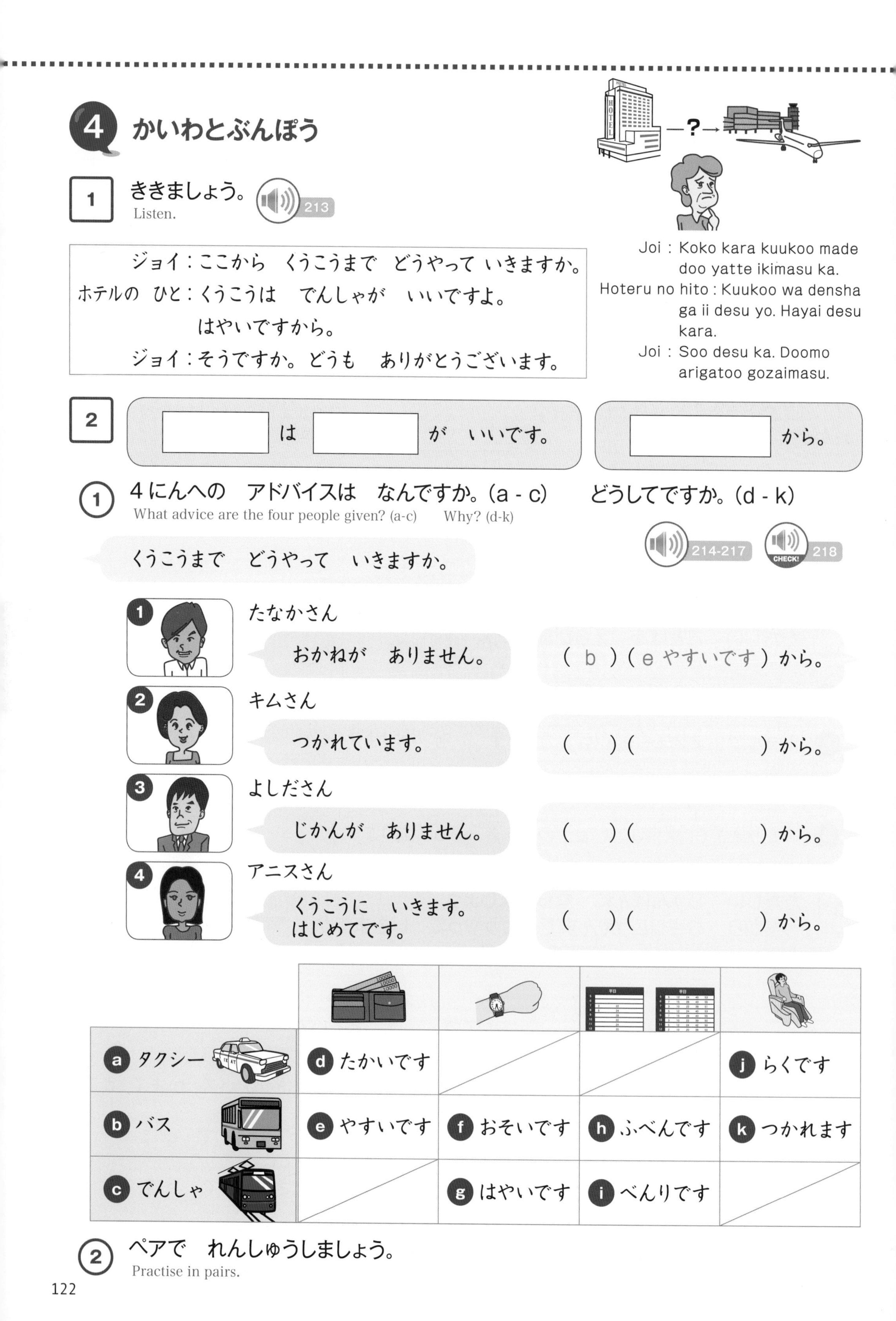

4 かいわとぶんぽう

1 ききましょう。
Listen.

213

ジョイ：ここから　くうこうまで　どうやって　いきますか。
ホテルの　ひと：くうこうは　でんしゃが　いいですよ。
はやいですから。
ジョイ：そうですか。どうも　ありがとうございます。

Joi : Koko kara kuukoo made doo yatte ikimasu ka.
Hoteru no hito : Kuukoo wa densha ga ii desu yo. Hayai desu kara.
Joi : Soo desu ka. Doomo arigatoo gozaimasu.

2
［　　］は［　　］が　いいです。　［　　］から。

① 4にんへの　アドバイスは　なんですか。(a - c)　どうしてですか。(d - k)
What advice are the four people given? (a-c)　Why? (d-k)

214-217　CHECK! 218

くうこうまで　どうやって　いきますか。

1 たなかさん
おかねが　ありません。　（ b ）（ e やすいです ）から。

2 キムさん
つかれています。　（　　）（　　　　）から。

3 よしださん
じかんが　ありません。　（　　）（　　　　）から。

4 アニスさん
くうこうに　いきます。
はじめてです。　（　　）（　　　　）から。

	(wallet)	(watch)	(timetable)	(seat)
a タクシー	d たかいです			j らくです
b バス	e やすいです	f おそいです	h ふべんです	k つかれます
c でんしゃ		g はやいです	i べんりです	

② ペアで　れんしゅうしましょう。
Practise in pairs.

5 かいわ

① かいわを　きいて、ぶんを　えらびましょう。 219

Listen to the conversation and choose the correct sentence.

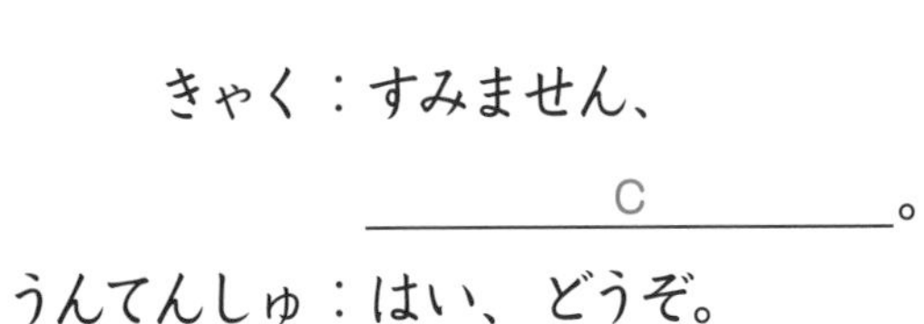

きゃく：すみません、
　　　　＿＿＿c＿＿＿。
うんてんしゅ：はい、どうぞ。

うんてんしゅ：＿＿＿＿＿＿。
きゃく：ふじホテルまで　おねがいします。

きゃく：ふじホテルは
　　　　＿＿＿＿＿＿。
うんてんしゅ：20 ぷんぐらいです。

きゃく：＿＿＿＿＿＿。
うんてんしゅ：3,200 えんです。

a　いくらですか	b　とおいですか	c　おねがいします	d　どちらまでですか

② ペアで　れんしゅうしましょう。

Practise in pairs.

❻ どっかい

「レストランまで　どうやって
いきますか」

"Resutoran made doo yatte ikimasu ka"

リサさんと　サビタさんの　Ｅメールを　よみましょう。
Read Lisa-san and Sabita-san's e-mails.

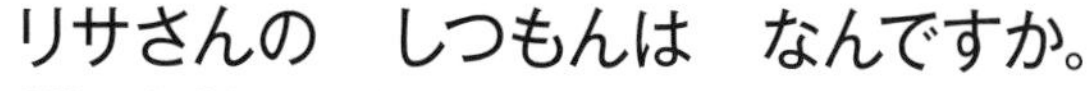

① リサさんの　しつもんは　なんですか。
What is Lisa-san's question?

> サビタさん、
> らいしゅうの　土よう日に　レストランで
> パーティーが　ありますね。
> みどりえきから　レストランまで　どうやって　いきますか。
> リサ

Sabita-san,
Raishuu no doyoobi ni resutoran de paathii ga arimasu ne.
Midori-Eki kara resutoran made doo yatte ikimasu ka.
Risa

②

> リサさん、メール、ありがとう。
> 土よう日は、みどりえきで　ちかてつに　のります。
> そして、さくらえきで　おります。
> さくらえきから　レストランまで　あるいて　いきます。
> 6時に　さくらえきの　東口で　あいましょう。
> サビタ

Risa-san, meeru, arigatoo.
Doyoobi wa, Midori-Eki de chikatetsu ni norimasu.
Soshite, Sakura-Eki de orimasu.
Sakura-Eki kara resutoran made aruite ikimasu.
Roku-ji ni Sakura-Eki no higashi-guchi de aimashoo.
Sabita

リサさんは　Ｅメールを　よんで、メモを　かきました。どれが　ただしいですか。
Lisa-san read Sabita-san's e-mail and wrote some notes. Which is correct?
(　　　)

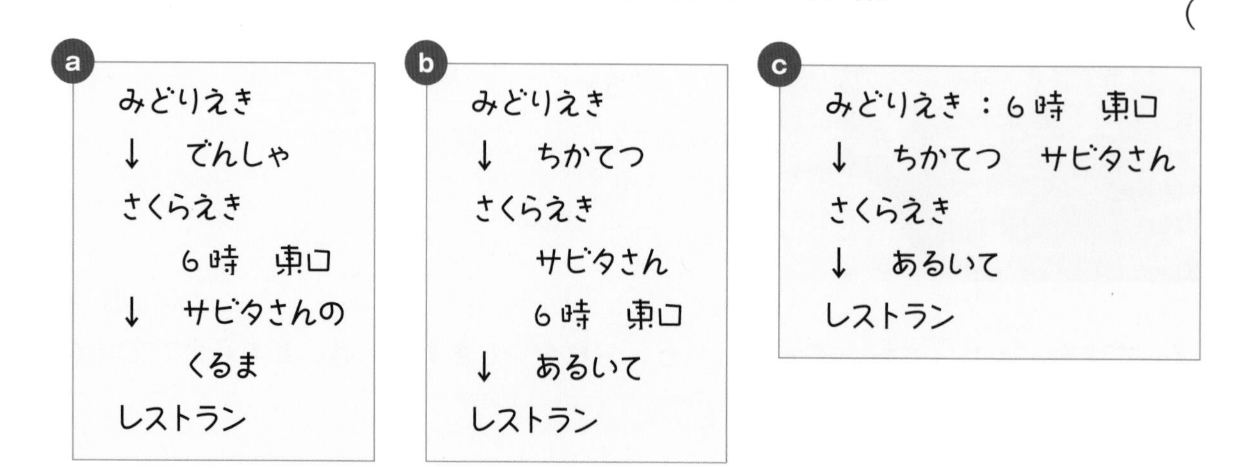

7 さくぶん

「うちから　がっこうまで」
"Uchi kara gakkoo made"

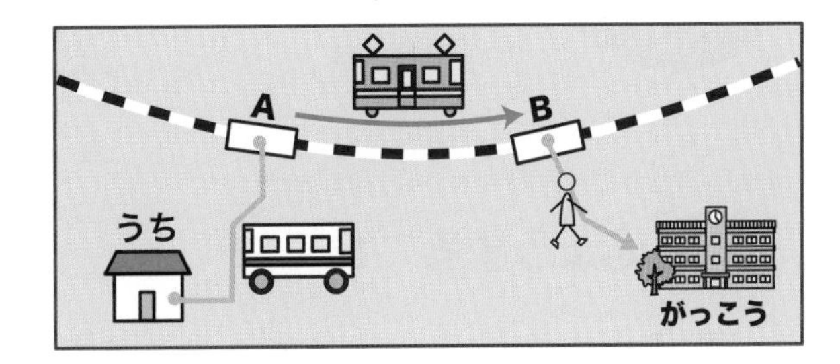

1 ぶんを　かきましょう。
Write the sentences.

わたしは　うちから　A えきまで バスで　いきます。	わたしは　うちから　A えきまで バスで　いきます。
A えきで　でんしゃに　のります。	A えきで　でんしゃに　のります。
B えきで　でんしゃを　おります。	B えきで　でんしゃを　おります。
B えきから　がっこうまで あるいて　いきます。	B えきから　がっこうまで あるいて　いきます。
うちから　がっこうまで 30ぷんです。	うちから　がっこうまで 30ぷんです。

2 あなたは　うちから　がっこう／かいしゃまで　どうやって　いきますか。
How do you get from home to school / work?

うち ↓	

だい14か

ゆうめいな　おてらです

Yuumeena otera desu

べんきょうする　まえに

- あなたの　まちは　どんな　まちですか。なにが　ありますか。
  What is your town like? What things are there in your town?
- たてものや　ひとの　ばしょを　どうやって　せつめいしますか。
  How do you explain where buildings are, and where people are?

1 もじとことば　ごい

1 にほんごで　なんですか。 CHECK! 222

What is it in Japanese?

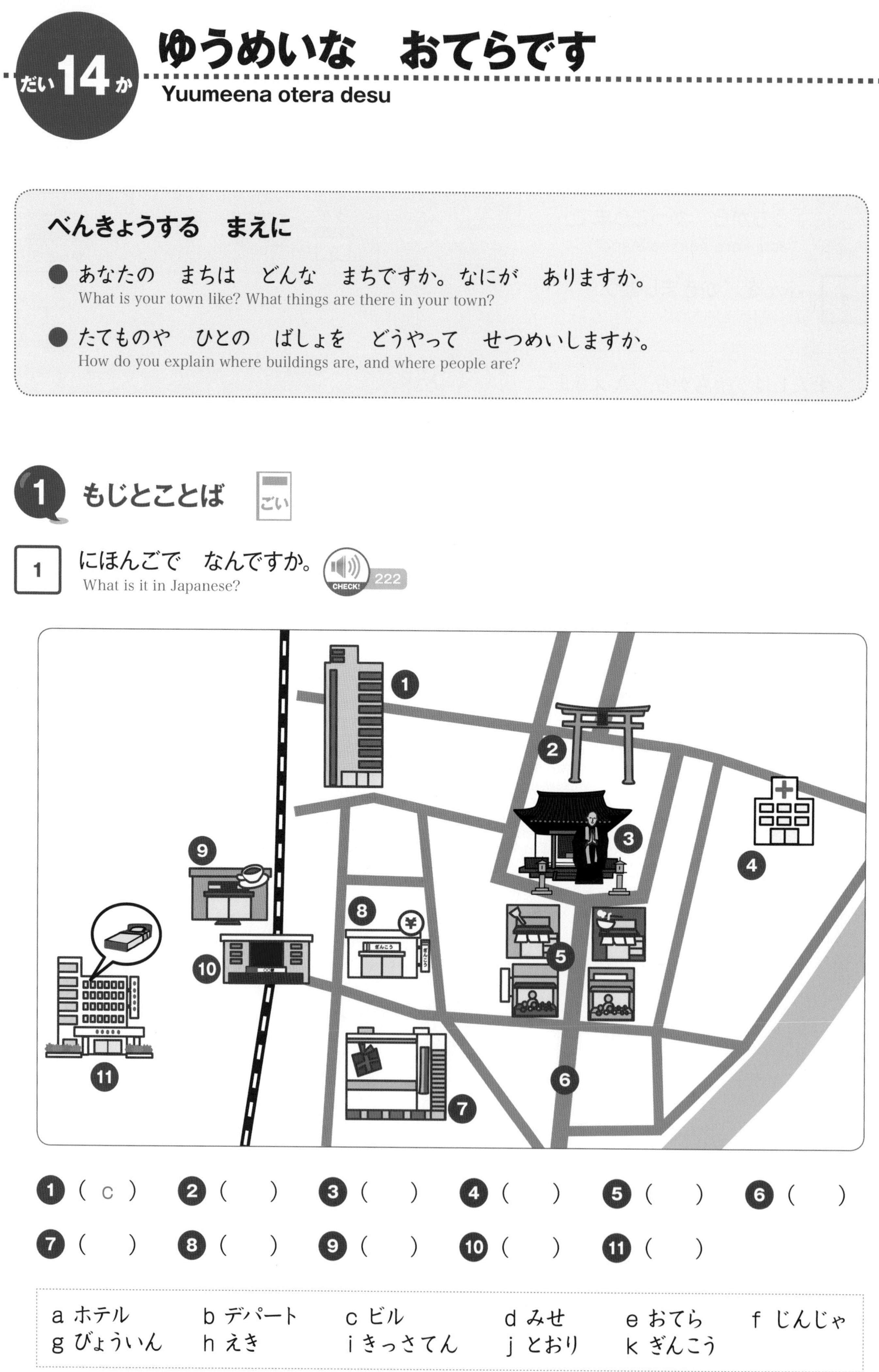

❶（ c ）　❷（　）　❸（　）　❹（　）　❺（　）　❻（　）

❼（　）　❽（　）　❾（　）　❿（　）　⓫（　）

a ホテル	b デパート	c ビル	d みせ	e おてら	f じんじゃ
g びょういん	h えき	i きっさてん	j とおり	k ぎんこう	

2 どれが　ちがいますか。
Which is different?

❶
a　えき
b　くうこう
ⓒ　みせ

❷
a　とおり
b　バス
c　タクシー

❸
a　おてら
b　じんじゃ
c　ホテル

❹
a　レストラン
b　きっさてん
c　だいどころ

❺
a　すしや
b　そばや
c　びょういん

3 はんたいの　いみの　ことばを　えらびましょう。 CHECK! 223
Choose the word with the opposite meaning.

❶ たかいです ↔ （ d ）

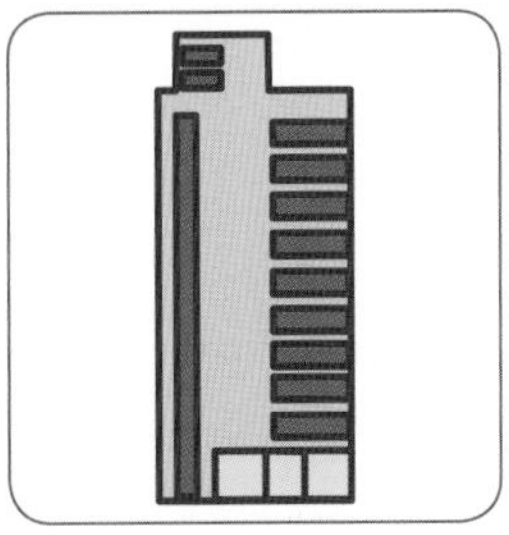

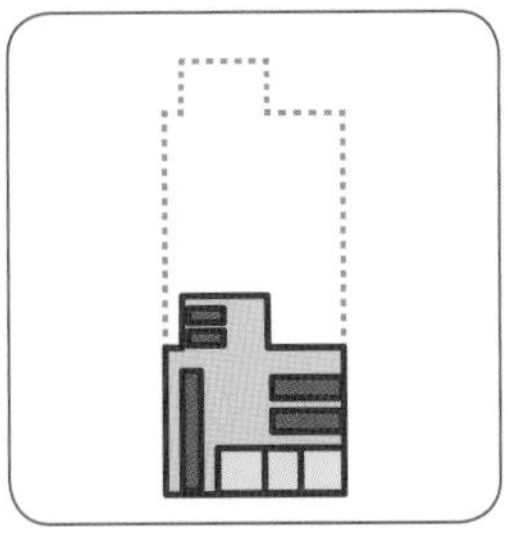

❷ あたらしいです ↔ （　　）

❸ しずかです ↔ （　　）

❹ ちいさいです ↔ （　　）

a　にぎやかです　b　ゆうめいです　c　おおきいです
d　ひくいです　e　ふるいです

4 きいて　かきましょう。 224
Listen and write.

❶ ま え

❷ □□□

❸ □□

❹ □□□

❺ □□□

2 かいわとぶんぽう

1 ききましょう。 225
Listen.

きむらさんは　さいたまに　すんでいます。
Kimura-san lives in Saitama.

チョウ：さいたまは　どんな　まちですか。
きむら：にぎやかな　まちです。
チョウ：さいたまに　なにが　ありますか。
きむら：古い　じんじゃが　あります。
　　　　ゆうめいな　はくぶつかんも　あります。
チョウ：そうですか。いいですね。

Choo : Saitama wa donna machi desu ka.
Kimura : Nigiyakana machi desu.
Choo : Saitama ni nani ga arimasu ka.
Kimura : Furui jinja ga arimasu.
Yuumeena hakubutsukan mo arimasu.
Choo : Soo desu ka. Ii desu ne.

2

い ＋		な ＋	

ふるい~~です~~　＋　じんじゃ

にぎやか~~です~~ な　＋　まち

① ただしい　かたちを　かきましょう。 CHECK! 226
Write the correct form.

1. たかいです　＋　ビル　→　たかいビル
2. ふるいです　＋　えき　→　＿＿＿＿＿＿
3. にぎやかです　＋　とおり　→　＿＿＿＿＿＿
4. ゆうめいです　＋　おてら　→　＿＿＿＿＿＿
5. ちいさいです　＋　ホテル　→　＿＿＿＿＿＿
6. きれいです　＋　こうえん　→　＿＿＿＿＿＿
7. しずかです　＋　へや　→　＿＿＿＿＿＿
8. おいしいです　＋　レストラン　→　＿＿＿＿＿＿

② イけいようし　と　ナけいようし

I-adjectives and NA-adjectives

①の ❶-❽を　ふたつに　わけましょう。

Divide 1-8 from ex.1 into two groups.

［　　い］＋［　　］	［　　な］＋［　　］
・❶たかい　　ビル	・❸にぎやかな　とおり
・	・
・	・
・	・

3

［　　］に［　　］が　あります。　［　　］に［　　］は　ありません。

［　　］に　なにが　ありますか。

14

ゆうめいな　おてらです

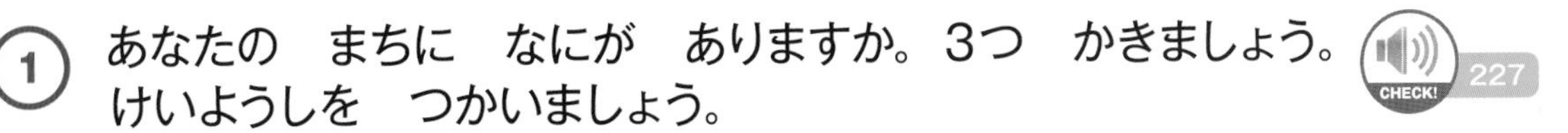

① あなたの　まちに　なにが　ありますか。3つ　かきましょう。
けいようしを　つかいましょう。　CHECK! 227

What things are there in your town? Write three things using adjectives.

れい１　ふじまちに　きれいな　こうえんが　あります。

れい２　ふじまちに　ふるい　おてらは　ありません。

・

・

・

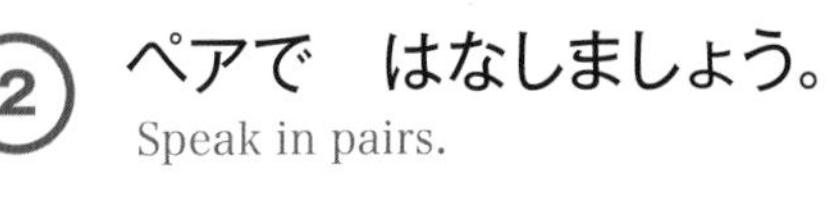

② ペアで　はなしましょう。

Speak in pairs.

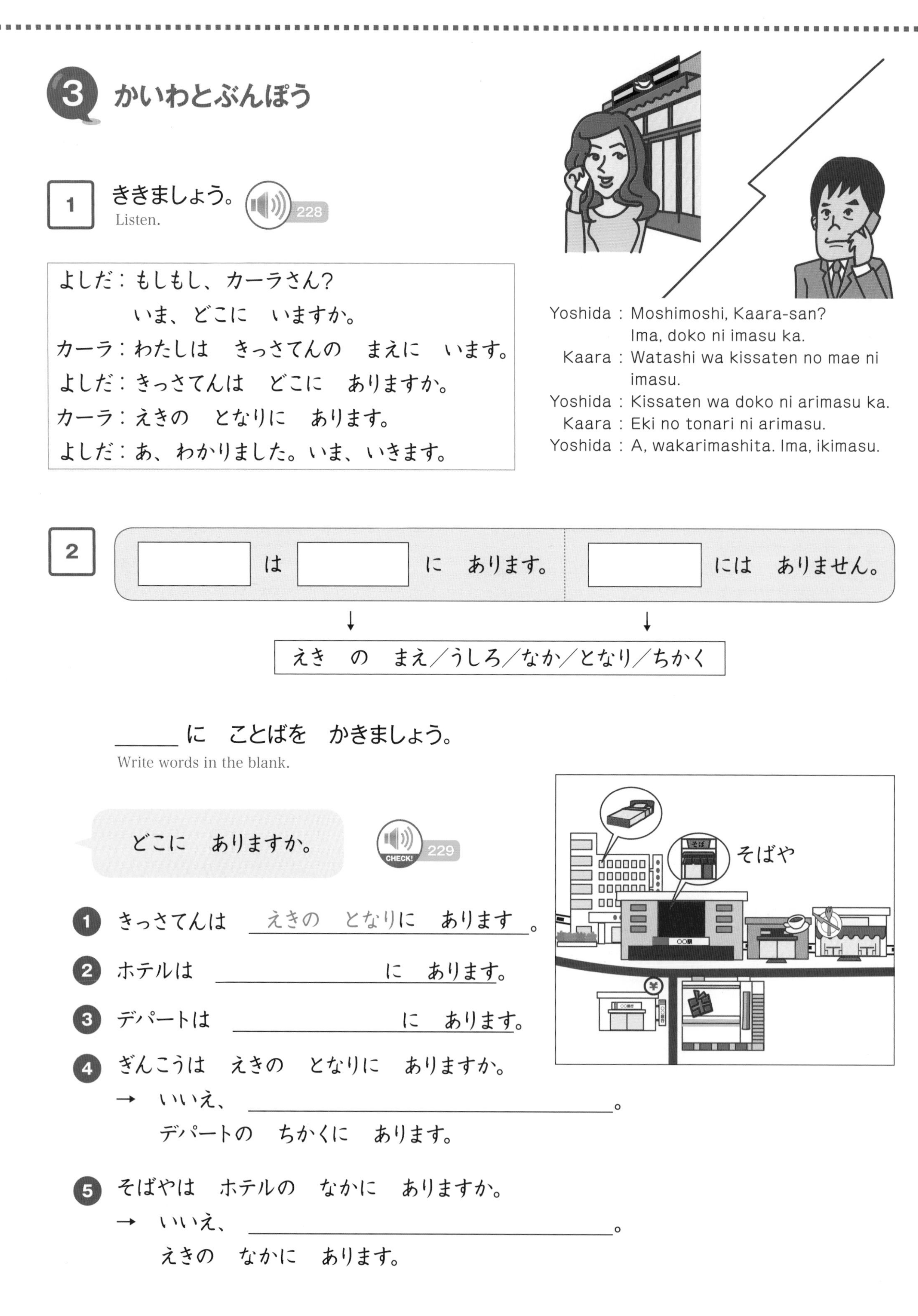

3 かいわとぶんぽう

1 ききましょう。 228
Listen.

よしだ：もしもし、カーラさん？
　　　　いま、どこに　いますか。
カーラ：わたしは　きっさてんの　まえに　います。
よしだ：きっさてんは　どこに　ありますか。
カーラ：えきの　となりに　あります。
よしだ：あ、わかりました。いま、いきます。

Yoshida : Moshimoshi, Kaara-san?
Ima, doko ni imasu ka.
Kaara : Watashi wa kissaten no mae ni imasu.
Yoshida : Kissaten wa doko ni arimasu ka.
Kaara : Eki no tonari ni arimasu.
Yoshida : A, wakarimashita. Ima, ikimasu.

2 ［　　］は［　　］に　あります。｜［　　］には　ありません。

↓　　↓

えき　の　まえ／うしろ／なか／となり／ちかく

＿＿に　ことばを　かきましょう。
Write words in the blank.

どこに　ありますか。 229 CHECK!

1. きっさてんは　えきの　となりに　あります。
2. ホテルは　＿＿＿＿＿＿＿＿に　あります。
3. デパートは　＿＿＿＿＿＿＿＿に　あります。
4. ぎんこうは　えきの　となりに　ありますか。
→　いいえ、＿＿＿＿＿＿＿＿＿＿。
デパートの　ちかくに　あります。
5. そばやは　ホテルの　なかに　ありますか。
→　いいえ、＿＿＿＿＿＿＿＿＿＿。
えきの　なかに　あります。

3

□ は □ に　います。	□ には　いません。

↓　　↓

えき　の　まえ／ちかく／なか

______ に　ことばを　かきましょう。
Write words in the blank.

デパートに　います。
＝デパートの　なかに　います。

どこに　いますか。　CHECK! 230

1. シンさんは　えきの　まえに　います　。
2. キムさんは ________________ 。
3. カーラさんは ________________ 。
4. すずきさんは
   えきの　まえに　いますか。
   → いいえ、____________ 。
   デパートの　なかに　います。
5. のださんは
   ぎんこうの　なかに　いますか。
   → いいえ、____________ 。
   ぎんこうの　まえに　います。

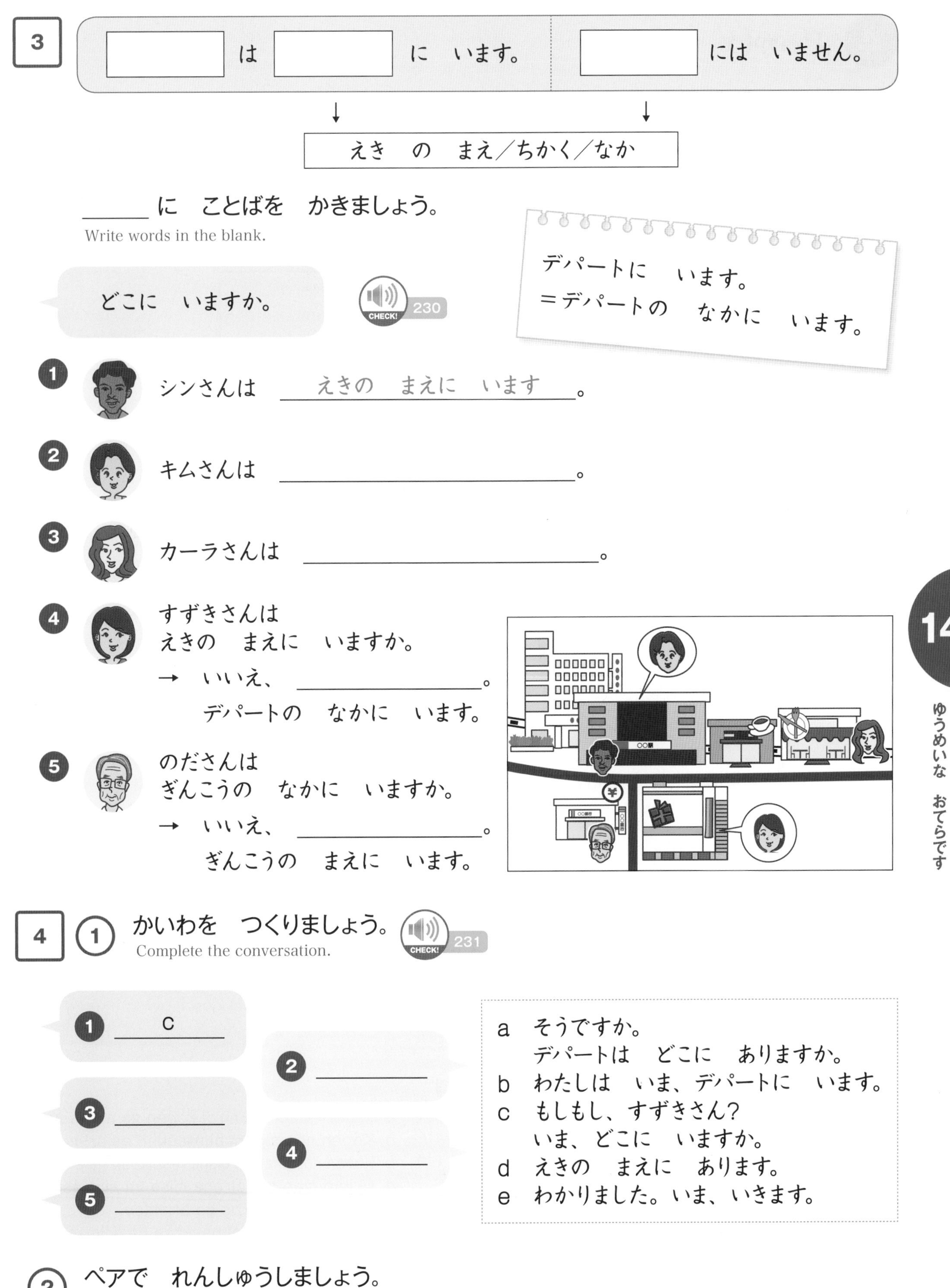

4 ① かいわを　つくりましょう。　CHECK! 231
Complete the conversation.

1. c
2. ________
3. ________
4. ________
5. ________

a　そうですか。
　デパートは　どこに　ありますか。
b　わたしは　いま、デパートに　います。
c　もしもし、すずきさん？
　いま、どこに　いますか。
d　えきの　まえに　あります。
e　わかりました。いま、いきます。

② ペアで　れんしゅうしましょう。
Practise in pairs.

14　ゆうめいな　おてらです

4 どっかい

「わたしの　まち」
"Watashi no machi"

みどりまちに　なにが　ありますか。ちずを　みて　いいましょう。
Look at the map and say what there is in *Midori* Town.

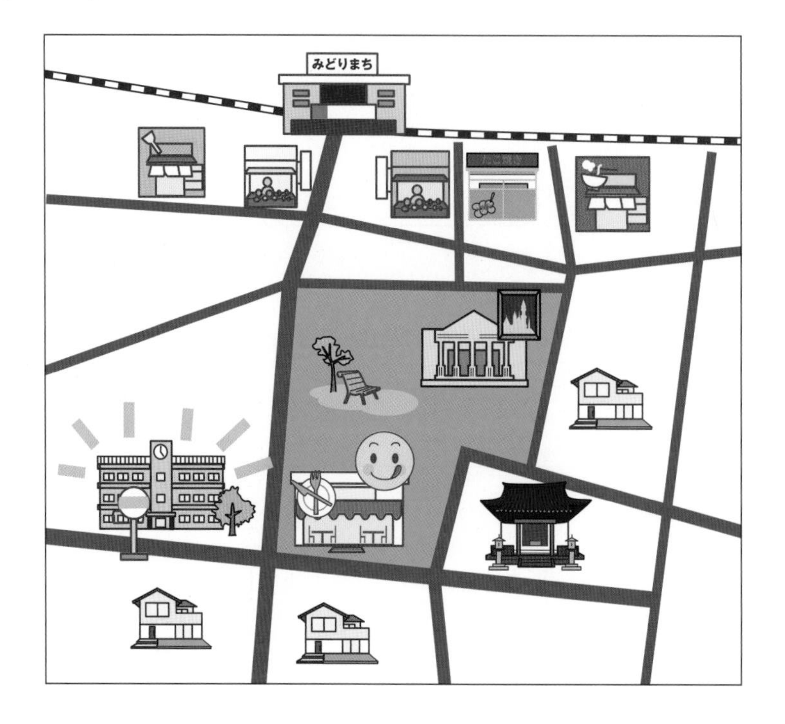

② ぶんを　よみましょう。ひとつ　ちずと　ちがいます。どれですか。　(　　　)
Read the sentences. One is different from the map. Which one?

- a みどりまちに　ひろい　こうえんが　あります。
- b こうえんの　なかに　びじゅつかんが　あります。
- c こうえんの　となりに　おいしい　レストランが　あります。
- d えきの　まえに　いろいろな　みせが　あります。
- e ゆうめいな　がっこうが　あります。
- f がっこうの　まえに　バスていが　あります。

a Midori-Machi ni hiroi kooen ga arimasu.
b Kooen no naka ni bijutsukan ga arimasu.
c Kooen no tonari ni oishii resutoran ga arimasu.
d Eki no mae ni iroirona mise ga arimasu.
e Yuumeena gakkoo ga arimasu.
f Gakkoo no mae ni basutee ga arimasu.

かいもの

だい15か

かわいい!
Kawaii!
Cute !

44. わたしは　アクセサリーが　ほしいです。
    Watashi wa akusesarii ga hoshii desu.
45. わたしは　カーラさんに　はなを　あげます。
    Watashi wa Kaara-san ni hana o agemasu.
46. カーラさんは　ホセさんに　チョコレートを　もらいました。
    Kaara-san wa Hose-san ni chokoreeto o moraimashita.
47. きょねん　にほんで　とけいを　かいました。
    Kyonen Nihon de tokee o kaimashita.

だい16か

これ、ください
Kore, kudasai
I'll take this

48. これは　いくらですか。
    Kore wa ikura desu ka.
49. この　Tシャツを　ください。
    Kono T-shatsu o kudasai.

8

だい15か かわいい！
Kawaii!

べんきょうする　まえに

- いま　ほしい　ものが　ありますか。
  Is there anything that you want to buy?
- どこで　よく　かいものを　しますか。
  Where do you often do your shopping?

1 もじとことば　ごい

1　にほんごで　なんですか。 CHECK! 232
What is it in Japanese?

1 (a)　2 (　　)　3 (　　)　4 (　　)　5 (　　)

6 (　　)　7 (　　)　8 (　　)　9 (　　)　10 (　　)

11 (　　)　12 (　　)　13 (　　)　14 (　　)

a	Ｔシャツ	b	ぼうし	c	とけい	d	ティーカップ
e	えはがき	f	マウス	g	カメラ	h	ビデオカメラ
i	かさ	j	ハンカチ	k	でんしじしょ	l	はな
m	アクセサリー	n	さいふ				

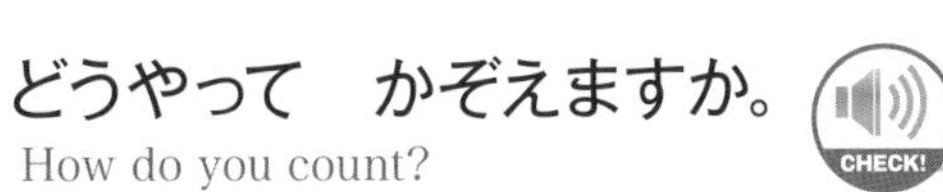

2 どうやって　かぞえますか。

How do you count?

1 (a)　2 (　　)　3 (　　)　4 (　　)　5 (　　)

	a ～まい	b ～ほん	c ～こ	d ～さつ	e ～にん
1	いちまい	いっぽん	いっこ	いっさつ	ひとり
2	にまい	にほん	にこ	にさつ	ふたり
3	さんまい	さんぼん	さんこ	さんさつ	さんにん
4	よんまい	よんほん	よんこ	よんさつ	よにん
5	ごまい	ごほん	ごこ	ごさつ	ごにん

3 きいて　かきましょう。

Listen and write.

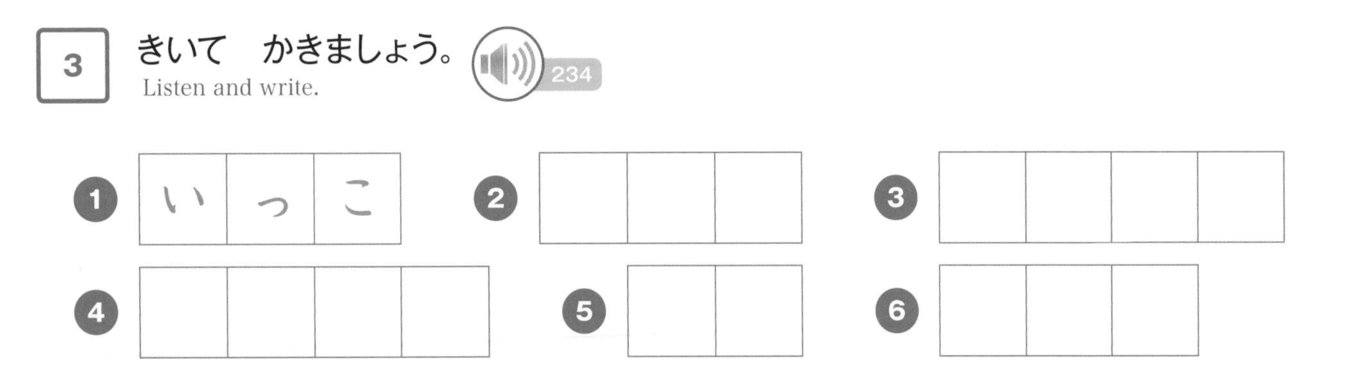

1 いっこ　2 ＿＿＿　3 ＿＿＿＿

4 ＿＿＿＿　5 ＿＿　6 ＿＿＿

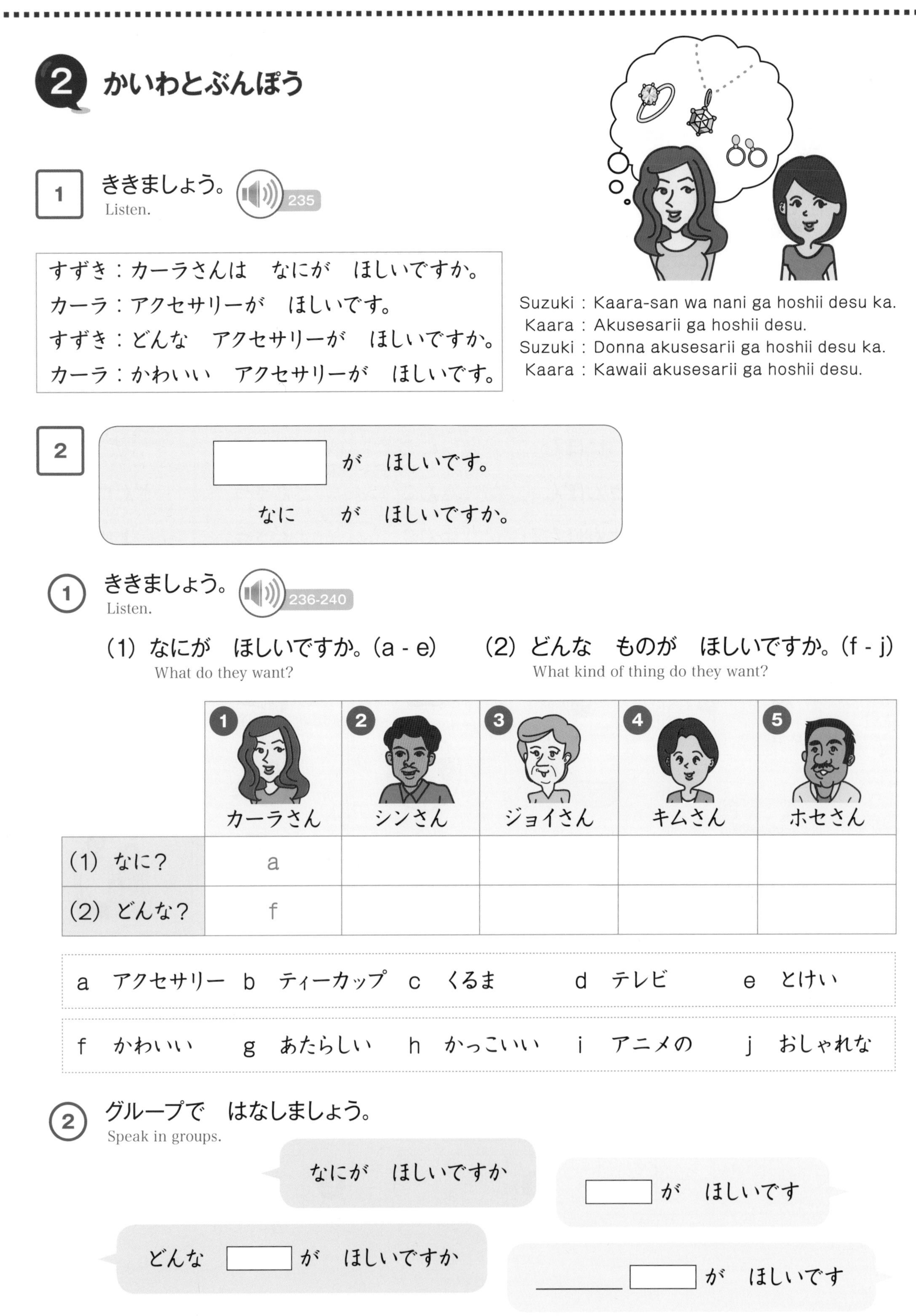

2 かいわとぶんぽう

1 ききましょう。 Listen. 235

すずき：カーラさんは　なにが　ほしいですか。
カーラ：アクセサリーが　ほしいです。
すずき：どんな　アクセサリーが　ほしいですか。
カーラ：かわいい　アクセサリーが　ほしいです。

Suzuki : Kaara-san wa nani ga hoshii desu ka.
Kaara : Akusesarii ga hoshii desu.
Suzuki : Donna akusesarii ga hoshii desu ka.
Kaara : Kawaii akusesarii ga hoshii desu.

2

［　　　］が　ほしいです。
なに　が　ほしいですか。

① ききましょう。 Listen. 236-240

(1) なにが　ほしいですか。(a - e)
What do they want?

(2) どんな　ものが　ほしいですか。(f - j)
What kind of thing do they want?

	① カーラさん	② シンさん	③ ジョイさん	④ キムさん	⑤ ホセさん
(1) なに？	a				
(2) どんな？	f				

a アクセサリー　b ティーカップ　c くるま　d テレビ　e とけい

f かわいい　g あたらしい　h かっこいい　i アニメの　j おしゃれな

② グループで　はなしましょう。 Speak in groups.

なにが　ほしいですか
［　　　］が　ほしいです
どんな［　　　］が　ほしいですか
＿＿＿＿［　　　］が　ほしいです

3 かいわとぶんぽう

1 ききましょう。 241
Listen.

キム：すずきさんは　カーラさんの
　　　バースデーパーティーに　いきますか。
すずき：はい。
キム：すずきさんは　カーラさんに　なにを
　　　あげますか。
すずき：わたしは　アクセサリーを　あげます。
キム：アクセサリーですか。いいですね。

Kimu : Suzuki-san wa Kaara-san no baasudee-paathii ni ikimasu ka.
Suzuki : Hai.
Kimu : Suzuki-san wa Kaara-san ni nani o agemasu ka.
Suzuki : Watashi wa akusesarii o agemasu.
Kimu : Akusesarii desu ka. Ii desu ne.

2

[A] は [B] に [　] を　あげます。

だれ　に　あげますか。
なに　を　あげますか。

① ききましょう。
カーラさんの　たんじょうびに　５にんは　なにを　あげますか。 242-246 CHECK! 247
Listen.
What are the five people going to give Carla-san for her birthday?

1. すずきさんは　カーラさんに　（ a ）を　あげます。
2. シンさんは　カーラさんに　（　　）を　あげます。
3. ホセさんは　カーラさんに　（　　）を　あげます。
4. ジョイさんは　カーラさんに　（　　）を　あげます。
5. あべさんは　カーラさんに　（　　）を　あげます。

4 かいわとぶんぽう

1 ききましょう。 248
Listen.

たなか：かっこいい　とけいですね。
アニス：ありがとう。
　　　　きょねん　日本で　かいました。
たなか：この　アクセサリーも？
アニス：え、これ？ ともだちに　もらいました。

Tanaka : Kakkoii tokee desu ne.
Anisu : Arigatoo.
Kyonen Nihon de kaimashita.
Tanaka : Kono akusesarii mo?
Anisu : E, kore? Tomodachi ni moraimashita.

2

□ ました。	□ ませんでした。

① ただしい　かたちを　かきましょう。 CHECK! 249
Write the correct form.

かいます → かいました　　　かいません → かいませんでした

① あげます →	② あげません →
③ もらいます →	④ もらいません →
⑤ します →	⑥ しません →

② ただしい　ことばを　えらびましょう。 CHECK! 250
Choose the correct word.

① きのう　ノートを　３さつ（ a　かいます　ⓑ　かいました ）。

② きょねん　にほんで　かわいい　ふくを　かいました。
くつは（ a　かいません　b　かいませんでした ）。

③ きょねんの　たんじょうびに　ははに　ぼうしを（ a　あげます　b　あげました ）。

④ らいしゅうの　にちようびに　ともだちと　かいものを（ a　します　b　しました ）。

3

B は A に [　　　] を　もらいます。

A → B

① ききましょう。 251-254 CHECK! 255
Listen.

(1) なにを　もらいましたか。
What did Anis-san get?

(2) だれに　もらいましたか。
Who did she get it from?

	1	2	3	4
(1) [　　] を もらいました	f			
(2) [　　] に もらいました	h			

a　b　c　d　e　f

にほんご

g　おとうさん　　h　おかあさん　　i　おねえさん　　j　ともだち

② アニスさんは　だれに　なにを　もらいましたか。
ふたつ　かきましょう。 CHECK! 255
What did Anis-san get and who did she get it from? Write two things.

れい　アニスさんは　おかあさんに　ぼうしを　もらいました。

・

・

4 グループで　はなしましょう。
たんじょうびに　なにを　もらいましたか。だれに　もらいましたか。
Speak in groups.
What did you get for your birthday? Who did you get it from?

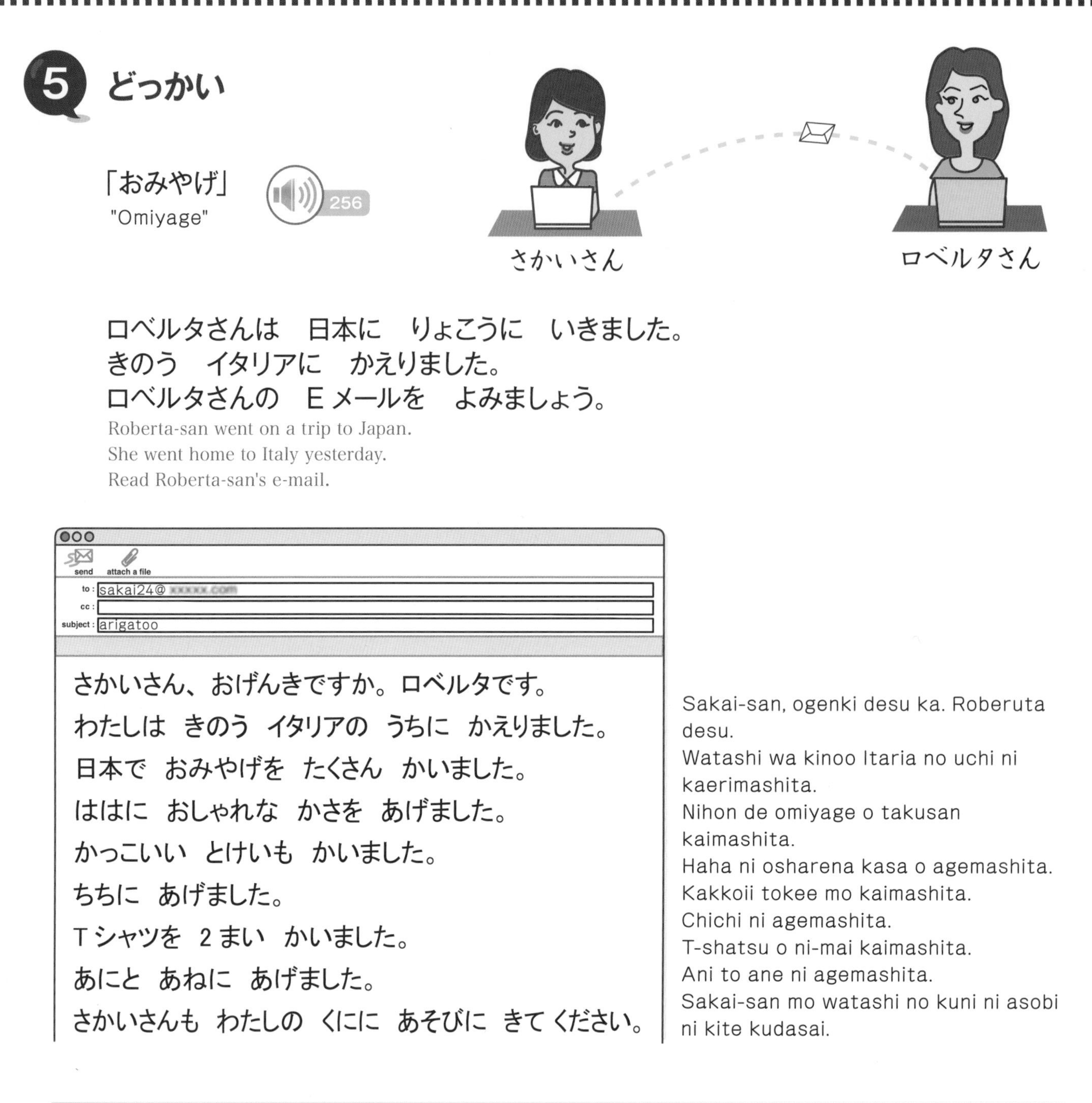

5 どっかい

「おみやげ」
"Omiyage"

256

さかいさん　ロベルタさん

ロベルタさんは　日本に　りょこうに　いきました。
きのう　イタリアに　かえりました。
ロベルタさんの　Ｅメールを　よみましょう。

Roberta-san went on a trip to Japan.
She went home to Italy yesterday.
Read Roberta-san's e-mail.

send　attach a file
to : sakai24@
cc :
subject : arigatoo

さかいさん、おげんきですか。ロベルタです。
わたしは　きのう　イタリアの　うちに　かえりました。
日本で　おみやげを　たくさん　かいました。
ははに　おしゃれな　かさを　あげました。
かっこいい　とけいも　かいました。
ちちに　あげました。
Ｔシャツを　２まい　かいました。
あにと　あねに　あげました。
さかいさんも　わたしの　くにに　あそびに　きて　ください。

Sakai-san, ogenki desu ka. Roberuta desu.
Watashi wa kinoo Itaria no uchi ni kaerimashita.
Nihon de omiyage o takusan kaimashita.
Haha ni osharena kasa o agemashita.
Kakkoii tokee mo kaimashita.
Chichi ni agemashita.
T-shatsu o ni-mai kaimashita.
Ani to ane ni agemashita.
Sakai-san mo watashi no kuni ni asobi ni kite kudasai.

❶ なにを　かいましたか	かさ		
❷ だれに　あげましたか	はは		

 さくぶん

「せんしゅうの　かいもの」
"Senshuu no kaimono"

1 ぶんを　かきましょう。
Write the sentences.

わたしは　せんしゅう　かいものに いきました。	わたしは　せんしゅう　かいものに いきました。
ほんやで　ざっしを　かいました。	ほんやで　ざっしを　かいました。
はなやで　はなを　かいました。	はなやで　はなを　かいました。
ワインを　２ほん　かいました。	ワインを　２ほん　かいました。

 せんしゅう　あなたは　なにを　かいましたか。
Write about what you bought last week.

(かった　もの)	

だい16か これ、ください

Kore, kudasai

べんきょうする　まえに

- よく　ようふくを　かいますか。ようふくは　いくらですか。
  Do you often buy clothes? How much do clothes cost?
- かいものを　する　とき　みせの　ひとに　どんな　ことを　いいますか。
  What do you say to the shop assistant when you do your shopping?

1 もじとことば

ごい

1 にほんごで　なんですか。 CHECK! 257

What is it in Japanese?

a	くつ	b	スカート	c	コート
d	スーツ	e	ジャケット	f	シャツ
g	くつした	h	ワンピース	i	パンツ
j	ジーンズ	k	スカーフ	l	バッグ
m	ネクタイ				

1 (a)　2 (　)　3 (　) 4 (　)　5 (　)

6 (　)　8 (　) 9 (　)　10 (　)　11 (　) 12 (　)

7 (　)　13 (　)

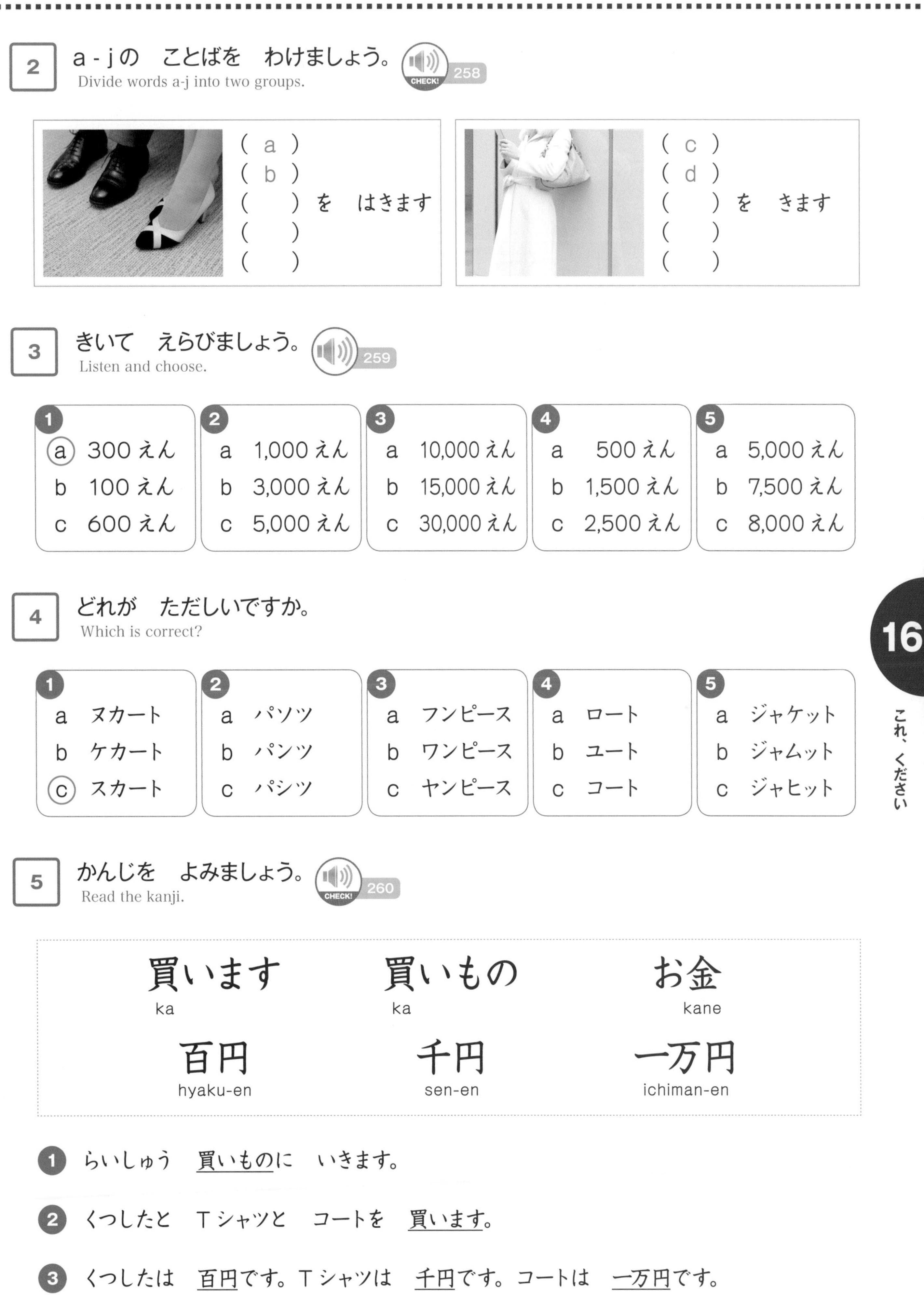

2 a - j の　ことばを　わけましょう。
Divide words a-j into two groups.

CHECK! 258

(a)
(b)
(　　) を　はきます
(　　)
(　　)

(c)
(d)
(　　) を　きます
(　　)
(　　)

3 きいて　えらびましょう。
Listen and choose.

259

1	2	3	4	5
ⓐ 300 えん	a 1,000 えん	a 10,000 えん	a 500 えん	a 5,000 えん
b 100 えん	b 3,000 えん	b 15,000 えん	b 1,500 えん	b 7,500 えん
c 600 えん	c 5,000 えん	c 30,000 えん	c 2,500 えん	c 8,000 えん

4 どれが　ただしいですか。
Which is correct?

1	2	3	4	5
a ヌカート	a パソツ	a フンピース	a ロート	a ジャケット
b ケカート	b パンツ	b ワンピース	b ユート	b ジャムット
ⓒ スカート	c パシツ	c ヤンピース	c コート	c ジャヒット

5 かんじを　よみましょう。
Read the kanji.

CHECK! 260

買います ka	買いもの ka	お金 kane
百円 hyaku-en	千円 sen-en	一万円 ichiman-en

1. らいしゅう　買いものに　いきます。
2. くつしたと　T シャツと　コートを　買います。
3. くつしたは　百円です。T シャツは　千円です。コートは　一万円です。

16 これ、ください

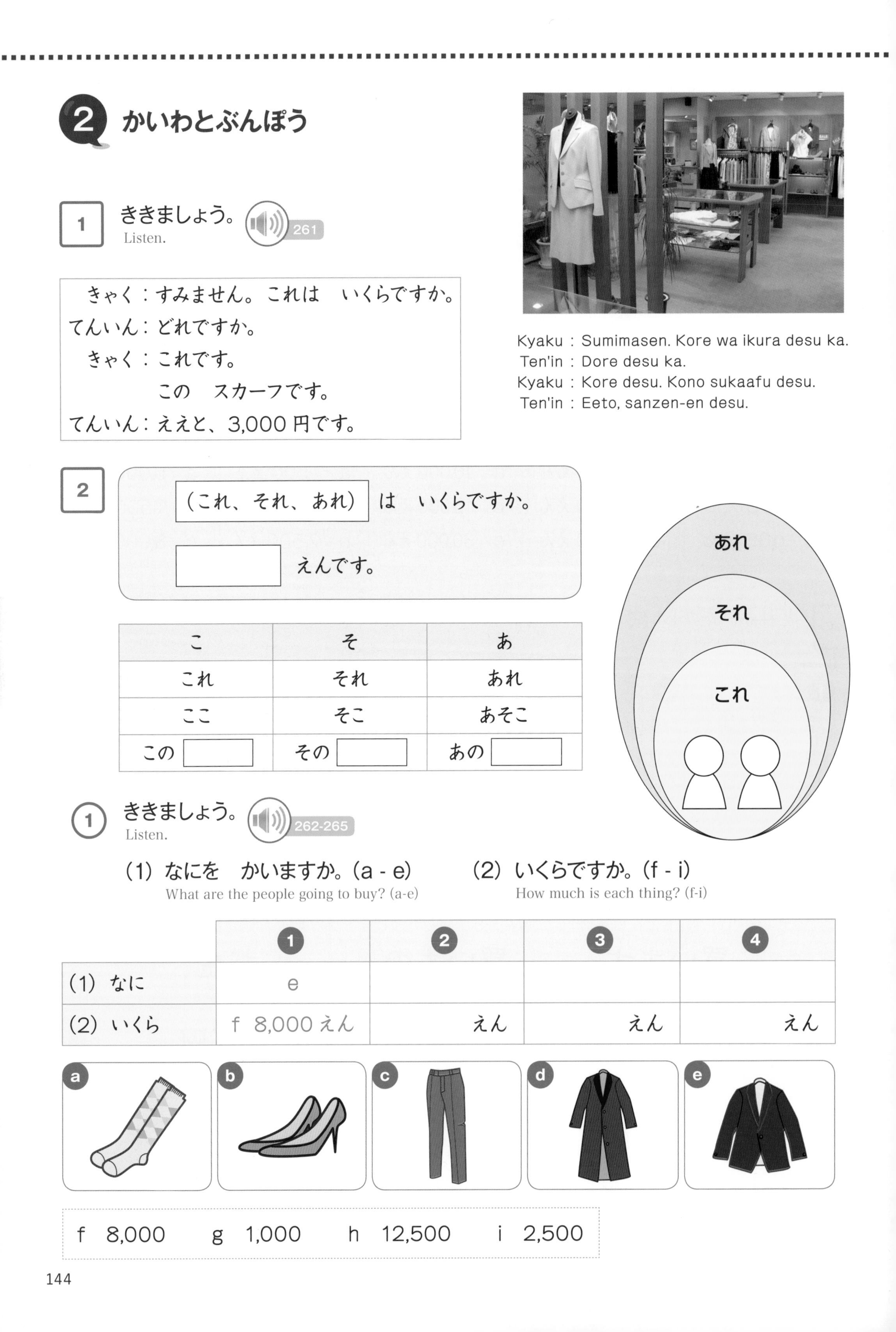

2 かいわとぶんぽう

1 ききましょう。
Listen.

261

きゃく：すみません。これは　いくらですか。
てんいん：どれですか。
きゃく：これです。
　　　　この　スカーフです。
てんいん：ええと、3,000 円です。

Kyaku : Sumimasen. Kore wa ikura desu ka.
Ten'in : Dore desu ka.
Kyaku : Kore desu. Kono sukaafu desu.
Ten'in : Eeto, sanzen-en desu.

2

（これ、それ、あれ）は　いくらですか。

[　　　　]えんです。

こ	そ	あ
これ	それ	あれ
ここ	そこ	あそこ
この [　　]	その [　　]	あの [　　]

① ききましょう。
Listen.

262-265

（1）なにを　かいますか。（a - e）
What are the people going to buy? (a-e)

（2）いくらですか。（f - i）
How much is each thing? (f-i)

	1	2	3	4
（1）なに	e			
（2）いくら	f　8,000 えん	えん	えん	えん

a　b　c　d　e

f　8,000　　g　1,000　　h　12,500　　i　2,500

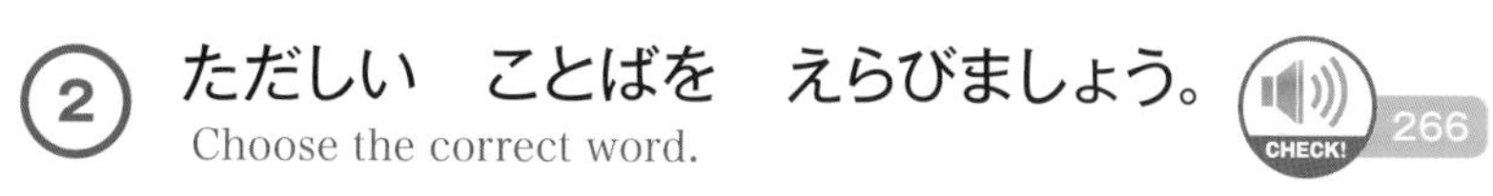

② ただしい　ことばを　えらびましょう。
Choose the correct word.

CHECK! 266

❶　きゃく：すみません。（ ⓐ　これ　b　この　c　ここ ）、いくらですか。
てんいん：はい、どれですか。
　きゃく：これです。この　バッグです。

❷　きゃく：すみません。（ a　それ　b　その　c　そこ ）ジーンズ、いくらですか。
てんいん：ええと、6,500 えんです。

❸　きゃく：すみません。（ a　この　b　その　c　あの ）ワンピースは　いくらですか。
てんいん：ああ、あれは　30,000 えんです。

❹　きゃく：すみません。トイレは　どこですか。
てんいん：あ、トイレですか。（ a　あれ　b　あの　c　あそこ ）です。

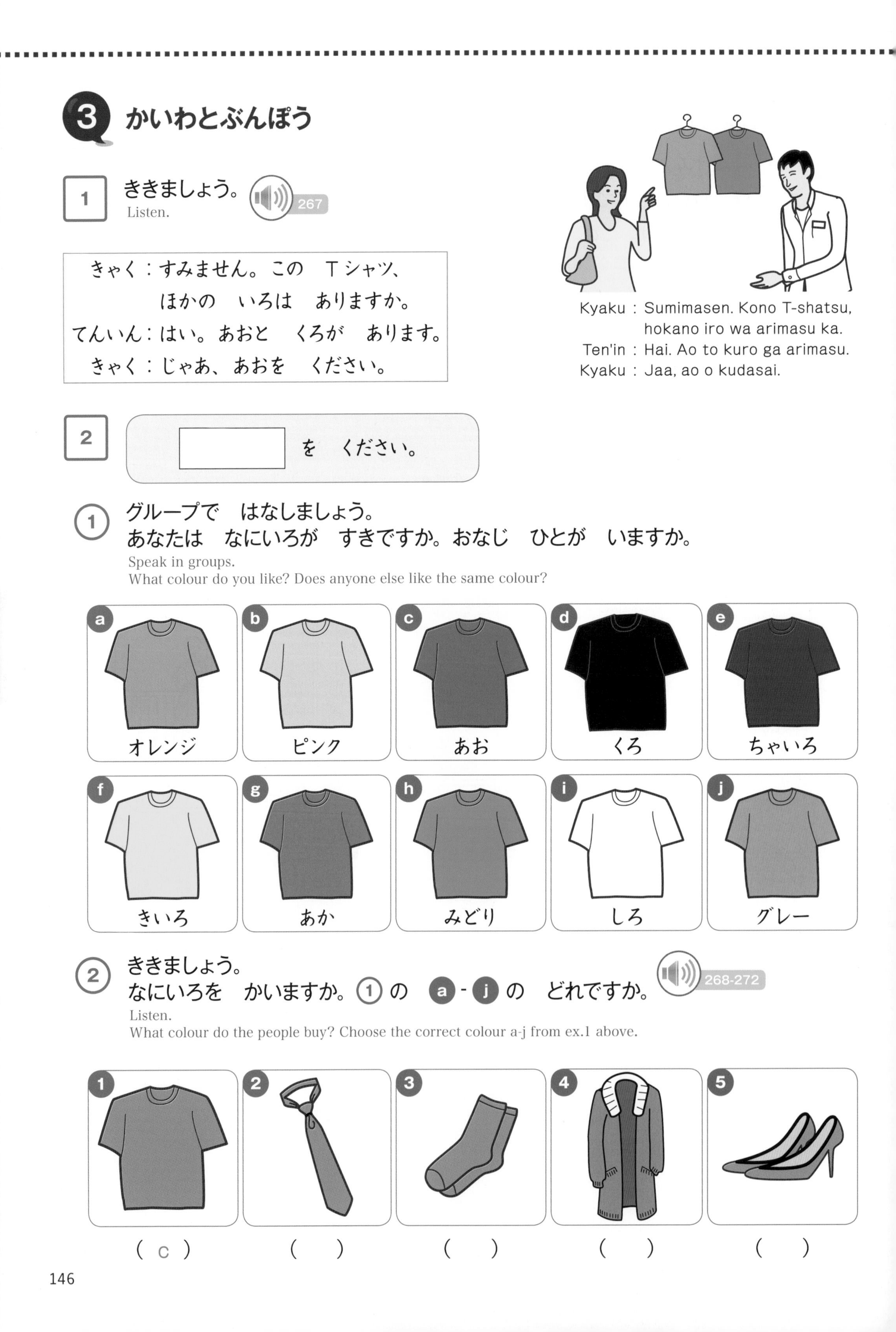

3 かいわとぶんぽう

1 ききましょう。
Listen. 267

きゃく：すみません。この　Ｔシャツ、
　　　　ほかの　いろは　ありますか。
てんいん：はい。あおと　くろが　あります。
きゃく：じゃあ、あおを　ください。

Kyaku : Sumimasen. Kono T-shatsu, hokano iro wa arimasu ka.
Ten'in : Hai. Ao to kuro ga arimasu.
Kyaku : Jaa, ao o kudasai.

2 ［　　］を　ください。

① グループで　はなしましょう。
あなたは　なにいろが　すきですか。おなじ　ひとが　いますか。
Speak in groups.
What colour do you like? Does anyone else like the same colour?

a オレンジ
b ピンク
c あお
d くろ
e ちゃいろ
f きいろ
g あか
h みどり
i しろ
j グレー

② ききましょう。
なにいろを　かいますか。① の　a - j の　どれですか。 268-272
Listen.
What colour do the people buy? Choose the correct colour a-j from ex.1 above.

1 (c)
2 (　　)
3 (　　)
4 (　　)
5 (　　)

❹ かいわ

みせの　ひとと　きゃくの　かいわを　きいて　ぶんを　えらびましょう。
Listen to the conversation between the shop assistant and customer and choose the correct sentence.

273・274

a　すみません。ほかの　いろは　ありますか。
b　じゃあ、これ、ください。
c　きて　みても　いいですか。
d　じゃあ、いいです。

ペアで　れんしゅうしましょう。
Practise in pairs.

5 どっかい

「すきな　ふくを　買います」
"Sukina fuku o kaimasu"

よんで　こたえましょう。
4にんは　みせで　かいものを　します。ぜんぶで　いくらですか。
Read and answer.
Four people are going to do some shopping. How much does everything cost?

やすみのひ 2

たのしかったです
Tanoshikatta desu

It was fun

50. きのう　デパートに　いきました。
    Kinoo depaato ni ikimashita.

51. かいものは　たのしかったです。
    Kaimono wa tanoshikatta desu.

52. デパートは　にぎやかでした。
    Depaato wa nigiyaka deshita.

53. わたしは　どこにも　いきませんでした。
    Watashi wa doko ni mo ikimasendeshita.

だい18か

つぎは　きょうとに　いきたいです
Tsugi wa Kyooto ni ikitai desu

I would like to visit Kyoto next time

54. おてらを　みました。それから、おみやげを　かいました。
    Otera o mimashita. Sorekara, omiyage o kaimashita.

55. おすしは　おいしかったです。でも、たかかったです。
    Osushi wa oishikatta desu. Demo takakatta desu.

56. かぶきは　きれいでした。 そして、おもしろかったです。
    Kabuki wa kiree deshita. Soshite, omoshirokatta desu.

57. きょうとに　いきたいです。
    Kyooto ni ikitai desu.

9

だい17か　たのしかったです
Tanoshikatta desu

べんきょうする　まえに

- つぎの　やすみの　ひに　なにを　しますか。
  What are you going to do on your next day off?
- せんしゅうの　やすみの　ひに　なにを　しましたか。
  What did you do on your last day off?

1 もじとことば　ごい

1 ことばを　さがしましょう。 CHECK! 276
Search for the words.

ざ	か	い	も	の	や
っ	お	あ	ま	げ	き
し	ん	ぶ	ん	に	ゅ
い	が	ま	が	ほ	う
き	く	ゆ	さ	ん	ぽ
ぬ	さ	ら	し	ご	と

2 にほんごで　なんですか。 CHECK! 277
What is it in Japanese?

1 (d)　2 (　)　3 (　)　4 (　)　5 (　)

a　おもしろいです
b　おいしいです
c　いそがしいです
d　たのしいです
e　うれしいです

2 かいわとぶんぽう

1 ききましょう。 278
Listen.

ヤン：さとうさん、きのう　なにを　しましたか。
さとう：新しい　デパートに　いきました。
ヤン：そうですか。
さとう：デパートで　買いものを　しました。
　たのしかったです。
ヤン：そうですか。デパートは　どうでしたか。
さとう：とても　にぎやかでした。

Yan : Satoo-san, kinoo nani o shimashita ka.
Satoo : Atarashii depaato ni ikimashita.
Yan : Soo desu ka.
Satoo : Depaato de kaimono o shimashita.
　Tanoshikatta desu.
Yan : Soo desu ka.
　Depaato wa doo deshita ka.
Satoo : Totemo nigiyaka deshita.

2 どうし　かこけい
Verbs : Past tense

☐ ました。	☐ ませんでした。

いきます　→　いきました　　　いきません　→　いきませんでした

ただしい　ことばを　えらびましょう。 CHECK! 279
Choose the correct word.

1. きのう　ともだちと　テニスを（ a　します　ⓑ　しました ）。
2. ［いま　あさです。］きょうの　ごご　まちに（ a　いきます　b　いきました ）。
3. A：あした　なにを　しますか。
   B：うちで　えいがを（ a　みます　b　みました ）。
4. A：きのう　がっこうに　いきましたか。
   B：いいえ、（ a　いきました　b　いきませんでした ）。
5. A：まいにち　なんじに　おきますか。
   B：7じに（ a　おきます　b　おきました ）。

17 たのしかったです

3 イけいようし　かこけい
I-adjectives : Past tense

かった　です。	くなかった　です。

たのしいです → たのしかったです　　たのしくないです → たのしくなかったです

① ただしい　かたちを　かきましょう。
Write the correct form.
CHECK! 280

うれしいです	❶	うれしくないです	❷
おもしろいです	❸	おもしろくないです	❹
おいしいです	❺	おいしくないです	❻
いいです	よかったです	よくないです	よくなかったです

② ただしい　ことばを　えらびましょう。
Choose the correct word.
CHECK! 281

❶ きのう　パーティーに　いきました。とても（ a　たのしいです　ⓑ　たのしかったです ）。

❷ わたしは　よく　ピザを　たべます。ピザは（ a　おいしいです　b　おいしかったです ）。

❸ どようびに　えいがを　みました。
あまり（ a　おもしろくないです　b　おもしろくなかったです ）。

4 ナけいようし　かこけい
NA-adjectives : Past tense

でした。	じゃなかった　です。

たいへんです → たいへんでした　　たいへんじゃないです → たいへんじゃなかったです

① ただしい　かたちを　かきましょう。
Write the correct form.
CHECK! 282

にぎやかです	❶	にぎやかじゃないです	❷
しずかです	❸	しずかじゃないです	❹
きれいです	❺	きれいじゃないです	❻

② ただしい　ことばを　えらびましょう。カーラさんは　ゆうめいな　はなびたいかいを　みに　いきました。 CHECK! 283

Choose the correct word. Carla-san went to see a famous firework festival.

1. はなびは　とても（ a　きれいです　ⓑ　きれいでした ）。
2. まちは（ a　にぎやかです　b　にぎやかでした ）。
3. よる、あまり（ a　しずかじゃないです　b　しずかじゃなかったです ）。

5 ① 4にんは　せんしゅう　なにを　しましたか。かきましょう。 CHECK! 284

Write what the four people did last week.

1. a　あそびました　b　こうえん　c　こども　d　で　e　と

   ホセさんは　b こうえん　d で　c こども　e と　a あそびました。

2. a　そうじ　b　しました　c　うち　d　を　e　で

   キムさんは ＿＿＿＿＿＿＿＿＿＿＿＿＿＿＿＿。

3. a　ともだち　b　いきました　c　びじゅつかん　d　と　e　に

   あべさんは ＿＿＿＿＿＿＿＿＿＿＿＿＿＿＿＿。

4. a　よみました　b　うち　c　マンガ　d　で　e　を

   ジョイさんは ＿＿＿＿＿＿＿＿＿＿＿＿＿＿＿＿。

② かいわを　ききましょう。4にんの　やすみは　どうでしたか。1つ　えらびましょう。 285-288

Listen to the conversations.
How were the four people's days off? Choose one from a-d.

a　たのしかったです　b　きれいでした　c　たいへんでした　d　おもしろくなかったです

1. ホセさん（ a ）　2. キムさん（　　）　3. あべさん（　　）　4. ジョイさん（　　）

17 たのしかったです

3 かいわとぶんぽう

1 ききましょう。
Listen.

(289)

かわい：やすみは　どこに　いきましたか。
シン：どこにも　いきませんでした。
うちで　ゆっくりしました。
かわい：そうですか。
わたしも　なにも　しませんでした。
シン：それが　いちばん　いいですね。

Kawai : Yasumi wa doko ni ikimashita ka.
Shin : Doko ni mo ikimasendeshita.
Uchi de yukkuri-shimashita.
Kawai : Soo desu ka. Watashi mo
nani mo shimasendeshita.
Shin : Sore ga ichiban ii desu ne.

2

どこにも ［　　　］ ません。　｜　なにも ［　　　］ ません。

① せんしゅうの　やすみに　3にんは　なにを　しましたか。
What did the three people do on their day off last week?

(290-292)

	どこに　いきましたか	なにを　しましたか
❶ チョウさん	a　こうえんに　いきました	f　なにも　しませんでした
❷ かわいさん		
❸ のださん		

a　こうえんに　いきました
b　ともだちの　うちに　いきました
c　どこにも　いきませんでした
d　えいがを　みました
e　テレビを　みました
f　なにも　しませんでした

② だれの　やすみが　いちばん　いいですか。どうしてですか。
Whose day off was the best? Why?

3 ① かいわを　つくりましょう。 CHECK! 293

Complete the conversation.

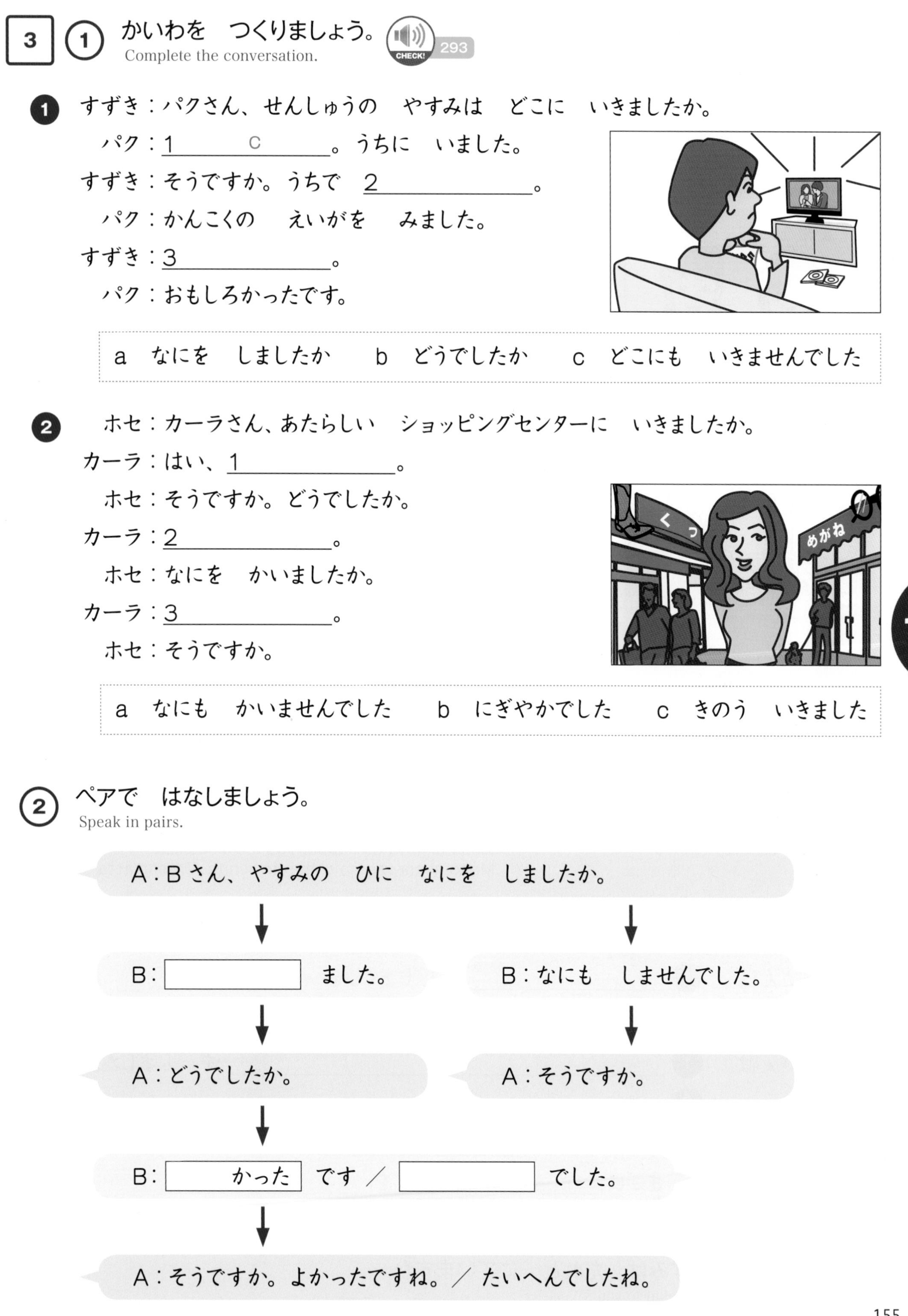

❶ すずき：パクさん、せんしゅうの　やすみは　どこに　いきましたか。

パク：1 ＿＿c＿＿。うちに　いました。

すずき：そうですか。うちで　2 ＿＿＿＿。

パク：かんこくの　えいがを　みました。

すずき：3 ＿＿＿＿。

パク：おもしろかったです。

a　なにを　しましたか　　b　どうでしたか　　c　どこにも　いきませんでした

❷ ホセ：カーラさん、あたらしい　ショッピングセンターに　いきましたか。

カーラ：はい、1 ＿＿＿＿。

ホセ：そうですか。どうでしたか。

カーラ：2 ＿＿＿＿。

ホセ：なにを　かいましたか。

カーラ：3 ＿＿＿＿。

ホセ：そうですか。

a　なにも　かいませんでした　　b　にぎやかでした　　c　きのう　いきました

② ペアで　はなしましょう。

Speak in pairs.

A：B さん、やすみの　ひに　なにを　しましたか。

↓ B：［　　　］ました。 → A：どうでしたか。 → B：［　　かった］です ／ ［　　　］でした。 → A：そうですか。よかったですね。／ たいへんでしたね。

↓ B：なにも　しませんでした。 → A：そうですか。

17

たのしかったです

4 どっかい

「やすみの　日」
"Yasumi no hi"

3にんの　ブログを　よみましょう。
Read the three people's blogs.

やまださん

せんしゅうの　日よう日に　ともだちに　あいました。
わたしたちは　いっしょに　しょくじを　しました。
いろいろな　はなしを　しました。とても　たのしかったです。

Senshuu no nichiyoobi ni tomodachi ni aimashita.
Watashitachi wa issho ni shokuji o shimashita.
Iroirona hanashi o shimashita. Totemo tanoshikatta desu.

さかいさん

せんしゅうの　土よう日に　つまは　買いものに　いきました。
わたしは　うちで　そうじを　しました。
わたしは　そうじが　あまり　すきじゃないです。たいへんでした。

Senshuu no doyoobi ni tsuma wa kaimono ni ikimashita.
Watashi wa uchi de sooji o shimashita.
Watashi wa sooji ga amari sukijanai desu. Taihen deshita.

おがわさん

日よう日に　たんじょうびの　パーティーを　しました。
うちに　こどもの　かぞくが　きました。
いっしょに　にわで　バーベキューを　しました。
まごに　プレゼントを　もらいました。うれしかったです。

Nichiyoobi ni tanjoobi no paathii o shimashita.
Uchi ni kodomo no kazoku ga kimashita.
Issho ni niwa de baabekyuu o shimashita.
Mago ni purezento o moraimashita. Ureshikatta desu.

① 3にんは　やすみの　ひに　❶ なにを　しましたか。　❷ どうでしたか。
What did the three people do on their days off.　How were their days off?

やまださんは　❶ ＿＿＿＿＿＿＿＿ と　しょくじを　しました。
❷ ＿＿＿＿＿＿＿＿＿＿＿＿＿＿。

さかいさんは　❶ ＿＿＿＿＿＿＿＿ で　＿＿＿＿＿＿＿＿ を　しました。
❷ ＿＿＿＿＿＿＿＿＿＿＿＿＿＿。

おがわさんは　❶ たんじょうびの　＿＿＿＿＿＿＿＿ を　しました。
まごに　＿＿＿＿＿＿＿＿ を　＿＿＿＿＿＿＿＿。
❷ ＿＿＿＿＿＿＿＿＿＿＿＿＿＿。

② あなたの　やすみは　だれと　にていますか。
Whose day off is similar to yours?

5 さくぶん

「やすみの　ひ」
"Yasumi no hi"

1 ぶんを　かきましょう。
Write the sentences.

きのう　わたしは　まちに いきました。	きのう　わたしは　まちに いきました。
まちで　ともだちに　あいました。	まちで　ともだちに　あいました。
わたしたちは　いっしょに しょくじを　しました。	わたしたちは　いっしょに しょくじを　しました。
いろいろな　はなしを　しました。	いろいろな　はなしを　しました。
たのしかったです。	たのしかったです。

2 あなたの　ブログを　かきましょう。
Write your own blog.

だい18か　つぎは　きょうとに　いきたいです

Tsugi wa Kyooto ni ikitai desu

べんきょうする　まえに

- さいきん　どこを　りょこうしましたか。どうでしたか。
  Where have you been on holiday recently? How was it?
- つぎは　どこに　いきたいですか。
  Where would you like to go next?

1 もじとことば　ごい

1 ことばを　さがしましょう。　CHECK! 297
Search for the words.

か	ぶ	き	て	ね	と
に	に	ほ	ん	き	う
も	ら	い	ぷ	り	き
の	お	て	ら	ょ	ょ
す	に	く	う	こ	う
し	せ	た	ふ	う	ま
お	み	や	げ	ん	ゆ

2 どれが　ちがいますか。
Which is different?

❶
a　きょねん
b　こんしゅう
ⓒ　バス

❷
a　ひこうき
b　こども
c　でんしゃ

❸
a　かぞく
b　ともだち
c　らいねん

❹
a　はは
b　ことし
c　せんげつ

❺
a　らいしゅう
b　くるま
c　バイク

3 ただしい　ことばを　えらびましょう。 CHECK! 298
Choose the correct word.

1. あした　ともだちに（ⓐ　あいます　　b　とります　　c　かいます）。
2. デパートで　おみやげを（ a　あいます　　b　とります　　c　かいます）。
3. こうえんで　しゃしんを（ a　あいます　　b　とります　　c　かいます）。
4. あねと　クラシックコンサートを
（ a　ききに　いきます　　b　かきに　いきます　　c　あいに　いきます）。
5. びじゅつかんに　えを
（ a　みに　いきます　　b　とりに　いきます　　c　あいに　いきます）。

4 きいて　かきましょう。 299
Listen and write.

1. に ほ ん
2. □□□ー□
3. □□□□
4. □□□□

5 かんじを　よみましょう。 CHECK! 300
Read the kanji.

行きます	来ます	会います
i	ki	a
休みます	日本	東京
yasu	Nihon / Nippon	Tookyoo

1. ８月に　しごとを　休みます。
2. 日本に　行きます。
3. 東京で　ともだちに　会います。
4. ともだちが　ホテルに　来ます。

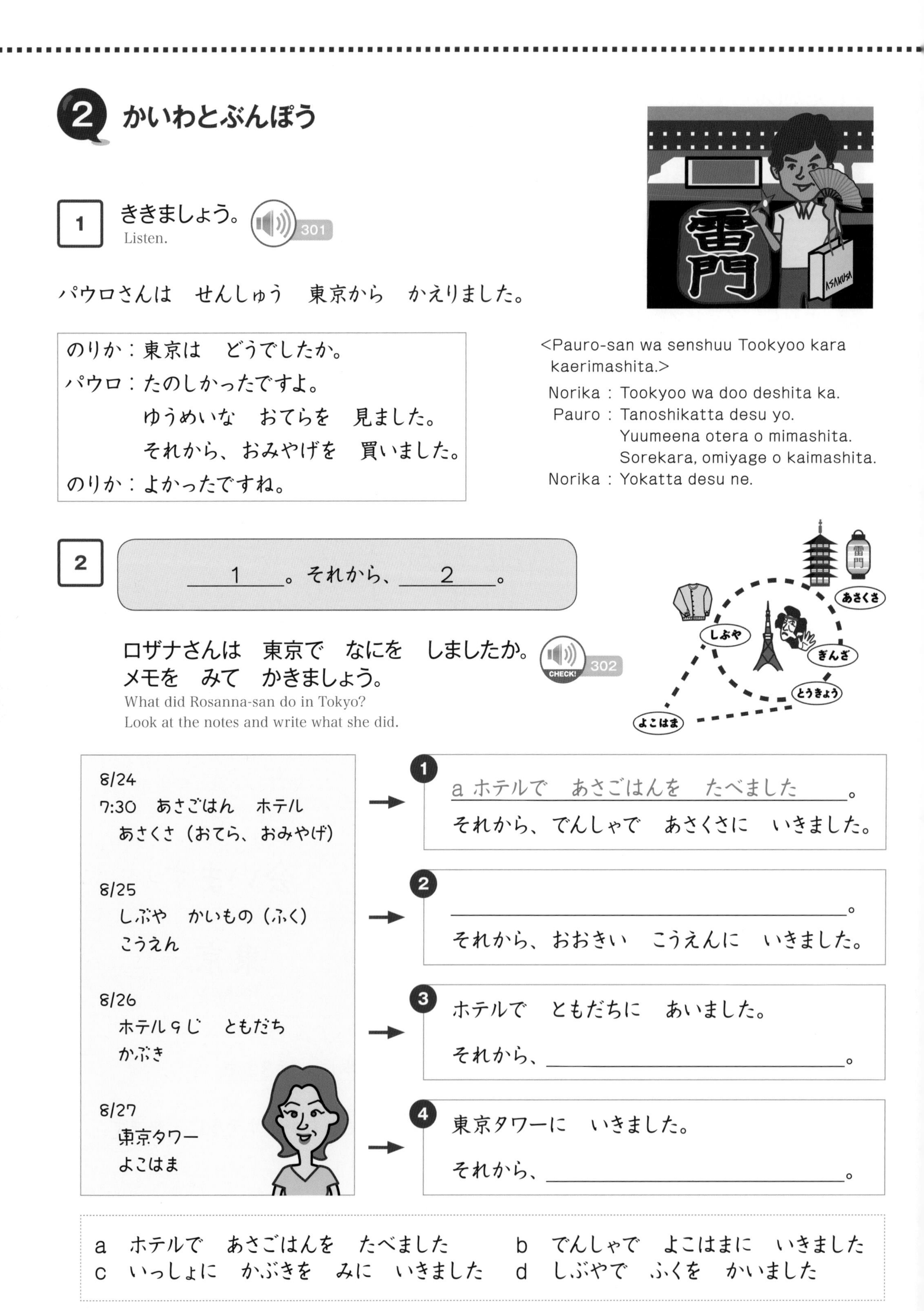

② かいわとぶんぽう

1 ききましょう。 Listen. 301

パウロさんは　せんしゅう　東京から　かえりました。

のりか：	東京は　どうでしたか。
パウロ：	たのしかったですよ。 ゆうめいな　おてらを　見ました。 それから、おみやげを　買いました。
のりか：	よかったですね。

<Pauro-san wa senshuu Tookyoo kara kaerimashita.>

Norika : Tookyoo wa doo deshita ka.
Pauro : Tanoshikatta desu yo.
Yuumeena otera o mimashita.
Sorekara, omiyage o kaimashita.
Norika : Yokatta desu ne.

2 ＿1＿。それから、＿2＿。

ロザナさんは　東京で　なにを　しましたか。
メモを　みて　かきましょう。 CHECK! 302
What did Rosanna-san do in Tokyo?
Look at the notes and write what she did.

8/24
7:30　あさごはん　ホテル
あさくさ（おてら、おみやげ）

8/25
しぶや　かいもの（ふく）
こうえん

8/26
ホテル９じ　ともだち
かぶき

8/27
東京タワー
よこはま

→ ❶ a ホテルで　あさごはんを　たべました。
それから、でんしゃで　あさくさに　いきました。

→ ❷ ＿＿＿＿＿＿＿＿。
それから、おおきい　こうえんに　いきました。

→ ❸ ホテルで　ともだちに　あいました。
それから、＿＿＿＿＿＿＿＿。

→ ❹ 東京タワーに　いきました。
それから、＿＿＿＿＿＿＿＿。

a　ホテルで　あさごはんを　たべました　　b　でんしゃで　よこはまに　いきました
c　いっしょに　かぶきを　みに　いきました　　d　しぶやで　ふくを　かいました

3 かいわとぶんぽう

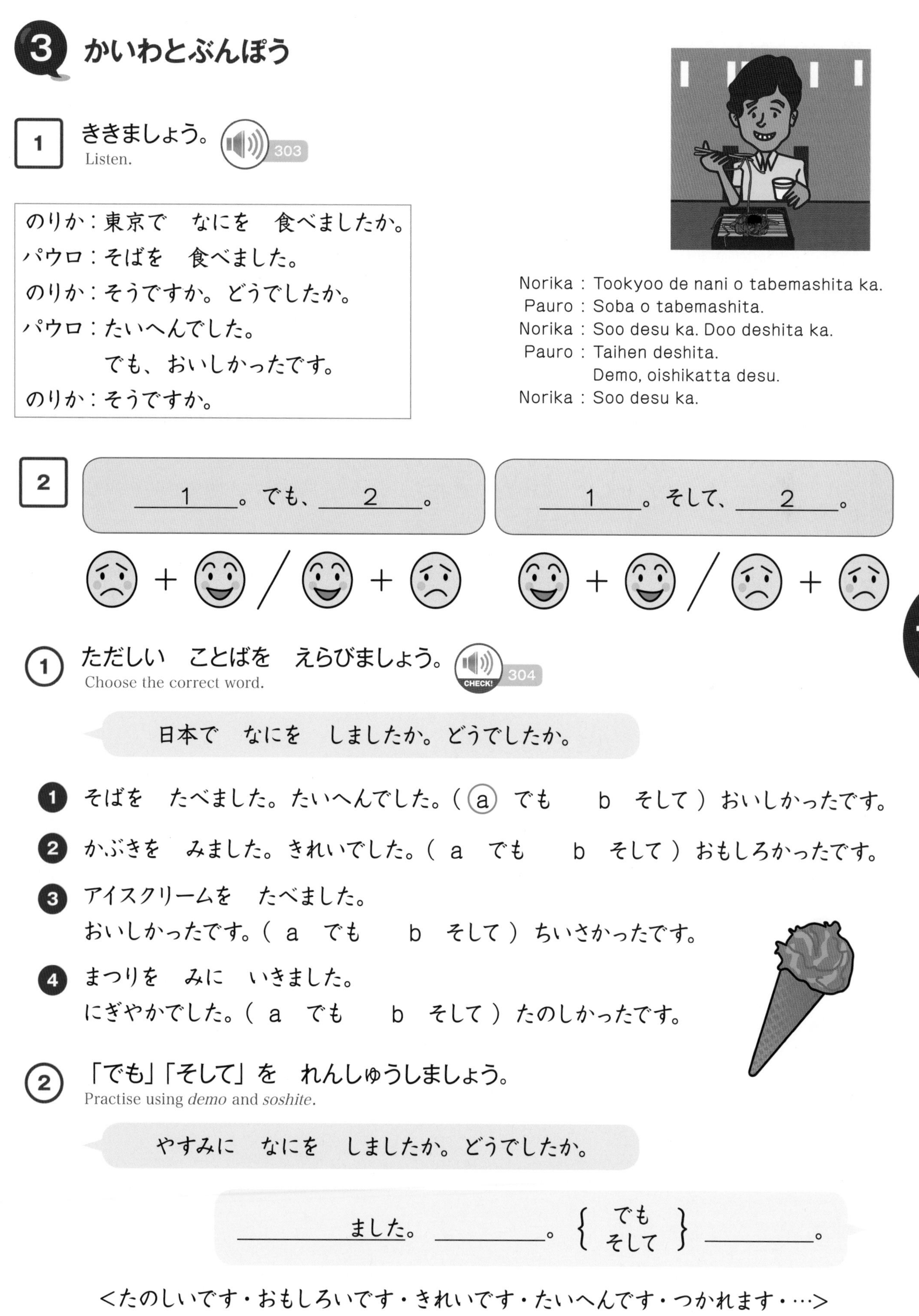

1 ききましょう。 303
Listen.

のりか：東京で　なにを　食べましたか。
パウロ：そばを　食べました。
のりか：そうですか。どうでしたか。
パウロ：たいへんでした。
　　　　でも、おいしかったです。
のりか：そうですか。

Norika : Tookyoo de nani o tabemashita ka.
Pauro : Soba o tabemashita.
Norika : Soo desu ka. Doo deshita ka.
Pauro : Taihen deshita.
　　　　Demo, oishikatta desu.
Norika : Soo desu ka.

2

＿＿1＿＿。でも、＿＿2＿＿。

＿＿1＿＿。そして、＿＿2＿＿。

① ただしい　ことばを　えらびましょう。 CHECK! 304
Choose the correct word.

日本で　なにを　しましたか。どうでしたか。

1. そばを　たべました。たいへんでした。（ ⓐ　でも　　b　そして ）おいしかったです。
2. かぶきを　みました。きれいでした。（ a　でも　　b　そして ）おもしろかったです。
3. アイスクリームを　たべました。
おいしかったです。（ a　でも　　b　そして ）ちいさかったです。
4. まつりを　みに　いきました。
にぎやかでした。（ a　でも　　b　そして ）たのしかったです。

② 「でも」「そして」を　れんしゅうしましょう。
Practise using *demo* and *soshite*.

やすみに　なにを　しましたか。どうでしたか。

＿＿＿＿＿＿ました。＿＿＿＿＿。{ でも / そして } ＿＿＿＿＿。

<たのしいです・おもしろいです・きれいです・たいへんです・つかれます・…>

4 かいわとぶんぽう

1 ききましょう。 305
Listen.

すずき：アリさん、日本で　東京タワーに
　　　　行きましたか。
　アリ：はい、行きました。
すずき：そうですか。
　　　　じゃあ、しんかんせんに　のりましたか。
　アリ：いいえ、のりませんでした。
すずき：そうですか。
　アリ：つぎは　しんかんせんに　のりたいです。

Suzuki : Ari-san, Nihon de Tookyoo-Tawaa ni ikimashita ka.
Ari : Hai, ikimashita.
Suzuki : Soo desu ka.
Jaa, shinkansen ni norimashita ka.
Ari : Iie, norimasendeshita.
Suzuki : Soo desu ka.
Ari : Tsugi wa shinkansen ni noritai desu.

2

［　　　たい］です。	［　　　たくない］です。

のります　→　のりたいです　　　のりたいです　→　のりたくないです

① ただしい　かたちを　かきましょう。 CHECK! 306
Write the correct form.

❶ みます　→	みたいです	みたくないです
❷ たべます　→		
❸ いきます　→		
❹ かいます　→		
❺ のります　→		
❻ します　→		

② 東京で　なにを　しましたか。しませんでしたか。つぎは　なにを　したいですか。ことばを　ただしい　かたちに　して　かきましょう。 CHECK! 307

What did the people do in Tokyo? What did they not do? What would they like to do next? Change the words into the correct form and write the answers.

~~みます~~	します	かいます	たべます

❶ アリさん

東京タワーを　a　みました　。
でも、ふじさんは　b　みませんでした　。
つぎは　ふじさんを　c　みたいです　。

❷ パウロさん

そばと　うどんを　a ＿＿＿＿＿＿。
でも、ラーメンは　b ＿＿＿＿＿＿。
つぎは　ラーメンを　c ＿＿＿＿＿＿。

❸ ロザナさん

ふくと　アクセサリーを　a ＿＿＿＿＿＿。
でも、きものは　b ＿＿＿＿＿＿。
つぎは　きものを　c ＿＿＿＿＿＿。

❹ カールさん

Jポップの　コンサートに　いきました。
でも、カラオケは　a ＿＿＿＿＿＿。
つぎは　カラオケを　b ＿＿＿＿＿＿。

3 ① かいわを　つくりましょう。 CHECK! 308

Complete the conversation.

a　それから、そばを　たべました
b　つぎは　きょうとに　いきたいです
c　東京で　なにを　しましたか
d　でも、おいしかったです

❶ やすみは　どうでしたか。

❷ たのしかったですよ。東京に　いきました。

❸ よかったですね。＿c＿。

❹ かぶきを　みました。＿＿＿＿。

❺ そばは　どうでしたか。

❻ たいへんでした。＿＿＿＿。

❼ そうですか。

❽ ＿＿＿＿。

② ペアで　はなしましょう。

Speak in pairs.

18 つぎは　きょうとに　いきたいです

5 どっかい

「わたしの　りょこう」 309・310
"Watashi no ryokoo"

ワンさんと　やまださんの　りょこうについて　よみましょう。
Read about Wang-san and Yamada-san's trip.

ワンさん

ことしの　８月に　わたしは　ひとりで　日本に　行きました。ひこうきで　行きました。東京で　ともだちに　会いました。それから、いっしょに　ゆうめいな　おてらを　見に行きました。とても　おもしろかったです。でも、あまり　買いものを　しませんでした。つぎは　東京で　たくさん　買いものを　したいです。

Kotoshi no hachi-gatsu ni watashi wa hitori de Nihon ni ikimashita.
Hikooki de ikimashita.
Tookyoo de tomodachi ni aimashita. Sorekara, issho ni yuumeena otera o mi ni ikimashita. Totemo omoshirokatta desu. Demo, amari kaimono o shimasendeshita.
Tsugi wa Tookyoo de takusan kaimono o shitai desu.

やまださん

きょねん　ははと　ひろしまに　行きました。東京から　しんかんせんで　行きました。わたしたちは　げんばくドームを　見ました。それから、おいしい　りょうりを　食べました。ひろしまは　とても　よかったです。そして、きれいでした。
つぎは　ながさきに　行きたいです。

Kyonen haha to Hiroshima ni ikimashita. Tookyoo kara shinkansen de ikimashita.
Watashitachi wa Genbaku-Doomu o mimashita. Sorekara, oishii ryoori o tabemashita.
Hiroshima wa totemo yokatta desu. Soshite, kiree deshita.
Tsugi wa Nagasaki ni ikitai desu.

しつもん	ワンさん	やまださん
① いつ　いきましたか。	ことしの　８月	
② どこに　いきましたか。		
③ だれと　いきましたか。		
④ どうやって　いきましたか。		
⑤ なにを　しましたか。 ⑥ どうでしたか。		
⑦ つぎは　なにを　したいですか。		

テストとふりかえり 2（トピック 6-9） Test and Reflection 2 (Topics 6-9)

この　じかんは　120 ぷんです。

You have 120 minutes.

じかんの　つかいかたは　「テストとふりかえり 1」（p99-p100）と　おなじです。

This time will be spent in the same way as in Test and Reflection 1 (p99-p100).

1 テストの もんだいれい Test example questions

1 きいて　ひらがなか　カタカナで　かいて　ください。 Listen and write in hiragana or katakana.

① (　　　　　　　　) ② (　　　　　　　　)

スクリプト
① ひろしま
② アクセサリー

2 かんじの　よみかたを　ひらがなか　ローマじで　かいて　ください。
Write the kanji reading in Roman alphabet or hiragana.

① 東京で　ともだちと　あいます。　(　　　　　　　　)

② くつしたと　Tシャツを　買いました。　(　　　　　　　　)

3 ただしい　ことばを　えらんで　ください。 Choose the correct word.

① わたしは　まいにち　みどりえきで　バスに　(　　)。

② さとうさんは　よく　こうえんで　しゃしんを　(　　)。

③ あした　ごご　6じはんから　コンサートが　(　　)。

a　とります　b　おります
c　します　d　あります
e　のります

4 かいわを　ただしい　かたちで　かいて　ください。
Complete the conversation in the correct way.

① A：きのう　かいしゃに　いきましたか。
B：いいえ、＿＿＿＿＿＿＿＿＿＿＿＿。

② A：あなたは　よく　スポーツを　しますか。
B：ぜんぜん　＿＿＿＿＿＿＿＿＿＿＿＿。

5 ただしい　ことばを　えらんで、かたちを　かえて、かいて　ください。
Choose the correct word, change its form and write it in the space.

① A：きのうの　パーティーは　どうでしたか。
B：とても　＿＿＿＿＿＿＿＿＿＿＿＿。

せまいです　たのしいです　ゆうめいです

② A：ホテルの　へやは　どうですか。
B：あまり　＿＿＿＿＿＿＿＿＿＿＿＿。

しずかです　おいしいです　ゆうめいです

6 2つの　Eメールを　よんで　ください。①と　②は　ただしいですか。
ただしい（○）　ただしくない（×）

Read the two e-mails. Are 1 and 2 correct? correct (○) and incorrect (×)

① (　　) みどりえきから　レストランまで　ちかてつで　いきます。

② (　　) リサさんと　サリーさんは　みどりえきで　あいます。

サリーさん
こんしゅうの　土よう日に　レストランで　パーティーが　ありますね。
みどりえきから　レストランまで　どうやって　いきますか。
リサ

リサさん、メール、ありがとう。
土よう日は、みどりえきで　ちかてつに　のります。そして　さくらえきで　おります。20 分ぐらいです。さくらえきから　レストランまで　あるいて　いきます。みどりえきの　北口で　あいましょう。
サリー

7 かいわを　きいて　ください。あべさんは　コンサートと　えいがに　いつ　いきますか。
a-eで　こたえて　ください。
Listen to the conversation. When will Abe-san go to see a concert and film? Answer with a-e.

月	火	水	木	金	土	日	月
11	12 きょう a	13 b	14 びじゅつかん	15 c	16 パーティー	17 d	18 e

1 コンサート（　　）
2 えいが（　　）

1 A：あべさん、いつ　コンサートに　いきますか。
B：らいしゅうの　げつようび、ごご　7じからです。
2 A：あべさん、いつ　えいがを　みに　いきますか。
B：15 にちに　みに　いきます。

2 テストの せつめい　Test explanation

テストの　こたえを　チェックしましょう。しつもんが　あったら、せんせいに　ききましょう。
Check the answers to the test. Ask the teacher if you have any questions.

3 テストの ふりかえり　Test reflection

まちがえた　もんだいを　もう　いちど　みて　みましょう。
Look again at the questions you got wrong.

4 さくぶんの はっぴょう　Discuss your compositions (*Sakubun*)

だい 11 か、13 か、15 か、17 かの 「さくぶん」について　グループで　はなしましょう。
Speak in groups about your compositions from lessons 11, 13, 15 and 17.

ともだちの　さくぶんを　よんで、いろいろ　しつもんして　みましょう。
Read your classmates' compositions and try to ask a lot of different questions.

じぶんの　さくぶんの　にほんごについて　せんせいに　しつもんして　みましょう。
Ask your teacher questions about the Japanese in your compositions.

もんだいれいの　こたえ　Answers to test example questions

1 ① ひろしま　② アクセサリー　　2 ① とうきょう／Tookyoo　② かいました／kaimashita
3 ① e　② a　③ d　　4 ① いきませんでした　② しません
5 ① たのしかったです　② しずかじゃないです　　6 ① ×　② ○　　7 ① e　② c

ぶんぽうのまとめ Grammar Review

1 どうし (Verbs)

(L●)：課　lesson

	ひかこ (non-past)	かこ (past)
こうてい (affirmative)	＿＿ ます (L5)	＿＿ ました (L15)
ひてい (negative)	＿＿ ません (L5)	＿＿ ませんでした (L17)

2 イけいようし (I-Adjectives)

＊：この本では使いません　Not used in this book

	ひかこ (non-past)	かこ (past)
こうてい (affirmative)	＿＿い です (L7)	＿＿かった です (L17)
ひてい (negative)	＿＿く ないです (L7)	＿＿く なかったです (L17)
	＿＿く ありません ＊	＿＿く ありませんでした ＊

3 ナけいようし (NA-Adjectives)

	ひかこ (non-past)	かこ (past)
こうてい (affirmative)	＿＿ です (L5)	＿＿ でした (L17)
ひてい (negative)	＿＿ じゃないです (L5)	＿＿ じゃなかったです (L17)
	＿＿ じゃありません ＊	＿＿ じゃありませんでした ＊

4 めいし (Nouns) ＋ です

	ひかこ (non-past)	かこ (past)
こうてい (affirmative)	＿＿ です (L3)	＿＿ でした ＊
ひてい (negative)	＿＿ じゃないです (L3)	＿＿ じゃなかったです ＊
	＿＿ じゃありません ＊	＿＿ じゃありませんでした ＊

5 じょし (Particles)

	れいぶん (example sentences)	か
か	キムさんは　せんせいですか。	3
が	のださんは　フランスごが　できますか。	3
	ギターが　できます。	11
	にくが　すきです。	5
	どくしょが　すきです。	11
	いえに　エアコンが　あります。	7
	さいたまに　ふるい　じんじゃが　あります。	14

	れいぶん (example sentences)	か
が	いえに　ねこが　います。	7
	きんようびが　いいです。	10
	くうこうは　でんしゃが　いいです。	12
	こくさいホールで　えいがが　あります。	12
	アクセサリーが　ほしいです。	15
から	かいしゃは　9じから　5じまでです。	10
	うちから　かいしゃまで　どうやって　いきますか。	13
	くうこうは　でんしゃが　いいですよ。はやいですから。	13
で	ラーメンやさんで　たべます。	6
	うちで　えいがを　みます。	11
	こくさいホールで　えいがが　あります。	12
と	かぞくは　ちちと　ははと　わたしです。	4
に	わたしたちは　おおさかに　すんでいます。	4
	いえに　エアコンが　あります。	7
	さいたまに　ふるい　じんじゃが　あります。	14
	いえに　ねこが　います。	7
	5じに　おきます。	9
	げつようびから　きんようびまで　かいしゃに　いきます。	10
	どようびに　コンサートが　あります。	12
	えいがを　みに　いきます。	12
	わたしは　みどりえきで　ちかてつに　のります。	13
	きっさてんは　えきの　となりに　あります。	14
	わたしは　きっさてんの　まえに　います。	14
	すずきさんは　カーラさんに　なにを　あげますか。	15
	カーラさんは　ホセさんに　チョコレートを　もらいました。	15
の	わたしの　かぞくは　3にんです。	4
	にんぎょうは　たなの　うえです。	8
	えきの　となり、きっさてんの　まえ	14
は	わたしは　がくせいです。	3
	やさいは　すきじゃないです。	5
へ	こちらへ　どうぞ。	8
まで	かいしゃは　9じから　5じまでです。	10
	うちから　かいしゃまで　どうやって　いきますか。	13
も	わたしも　エンジニアです。	3
	どこにも　いきませんでした。	17
	わたしは　なにも　しませんでした。	17
を	わたしは　パンと　くだものを　よく　たべます。	5
	えきで　ちかてつを　おります。	13
	Tシャツを　ください。	16

6 ぎもんし (Interrogatives)

	ぎもんし (interrogatives)	れいぶん (example sentences)	か
ひと (person)	だれ	この　おとこのこは　だれですか。	4
		だれに　もらいましたか。	15
もの (thing)	なん	おしごとは　なんですか。	3
	なに	たべものは　なにが　すきですか。	5
		なにを　たべますか。	5
	どんな＋(めいし noun)	どんな　ほんが　すきですか。	11
ばしょ (place)	どこ	どこに　すんでいますか。	4
		きょう、どこで　ひるごはんを　たべますか。	6
		トイレは　どこですか。	8
		いま、どこに　いますか。	14
とき (time)	なんじ	いま　なんじですか。	9
		まいにち　なんじに　おきますか。	9
	いつ	いつ　しんぶんを　よみますか。	9
		いつが　いいですか。	10
ほうほう (means)	どうやって	うちから　かいしゃまで　どうやって　いきますか。	13
かず・りょう (number・quantity)	いくつ	いえに　へやが　いくつ　ありますか。	7
	なん～	かぞくは　なんにんですか。	4
		なんさいですか。	4
		まいにち　なんじかん　しごとを　しますか。	10
	いくら	これは　いくらですか。	13
かんそう・いけん (comment)	どう	もくようびは　どうですか。	10
		やすみは　どうでしたか。	17

7 しじし (Demonstratives)

	こ	そ	あ
もの (thing)	これ	それ	あれ
ばしょ (place)	ここ	そこ	あそこ
＋めいし (noun)	この (バッグ)	その (バッグ)	あの (バッグ)

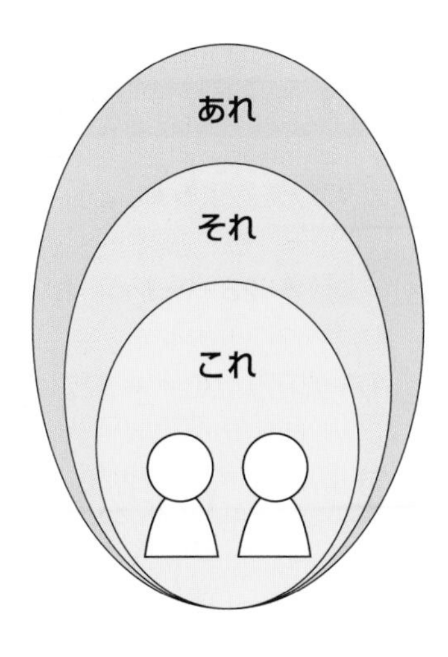

こたえとスクリプト　Answers and Audio Scripts

◆ トピック１　にほんご

だい１か　ひらがな　p22

❶ ひらがなを　よみましょう

[1] 002　22ページと　おなじ。

[3] ① 003　24ページと　おなじ。

② こたえ　❶あさ　❷よる　❸つくえ　❹やさい　❺さかな　❻たまご　❼かぞく　❽にほんご　❾ふじさん　❿てんぷら

004　こたえと　おなじ。

③ こたえ　❶a　❷c　❸b　❹a　❺a　❻c　❼b　❽c　❾c　❿c

005
❶あさ　❷いぬ　❸やま　❹よる　❺つくえ　❻とけい　❼ざっし　❽てんぷら　❾にほんご　❿とうきょう

④ こたえ　❶b　❷a　❸b　❹c　❺a　❻c

006
❶a ひる　b あさ　c あき　❷a いす　b しお　c いぬ
❸a やま　b うみ　c うめ　❹a はし　b まど　c ほん
❺a ひる　b ひま　c よる　❻a いぬ　b れつ　c ねこ

❷ ひらがなを　かきましょう

[3] 007　27ページと　おなじ。

だい２か　カタカナ　p28

❶ カタカナを　よみましょう

[1] 008　28ページと　おなじ。

[3] ① 009　30ページと　おなじ。

② こたえ　❶テレビ　❷カメラ　❸マンガ　❹トイレ　❺ピアノ　❻ホテル　❼タクシー　❽エアコン　❾カラオケ　❿レストラン

010　こたえと　おなじ。

③ こたえ　❶a　❷c　❸b　❹a　❺a　❻b　❼c　❽a　❾c　❿a

011
❶パン　❷テレビ　❸カメラ　❹ベッド　❺トイレ
❻シャツ　❼ソファ　❽コーヒー　❾ジュース　❿テーブル

④ こたえ　❶b　❷c　❸b　❹c　❺a　❻c

012
❶a トイレ　b テレビ　c ビデオ
❷a マンガ　b マウス　c カメラ
❸a タクシー　b テーブル　c テレビ
❹a バッグ　b ペット　c ベッド
❺a ジュース　b コーヒー　c シャワー
❻a ソファ　b ピアノ　c シャツ

[4] こたえ　❶q　❷a　❸f　❹i　❺n　❻g　❼o　❽p　❾e　❿j　⓫b　⓬d　⓭l　⓮s　⓯c　⓰k　⓱m　⓲r　⓳h

013　32ページと　おなじ。

◆ トピック２　わたし

だい３か　どうぞ　よろしく　p36

❶ もじとことば

[1] こたえ　❶a　❷c　❸b　❹f　❺e　❻d

014
❶にほんご　❷ドイツご　❸ちゅうごくご　❹アラビアご
❺かんこくご　❻えいご

[2] こたえ　❶d　❷b　❸a　❹c　❺e　❻f

015
❶かいしゃいん　❷きょうし　❸がくせい　❹しゅふ
❺こうむいん　❻エンジニア

[3] こたえ　れい　❶d　❷b　❸a　❹d

[4] こたえ　❶a　❷c　❸b　❹c

5 こたえ ❶がくせい ❷かいしゃいん ❸しゅふ
❹にほんご ❺ドイツご

016 こたえと おなじ。

❷ かいわとぶんぽう

1 017 38ページと おなじ。

2 ① こたえ ❶b ❷b ❸a ❹a

018-021
❶ カーラ：あの、キムさんは せんせいですか。
キム ：いいえ、せんせいじゃないです。がくせいです。
❷ キム ：カーラさんは せんせいですか。
カーラ：いいえ、せんせいじゃないです。がくせいですよ。
❸ のだ ：すみません。ヤンさんは ちゅうごくじんですか。
ヤン ：いいえ、ちゅうごくじんじゃないです。マレーシアじんです。
❹ ヤン ：たなかさんは かいしゃいんですか。
たなか：はい、そうです。かいしゃいんです。

② こたえ ❶b ❷a ❸b ❹a

022
❶ ちゅうごくごです。にほんごじゃないです。
❷ にほんごじゃないです。かんこくごです。
❸ フランスごです。えいごじゃないです。
❹ えいごじゃないです。ドイツごです。

❸ かいわとぶんぽう

1 023 40ページと おなじ。

3 こたえ ❶a ❷b a ❸a c ❹b d

024-027
❶ のだ ：カーラさんは にほんごが できますか。
カーラ：はい、すこし できます。
❷ のだ ：キムさんは なにごが できますか。
キム ：えいごが できます。にほんごも すこし できます。
❸ のだ ：ヤンさんは にほんごが できますか。
ヤン ：はい、できます。ちゅうごくごも できます。
❹ ヤン ：のださんは なにごが できますか。
のだ ：わたしですか？ わたしは えいごと アラビアごが できます。
ヤン ：そうですか。すごいですね。

❹ かいわとぶんぽう

1 028 41ページと おなじ。

3 こたえ ❶は ❷は も ❸は も ❹は は

029-032
❶ さとう：ヤンさんは エンジニアですか。
ヤン ：いいえ。わたしは エンジニアじゃないです。
さとう：そうですか。
❷ きむら：おしごとは なんですか。
やぎ ：わたしは こうむいんです。
きむら：そうですか。わたしも こうむいんです。
❸ カーラ：やぎさんは フランスごが できますか。
やぎ ：はい、すこし できます。アラビアごも できます。
カーラ：そうですか。すごいですね。
❹ やぎ ：キムさんは なにごが できますか。
キム ：えいごが できます。
やぎ ：ちゅうごくごは？
キム ：ちゅうごくごは できません。

❺ どっかい

こたえ にほんごと えいご

	にほんご	フランスご	えいご
あい	○	×	○
アラン	○	○	○

033 42ページと おなじ。

だい4か かぞくは 3にんです p44

❶ もじとことば

1 こたえ ❶a ❷e ❸c ❹d ❺b ❻f ❼h ❽g

034
❶はは ❷おとうと ❸いもうと ❹おとうさん
❺おにいさん ❻おねえさん ❼おっと ❽おくさん

2 こたえ ❶c ❷d ❸e ❹b

035
❶ わたしの かぞくは さんにんです。
❷ わたしの かぞくは よにんです。
❸ うちの かぞくは ごにんです。
❹ うちの かぞくは ふたりです。

3 こたえ ❶a f ❷d e ❸b ❹c

4 こたえ ❶c ❷a ❸b ❹b ❺c

⑤ こたえ ❶ちち ❷おねえさん ❸おこさん
❹つま ❺ひとり ❻ごにん

036 こたえと　おなじ。

❷ かいわとぶんぽう

① 037 47ページと　おなじ。

② こたえ ❶a ❷b ❸e ❹c

038
❶ うちの　かぞくは　ふたりです。つまと　わたしです。
❷ わたしの　かぞくは　よにんです。おっとと　わたしと　こども　ふたりです。
❸ うちの　かぞくは　ごにんです。ちちと　ははと　あねと　わたしと　おとうとです。
❹ わたしの　かぞくは　ろくにんです。ちちと　ははと　つまと　こども　ふたりと　わたしです。

③ こたえ ❶a ❷b ❸d ❹e ❺c

039-043
❶ A：どこに　すんでいますか。
B：わたしたちは　おおさかに　すんでいます。
A：あ、おおさかですか。
❷ A：どこに　すんでいますか。
B：とうきょうです。わたしたちは　とうきょうに　すんでいます。
❸ A：どこに　すんでますか。
B：わたしたち、ひろしまに　すんでます。
A：ああ、ひろしま。
❹ A：どこに　すんでますか。
B：あ、おきなわです。わたしたちは　おきなわに　すんでます。
❺ A：どこに　すんでますか。
B：わたしたち、ほっかいどうに　すんでます。
A：へえ、ほっかいどうですか。

❸ かいわとぶんぽう

① 044 49ページと　おなじ。

②① こたえ ❶b ❷d ❸c ❹a ❺e

② こたえ ❶4 ❷33 ❸57 ❹2 ❺29

045-049
❶ A：この　おとこのこは　だれですか。
B：あにの　こどもです。
A：かわいいですね。なんさいですか。
B：4（よん）さいです。
❷ A：じゃあ、この　おとこのひとは　おにいさんですか。
B：はい、そうです。あにです。
A：おいくつですか。
B：33（さんじゅうさん）さいです。
❸ A：この　おんなのひとは　だれですか。
B：ははです。
A：おわかいですね。おいくつですか。
B：ははは、57（ごじゅうなな）さいです。
❹ A：この　おんなのこは　だれですか。
B：あねの　こどもです。
A：かわいいですね。なんさいですか。
B：2（に）さいです。
❺ A：じゃあ、この　おんなのひとは　おねえさんですか。
B：はい。あねです。
A：ふーん。おいくつですか。
B：29（にじゅうきゅう）さいです。

❹ どっかい

こたえ ❶a ❷c ❸d ❹b

050-053 50ページと　おなじ。

◆ トピック３　たべもの

だい５か　なにが　すきですか　p52

❶ もじとことば

①① こたえ ❶c ❷i ❸a ❹e ❺k ❻g ❼b
❽f

054
❶パン ❷コーヒー ❸ごはん ❹さかな ❺くだもの
❻たまご ❼みず ❽ぎゅうにゅう

② こたえ ～を　たべます（a　c　d　e　g　h　k）
～を　のみます（b　f　i　j　l）

055
a ごはんを　たべます。　b みずを　のみます。
c パンを　たべます。　d にくを　たべます。
e さかなを　たべます。　f ぎゅうにゅうを　のみます。
g たまごを　たべます。　h やさいを　たべます。
i コーヒーを　のみます。　j ワインを　のみます。
k くだものを　たべます。　l みそしるを　のみます。

③ こたえ ❶にく ❷やさい ❸たべもの ❹おちゃ
❺パン ❻コーヒー

056 こたえと　おなじ。

④① こたえ ❶b ❷c ❸d ❹a

② こたえ ❶さかな　にく ❷たまご ❸みず

057
さかな　にく　たまご　みず
❶さかなと　にくを　たべます。 ❷たまごは　たべません。
❸みずを　のみます。

❷ かいわとぶんぽう

①058 54ページと　おなじ。

②① こたえ

	すき	すきじゃない
❶ シン	a	b
❷ あべ	b	c
❸ よしだ	e	f
❹ ジョイ	d	a
❺ ホセ	c	d

059
❶ シン　：わたしは　コーヒーが　すきです。こうちゃは　すきじゃないです。
❷ あべ　：わたしは　こうちゃが　すきです。おちゃは　すきじゃないです。
❸ よしだ：わたしは　ワインが　すきです。ビールは　すきじゃないです。
❹ ジョイ：わたしは　ジュースが　すきです。コーヒーは　すきじゃないです。
❺ ホセ　：わたしは　おちゃが　すきです。ジュースは　すきじゃないです。

② こたえ （は）（が）（と）（も）（は）（は）

060
ヤン：のださん、たべものは　なにが　すきですか。
のだ：やさいと　さかなが　すきです。くだものも　すきです。にくは　すきじゃないです。
ヤン：わたしは　にくが　すきです。さかなは　すきじゃないです。

❸ かいわとぶんぽう

①061 56ページと　おなじ。

② こたえ ❶たべます ❷たべません ❸たべます ❹たべません

062-065
❶ A　　：かわいさん、いつも　あさごはんを　たべますか。
かわい：はい、たべます。
❷ A　　：たなかさんは　いつも　あさごはんを　たべますか。
たなか：いいえ、あさごはんは　たべません。
❸ A　　：キムさんは　いつも　あさごはんを　たべますか。
キム　：そうですね。いつも　たべます。
❹ A　　：カーラさん、いつも　あさごはんを　たべますか。
カーラ：いいえ、わたしは　あさごはんは　たべません。

③ こたえ ❶a ❷b ❸a ❹b

066
❶ あべさんは　やさいを　よく　たべます。
❷ シンさんは　こうちゃは　あまり　のみません。
❸ ホセさんは　コーヒーを　よく　のみます。
❹ わたしは　パンは　あまり　たべません。

④ こたえ ❶c ❷a ❸b ❹b ❺c

067
かわいさんは　ぎゅうにゅうは　あまり　のみません。
いつも　パンを　たべます。
にくと　たまごも　よく　たべます。
コーヒーを　よく　のみます。
ジュースは　あまり　のみません。

⑤① こたえ ❶a ❷d ❸e ❹b ❺f ❻c

068
A：いつも　あさごはんを　たべますか。
B：はい、たべます。
A：なにを　たべますか。
B：わたしは　パンと　くだものを　よく　たべます。
A：にくは？
B：にくは　あまり　たべません。

❹ どっかい

① こたえ

	すきです／よく たべます	すきじゃないです／あまり たべません
ちち	ごはん　みそしる　やさい	パン
はは	ごはん　みそしる　パン　さかな	たまご
わたし	ごはん　にく　さかな	パン　くだもの

② こたえ a

069 58ページと　おなじ。

だい６か　どこで　たべますか　p60

❶ もじとことば

① こたえ ❶f ❷a ❸c ❹b ❺h ❻g ❼d ❽e

070
❶カレー ❷すし ❸うどん ❹そば ❺ラーメン
❻ピザ ❼ハンバーガー ❽サンドイッチ

② こたえ ❶うどんや ❷そばや ❸すしや ❹ラーメンや ❺ピザや ❻カレーや

071
❶うどんや　うどんやさん ❷そばや　おそばやさん
❸すしや　おすしやさん ❹ラーメンや　ラーメンやさん
❺ピザや　ピザやさん ❻カレーや　カレーやさん

③ こたえ ❶c ❷a ❸b

072
❶おいしいです　まずいです ❷たかいです　やすいです
❸はやいです　おそいです

④ こたえ ❶すし ❷おいしい ❸カレー ❹ピザ ❺ラーメン ❻ハンバーガー

073　61 ページと　おなじ。

⑤ こたえ ❶たべます　たべます ❷のみます

074
たべます　のみます
❶ ラーメンを　たべます。ピザも　たべます。
❷ コーヒーを　のみます。

❷ かいわとぶんぽう

① 075　62 ページと　おなじ。

② こたえ ❶a　c　b ❷b　a　c ❸c　d　a　b ❹d　b　a　c

076
❶ すきな　りょうりは　ピザです。
❷ すきな　くだものは　バナナです。
❸ すきな　のみものは　こうちゃです。
❹ きらいな　たべものは　さかなです。

❸ かいわとぶんぽう

① 077　63 ページと　おなじ。

② こたえ （で）（で）（を）（を）

078
たなか：きょう　どこで　ひるごはんを　たべますか。
カーラ：コーヒーショップで　たべます。
たなか：なにを　たべますか。
カーラ：サンドイッチを　たべます。

③① こたえ ⓑおいしくないです ⓒやすいです ⓕはやくないです ⓖまずいです ⓙたかくないです ⓚおそいです

079
ⓐおいしいです ⓑおいしくないです ⓒやすいです
ⓓやすくないです ⓔはやいです ⓕはやくないです
ⓖまずいです ⓗまずくないです ⓘたかいです
ⓙたかくないです ⓚおそいです ⓛおそくないです

② こたえ ❶a ❷i ❸b ❹e ❺c ❻k

080-085
❶ A：あの　ラーメンやさん、どうですか。
B：ああ、あの　みせは　おいしいですよ。
❷ A：あの　カレーやさん、どうですか。
B：ああ、あの　みせは　たかいですよ。
❸ A：あの　おすしやさん、どうですか。
B：ああ、あの　みせは　あまり　おいしくないですよ。
❹ A：あの　おそばやさん、どうですか。
B：ああ、あの　みせは　はやいですよ。
❺ A：あの　うどんやさんは？
B：ああ、あの　みせは、やすいですよ。
❻ A：あの　ピザやさん、どうですか。
B：ああ、あの　みせは　おそいですよ。

④① こたえ ❶a ❷e ❸d ❹c ❺b

086
A：きょう　どこで　ひるごはんを　たべますか。
B：そうですね、きょうは　「ふじや」で　たべます。
A：「ふじや」？　にほんりょうりですか。
B：はい、そうです。「ふじや」は　おいしいですよ。
A：そうですか。じゃあ、わたしも　いきます。

❹ どっかい

② こたえ たなかさん❹ キムさん❸ のださん❶

◆ トピック４　いえ

だい７か　へやが　３つ　あります　p68

❶ もじとことば

1 こたえ ❶a ❷d ❸f ❹j ❺h ❻c ❼g ❽e ❾b ❿i

087
❶いえ ❷こうえん ❸デパート ❹レストラン ❺ベッド
❻エアコン ❼テレビ ❽テーブル ❾いす ❿へや

2 こたえ ❶b ❷d ❸a ❹c

088
❶ おおきいです。　ちいさいです。
❷ あたらしいです。　ふるいです。
❸ あかるいです。　くらいです。
❹ ひろいです。　せまいです。

3 こたえ に（a　b　e）　と（c　d）

089
ⓐ とうきょうに　すんでいます。
ⓑ いっこだてに　すんでいます。
ⓒ かぞくと　すんでいます。
ⓓ ともだちと　すんでいます。
ⓔ アパートに　すんでいます。

4 こたえ ❶c ❷a ❸c ❹b

5 こたえ ❶へや ❷いっこだて ❸いす ❹せまい ❺あたらしい

090 こたえと　おなじ。

❷ かいわとぶんぽう

1 091 70ページと　おなじ。

2 こたえ ❶a ❷b ❸b ❹a

092
❶ よしださんの　いえに　テレビが　あります。
❷ たなかさんの　いえに　テーブルが　ふたつ　あります。
❸ たなかさんの　いえに　ベッドは　ありません。
❹ さとうさんの　いえに　エアコンが　ふたつ　あります。

3 こたえ ❶○ ❷○ ❸× ❹×

093
❶ 301（さんぜろいち）の　へやに　おとこの　がくせいが　います。
❷ 203（にぜろさん）の　へやに　おんなの　がくせいが　います。
❸ 104（いちぜろよん）の　へやに　おとこの　がくせいが　ふたり　います。
❹ 102（いちぜろに）の　へやに　がくせいは　いません。

5 こたえ （に）（に）（が）（は）（が）

094
わたしの　いえに　へやが　みっつ　あります。
へやに　エアコンと　テレビが　あります。
テーブルと　いすも　あります。ソファは　ありません。
いぬが　います。

❸ かいわとぶんぽう

1 095 72ページと　おなじ。

2 ① こたえ
ⓐおおきいです　ⓑおおきくないです
ⓒちいさいです　ⓓちいさくないです
ⓔひろいです　ⓕひろくないです
ⓖせまいです　ⓗせまくないです
ⓘあかるいです　ⓙあかるくないです
ⓚくらいです　ⓛくらくないです
ⓜあたらしいです　ⓝあたらしくないです
ⓞふるいです　ⓟふるくないです

096 こたえと　おなじ。

② こたえ ❶m ❷bまたはc ❸i ❹gまたはf

097
❶ すずき：たなかさんの　いえは　あたらしいですか。
　たなか：はい、あたらしいです。
❷ すずき：のださんの　いえは　おおきいですか。
　のだ　：いいえ、おおきくないです。／いいえ、ちいさいです。
❸ すずき：シンさんの　へやは　あかるいですか。
　シン　：はい、あかるいです。
❹ すずき：カーラさんの　へやは　ひろいですか。
　カーラ：いいえ、せまいです。／いいえ、ひろくないです。

③ こたえ ❶b ❷d ❸a ❹c

098-101
❶ A　：くのさんの　いえは　おおきいですか。
　くの　：はい、おおきいです。
　A　：あたらしいですか。
　くの　：いいえ、あたらしくないです。
❷ A　：よしださんの　いえは　おおきいですか。
　よしだ：いいえ、ちいさいです。

A　　：あたらしいですか。
よしだ：いいえ、あたらしくないです。
❸ A　　：パクさんの　いえは　おおきいですか。
パク　：はい、おおきいです。
A　　：あたらしいですか。
パク　：はい、あたらしいです。
❹ A　　：チョウさんの　いえは　おおきいですか。
チョウ：いいえ、おおきくないです。
A　　：ふるいですか。
チョウ：いいえ、ふるくないです。

⑤ こたえ　❶の　❷と　❸の　で

102
❶ わたしの　いえは　ふるいです。
❷ わたしは　かぞくと　すんでいます。
❸ わたしの　ともだちは　ひとりで　すんでいます。

❹ どっかい

① こたえ　❶b　❷a　❸c

103-105　74 ページと　おなじ。

だい 8 か　いい　へやですね　p76

❶ もじとことば

① こたえ　❶b　❷a　❸e　❹c　❺f　❻g　❼h
❽d

106
❶カップ　❷テーブル　❸とけい　❹たな　❺にんぎょう
❻はこ　❼ほん　❽しゃしん

② こたえ　❶a　❷c　❸f　❹g　❺d　❻b　❼e

107
❶いえ　❷げんかん　❸にわ　❹へや　❺だいどころ
❻おふろ　❼トイレ

③ こたえ　れい　❶c　❷b　❸c　❹b

④ こたえ

は	こ	お	な	ん	だ
ん	し	ふ	と	け	い
な	ゃ	ろ	あ	く	ど
え	し	た	ち	す	こ
に	ん	ぎ	ょ	う	ろ
ね	え	ゅ	へ	や	か

108　こたえと　おなじ。

⑤ こたえ　❶にわ　❷おふろ　❸カップ　❹しゃしん
❺だいどころ

109　こたえと　おなじ。

⑥ こたえ　❶おおきい　❷ちいさい
❸あたらしくない　ふるい

110
おおきい　ちいさい　あたらしい　ふるい
❶ たなかさんの　いえは　おおきいです。
❷ わたしの　いえは　ちいさいです。
❸ さとうさんの　いえは　あたらしくないです。ふるいです。

❷ かいわとぶんぽう

1 111　78 ページと　おなじ。

2 ① こたえ　❶b　❷b　❸a　❹a

112-115
❶ A：カップは　どこですか。
B：カップですか。カップは　はこの　なかです。
A：ああ、はこの　なか　ですね。
❷ A：ほんは　どこですか。
B：ほんですか。ほんは　テーブルの　したです。
A：テーブルの　したですね。
❸ A：とけいは　どこですか。
B：ええと、とけいは　たなの　うえです。
A：たなの　うえ、わかりました。
❹ A：にんぎょうは　どこですか。
B：にんぎょうですか。にんぎょうは　しゃしんの　よこです。
A：にんぎょうは　しゃしんの　よこですね。

② こたえ　❶c　a　b　❷b　a　c　❸c　a　b
❹b　a　c

116
❶ カップは　たなの　うえです。
❷ いぬは　ベッドの　したです。

❸ おふろは　トイレの　よこです。
❹ ほんは　はこの　なかです。

❸ かいわ

① こたえ ❶c ❷b ❸d ❹e ❺a

117
A：ごめんください。
B：いらっしゃい。どうぞ　あがって　ください。
A：おじゃまします。

A：いいへやですね。
C：どうも　ありがとう。
B：おちゃ、どうぞ。
A：いただきます。…おいしいですね。

A：これ、なんですか。
C：かんこくの　にんぎょうです。
A：そうですか。きれいですね。

A：あのう、トイレは　どこですか。
B：あ、こちらへ　どうぞ。
A：はい、すみません。

❹ どっかい

こたえ ❶c ❷b ❸d ❹a

118 82ページと　おなじ。

◆ トピック５　せいかつ

だい９か　なんじに　おきますか　p84

❶ もじとことば

① こたえ ❶a ❷c ❸d ❹b ❺e ❻f ❼g ❽h

119
❶おきます ❷しごとを　します ❸べんきょうします
❹ねます ❺うんどうを　します ❻さんぽを　します
❼がっこうに　いきます ❽かいしゃに　いきます

② こたえ ❶a ❷d ❸b ❹c ❺e ❻h ❼f ❽g

120
❶テレビを　みます。 ❷おんがくを　ききます。
❸しんぶんを　よみます。 ❹にっきを　かきます。
❺かじを　します。 ❻おふろに　はいります。
❼がっこうに　いきます。 ❽うちに　かえります。

③ こたえ ❶c ❷b ❸c ❹b ❺b

121
❶ 9（く）じです。ごぜん　9（く）じです。
❷ 7（しち）じです。ごご　7（しち）じです。
❸ 6（ろく）じです。ごご　6（ろく）じです。
❹ 11(じゅういち)じです。ごぜん　11(じゅういち)じです。
❺ 10（じゅう）じはんです。ごご　10（じゅう）じはんです。

④ こたえ ❶しちじ ❷じゅうじ ❸よじはん ❹かえります ❺みます ❻がっこう

122 こたえと　おなじ。

⑤ こたえ ❶ごじ　じゅうごふん ❷ろくじ　さんじゅっぷん ❸しちじはん

123
5（ご）じ 15（じゅうご）ふん　6（ろく）じ 30（さんじゅっ）ぷん　7（しち）じはん
❶ ははは　5（ご）じ　15（じゅうご）ふんに　おきます。
❷ ちちは　6(ろく)じ　30(さんじゅっ)ぷんに　おきます。
❸ わたしは　7（しち）じはんに　おきます。

❷ かいわとぶんぽう

① 124 86ページと　おなじ。

②① こたえ ❶c ❷b ❸a ❹e ❺d

125-129
❶ のだ：にほんは　あさ　9（く）じです。インドは　いま　なんじですか。
シン：あさ　5（ご）じはんですよ。
❷ のだ：エジプトは　いま　なんじですか。
シン：ええと、ごぜん　2（に）じです。
❸ のだ：フランスは　いま　なんじですか。
シン：フランスは　ごぜん　1（いち）じですよ。
❹ のだ：アメリカは　いま　なんじですか。
シン：アメリカですか。ニューヨークは　よる7（しち）じです。
❺ のだ：ニュージーランドは　いま　なんじですか。
シン：ひる　12（じゅうに）じですよ。

❸ かいわとぶんぽう

① 130 87ページと　おなじ。

②① こたえ (1) ❶a ❷c ❸e ❹d ❺b
(2) ❶i ❷g ❸f ❹j ❺h

131-135

❶ A：あのう、おしごとは？
B：かいしゃいんです。
A：まいにち　なんじに　おきますか。
B：そうですね。7（しち）じに　おきます。

❷ A：あのう、おしごとは？
B：しゅふです。
A：まいにち　なんじに　おきますか。
B：6（ろく）じごろ　おきます。

❸ A：すみません。おしごとは？
B：しごとは　ありません。していません。
A：まいにち　なんじに　おきますか。
B：5（ご）じはんに　おきます。
A：はやいですね。

❹ A：あのう、おしごとは？
B：がくせいです
A：まいにち　なんじに　おきますか。
B：10（じゅう）じごろ　おきます。
A：おそいですね。
B：はあ。

❺ A：すみません、おしごとは？
B：こうむいんです。
A：まいにち　なんじに　おきますか。
B：わたしは、6（ろく）じ　15（じゅうご）ふんに　おきます。

4 こたえ ❶a ❷d ❸b ❹c

136-139

❶ A：きょうは　よろしく　おねがいします。まず、まいにち　いつ　しんぶんを　よみますか。
B：あさ　よみます、コーヒーショップで。あさ　8（はち）じごろです。

❷ A：おふろは　いつ　はいりますか。
B：よる　はいります。11（じゅういち）じごろです。それから　ねます。

❸ A：うんどうは？ あさですか。よるですか。
B：ひる　うんどうします。まいにち　12（じゅうに）じに　スポーツジムに　いきます。
A：へえ、ひる。

❹ A：では、いつ　テレビを　みますか。
B：よるです。よる　10（じゅう）じごろ　みます。あさは　じかんが　ありません。

5 こたえ ❶おきます ❷かいしゃに　いきます ❸うちに　かえります ❹ねます

140

よしだです。かいしゃいんです。
まいにち　6（ろく）じはんに　おきます。
7（しち）じはんに　かいしゃに　いきます。
かいしゃで　しんぶんを　よみます。
よる　10（じゅう）じに　うちに　かえります。
ばんごはんを　たべます。
おふろに　はいります。12（じゅうに）じはんごろ　ねます。
まいにち　いそがしいです。

❹ どっかい

① こたえ ❶× ❷× ❸○ ❹× ❺○

② こたえ ❶○ ❷× ❸× ❹○ ❺×

141・142 90ページと　おなじ。

だい10か　いつが　いいですか　p92

❶ もじとことば

1 こたえ ❶a ❷b ❸c ❹g ❺d ❻f ❼e

143

❶しょくじを　します ❷テニスを　します
❸かいものを　します ❹びょういん ❺びじゅつかん
❻パーティー ❼コンサート

2 こたえ ❶a ❷f ❸b ❹c ❺d ❻e

144

❶せんしゅう ❷らいしゅう ❸かようび ❹もくようび
❺きのう ❻あした

3 こたえ ❶b ❷c ❸a ❹b ❺b

145

❶ かいしゃに　いきます。 ❷ うちに　かえります。
❸ ともだちが　うちに　きます。
❹ げつようびに　びょういんに　いきます。
❺ らいしゅうの　にちようびに　びじゅつかんに　いきます。

4 こたえ れい ❶b ❷c ❸b ❹c ❺d

5 こたえ ❶きょう ❷にちようび ❸こんしゅう ❹しょくじ ❺びょういん ❻パーティー

146 こたえと　おなじ。

6 ① こたえ ❶b ❷e ❸d ❹c ❺f ❻a ❼g

② こたえ ❶げつようび ❷かようび ❸すいようび ❹もくようび ❺きんようび ❻どようび ❼にちようび

🔊147
げつ　か　すい　もく　きん　ど　にち　び
❶ げつようびに　びょういんに　いきます。
❷ かようびに　コンサートに　いきます。
❸ すいようびに　テニスを　します。
❹ もくようびに　あねが　うちに　きます。
❺ きんようびに　ともだちと　しょくじを　します。
❻ どようびに　パーティーを　します。
❼ にちようびに　かいものに　いきます。

❷ かいわとぶんぽう

1 🔊148　95ページと　おなじ。

2 ① こたえ ❶シンさん（9じ/5じはん）
❷すずきさん（8じはん/5じ）
❸カーラさん（10じ/3じ）
❹ジョイさん（ごご2じ/ごご4じ）

🔊149-152
❶ A　：シンさん、かいしゃは　なんじから　なんじまでですか。
シン　：9（く）じから　5（ご）じはんまで　ですよ。
❷ A　：すずきさん、かいしゃは　なんじから　なんじまでですか。
すずき：うちは　8（はち）じはんから　5（ご）じまでです。
❸ A　：カーラさん、がっこうは　なんじから　なんじまでですか。
カーラ：10（じゅう）じから　3（さん）じまでです。
❹ A　：ジョイさん、にほんごの　がっこうは　なんじから　なんじまでですか。
ジョイ：ごご　2（に）じから　4（よ）じまでです。わたしは　ひるコースです。

② こたえ ❶c　e　❷a　h　❸d　f

🔊153
❶ とうきょうびじゅつかんは　10(じゅう)じから　6(ろく)じまでです。やすみは　げつようびです。
❷ やまだびょういんは　8（はち）じはんから　11（じゅういち）じまでです。やすみは　にちようびです。
❸ ふじデパートは　あさ　10(じゅう)じから　よる　8(はち)じまでです。やすみは　すいようびです。

❸ かいわとぶんぽう

1 🔊154　96ページと　おなじ。

2 ① こたえ ❶d　❷a　❸b　❹e

🔊155-158
❶ のだ：シンさんは　まいにち　なんじかん　しごとを　しますか。
シン：7（しち）じかんはん　します。ときどき　ざんぎょうを　します。
❷ のだ：じゃあ、まいにち　なんじかん　テレビを　みますか。
シン：あまり　みません。1（いち）じかんぐらいですね。
❸ のだ：まいにち　うんどうを　しますか。
シン：あさ　ヨガを　します。30（さんじゅっ）ぷんぐらい。きもちが　いいですよ。
❹ のだ：じゃあ、まいにち　なんじかん　インターネットをしますか。
シン：インターネットですか。そうですね、2（に）じかんぐらい　します。

🔊159
❶ シンさんは　7（しち）じかんはん　しごとを　します。
❷ シンさんは　1（いち）じかんぐらい　テレビを　みます。
❸ シンさんは　30（さんじゅっ）ぷんぐらい　うんどうを　します。
❹ シンさんは　2（に）じかんぐらい　インターネットをします。

❹ かいわとぶんぽう

1 🔊160　97ページと　おなじ。

2 こたえ ❶が　は　❷が　は

🔊161
❶ やまだ：しょくじは　いつが　いいですか。
ジョイ：げつようびが　いいです。
やまだ：なんじが　いいですか。
ジョイ：ひる　12（じゅうに）じは　どうですか。
やまだ：いいですよ。12（じゅうに）じですね。
❷ のだ　：テニスは　いつが　いいですか。
ホセ　：かようびが　いいです。
のだ　：すみません。かようびは　だめです。すいようびは　どうですか。
ホセ　：いいですよ。

❺ どっかい

①

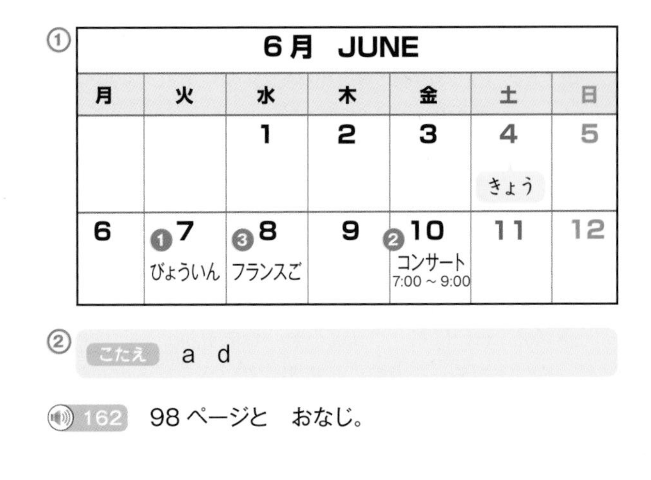

6月 JUNE						
月	火	水	木	金	土	日
		1	2	3	4 きょう	5
6	❶7 びょういん	❸8 フランスご	9	❷10 コンサート 7:00～9:00	11	12

② こたえ a d

162 98ページと おなじ。

◆ トピック6 やすみのひ1

だい11か しゅみは なんですか p102

❶ もじとことば

① こたえ スポーツ(a e l m)
えいが(b d f i j)
おんがく(c g h k)

163
❶ スポーツ a サッカー e テニス l やきゅう
m じゅうどう
❷ えいが b れんあい d アクション f コメディ
i アニメ j ホラー
❸ おんがく c クラシック g ロック h ポップス
k ジャズ

② こたえ ❶c ❷a ❸c ❹a ❺b ❻b

164
❶ マンガを よみます。
❷ おんがくを ききます。
❸ うちで ゆっくりします。
❹ サッカーを します。
❺ しゃしんを とります。
❻ えを かきます。

③ こたえ ❶ほん ❷しゅみ ❸しゃしん ❹ざっし
❺がいこくご

165 こたえと おなじ。

④ こたえ ❶ききます ❷よみます ❸かきます
❹はなします ❺みます ❻いいます

166
いいます はなします よみます みます ききます
かきます
❶ おんがくを ききます。 ❷ ほんを よみます。
❸ Eメールを かきます。 ❹ にほんごを はなします。
❺ えいがを みます。 ❻ なまえを いいます。

❷ かいわとぶんぽう

① 167 104ページと おなじ。

② こたえ ❶a g ❷d e ❸c f ❹b h

168-171
❶ A：さいとうさん、しゅみは なんですか。
さいとう：わたしの しゅみは スポーツです。
A：どんな スポーツが すきですか。
さいとう：じゅうどうが すきです。
A：そうですか。
❷ A：あべさん、しゅみは なんですか。
あべ：わたしの しゅみは えいがです。
A：どんな えいがが すきですか。
あべ：ホラーえいがが すきです。
A：そうですか。
❸ A：カーラさん、しゅみは なんですか。
カーラ：わたしは よく ほんを よみます。
A：どんな ほんが すきですか。
カーラ：SFが だいすきです。
A：SFですか。
❹ A：パクさん、しゅみは なんですか。
パク：わたしの しゅみは おんがくです。
A：どんな おんがくが すきですか。
パク：クラシックが だいすきです。
A：そうですか。

❸ かいわとぶんぽう

① 172 105ページと おなじ。

②① こたえ ❶d e ❷b a ❸c f ❹a b

173-176
❶ A：さとうさん、がいこくごが できますか？
さとう：はい、すこし。
A：なにごが できますか？
さとう：わたしは ドイツごが できます。
A：へえ、そうですか。フランスごは？
さとう：ああ、フランスごは できません。
❷ A：アリさんは ギター、できますか。
アリ：ギター？ はい、すこし できます。
A：いいですね。じゃあ、ピアノは？
アリ：ああ、ピアノは できません。

❸ A　　：アニスさん、ダンス、できますか。
アニス：ダンス？　ふふ、わたしは　フラメンコが　できます。
A　　：え、フラメンコ？　スペインの　ダンス？
アニス：はい。でも、スペインごは　できませんよ。
A　　：そうですか。
❹ A　　：パウロさんは　ギターが　できますか。
パウロ：ギターですか？　いいえ。…あの、わたし、ピアノが　できます。
A　　：え、ピアノ？
パウロ：はい、ジャズピアノです。
A　　：へえ、すごいですね。

❹ かいわとぶんぽう

1 177　106ページと　おなじ。

2 ②　こたえ　きむらさん　❶b　❷c　❸f　❹a

178-181
❶ A　　：きむらさんは、マンガが　すきですか。
きむら：はい、よく　トイレで　マンガを　よみます。
A　　：トイレですか。
きむら：はい。
❷ A　　：きむらさん、どこで　おんがくを　ききますか。
きむら：おふろ、です。おふろで　おんがくを　ききます。
A　　：いいですね。
❸ A　　：きむらさんは、しゃしんが すきですか。
きむら：はい、だいすきです。えきで　よく　しゃしんをとります。
A　　：そうですか。えきですか。
❹ A　　：きむらさん、スポーツは すきですか。
きむら：スポーツ？　ああ、　わたしは　へやで　します。
A　　：え？　へや、ですか。
きむら：はい、コンピューターゲームの　サッカーが　だいすきです。
A　　：ああ、コンピューターゲームですか。

3 ①　こたえ　❶a　します　❷c　しません　❸d　しません　❹a　します　❺b　します

182
❶ ひとりは　よく　します。
❷ よにんは　あまり　しません。
❸ ふたりは　ぜんぜん　しません。
❹ ごにんは　よく　します。
❺ さんにんは　ときどき　します。

❺ どっかい

②　こたえ　❶やまだ　❷さかもと　❸さいとう

183-185　108ページと　おなじ。

だい12か　いっしょに　いきませんか　p110

❶ もじとことば

1　こたえ　❶d　❷e　❸f　❹c　❺a　❻b

186
❶ポスター　❷チケット　❸カレンダー　❹コンサート　❺まつり　❻しあい

2　こたえ　❶g　❷c　❸f　❹b　❺h　❻d　❼a　❽e

187
きのう　きょう　あした　せんしゅう　こんしゅう
らいしゅう　せんげつ　こんげつ　らいげつ
きょねん　ことし　らいねん

3 188
いち　に　さん　よん　し　ご　ろく　なな　しち　はち
きゅう　く　じゅう

5　こたえ　❶a　❷a　❸b　❹a　❺b　❻a　❼b　❽a　❾b

189
❶いちがつ　❷しちがつ　❸しがつ　❹みっか　❺ようか
❻いつか　❼はちがつ　なのか
❽ごがつ　じゅういちにち
❾じゅうにがつ　じゅうさんにち

6　こたえ　❶ついたち　❷ふつか　❸みっか　❹むいか　❺なのか　❻とおか

190　こたえと　おなじ。

❷ かいわとぶんぽう

1 191　112ページと　おなじ。

2　こたえ　❶×　に　❷×　❸に　❹の　に

192
❶ アニメえいがは　きょう　あります。
ホラーえいがは　15（じゅうご）日に　あります。
❷ パーティーは　らいしゅう　あります。
❸ もくようびに　びじゅつかんに　いきます。
❹ こんしゅうの　どようびに　コンサートに　いきます。

③① 193 れい

・4月（しがつ）29日（にじゅうくにち）に　みなとパークで　ぼんさいコンテストが　あります。
・4月（しがつ）29日（にじゅうくにち）に　こくさいホールで　アニメえいがが　あります。
・4月（しがつ）30日（さんじゅうにち）に　こくさいホールで　たいこコンサートが　あります。
・5月（ごがつ）1日（ついたち）に　みなとパークで　しゃしんコンテストが　あります。
・5月（ごがつ）1日（ついたち）に　こくさいホールで　れんあいえいがが　あります。
・5月（ごがつ）2日（ふつか）に　みなとパークで　カラオケコンテストが　あります。
・5月（ごがつ）3日（みっか）に　こくさいホールで　ジャズコンサートが　あります。
・5月（ごがつ）3日（みっか）に　こくさいホールで　ホラーえいがが　あります。
・5月（ごがつ）4日（よっか）に　みなとパークで　ダンスコンテストが　あります。
・5月（ごがつ）5日（いつか）に　こくさいホールで　Jポップコンサートが　あります。

❸ かいわとぶんぽう

① 194　114ページと　おなじ。

②①　こたえ　①みに　いきます　②ききに　いきます　③とりに　いきます　④かいに　いきます

195
❶ みます → みに　いきます
❷ ききます → ききに　いきます
❸ とります → とりに　いきます
❹ かいます → かいに　いきます

②　こたえ　①a　②d　③c　④b

196
❶ ぼんさいを　みに　いきます。
❷ まちに　アニメの　DVDを　かいに　いきます。
❸ こうえんに　しゃしんを　とりに　いきます。
❹ ジャズコンサートを　ききに　いきます。

③　こたえ　①いきませんか　いきましょう
②しませんか　しましょう
③ききに　いきませんか　ききに　いきましょう
④みに　いきませんか　みに　いきましょう

197-200
❶ A：あした　いっしょに　こうえんに　いきませんか。
B：いいですね。いきましょう。
❷ A：らいしゅう　いっしょに　カラオケを　しませんか。
B：いいですね。しましょう。
❸ A：どようびに　ジャズコンサートを　ききに　いきませんか。
B：いいですね。ききに　いきましょう。
❹ A：いっしょに　ダンスコンテストを　みに　いきませんか。
B：いいですね。みに　いきましょう。

④①　こたえ　❶ 1(c)　2(a)　3(b)　❷ 1(a)　2(c)　3(b)

201・202
❶ かわい：らいしゅう　みなとパークで　カラオケコンテストが　ありますよ。
ヤン　：へえ、らいしゅう？　いつですか。
かわい：16日（じゅうろくにち）です。いっしょに　みに　いきませんか。
ヤン　：いいですね。いきましょう。
❷ パク　：9月（くがつ）に　こくさいホールで　コンサートが　ありますよ。
すずき：いいですね。9月（くがつ）の　いつですか。
パク　：30日（さんじゅうにち）です。いっしょに　ききに　いきませんか。
すずき：30日（さんじゅうにち）は　ちょっと…。すみません。
パク　：そうですか。

❹ どっかい

こたえ　①4月29日　5月5日
②みなとパーク（しゃしんコンテスト）
（カラオケコンテスト）
こくさいホール（アニメえいが）
（Jポップコンサート）
③カラオケコンテスト

203　116ページと　おなじ。

◆ トピック7　まち

だい13か　どうやって　いきますか　p118

❶ もじとことば

①①　こたえ　①c　g　②d　i　③b　j　④a　h　⑤e　f

② 204
❶ えきで　でんしゃに　のります。
❷ えきで　ちかてつに　のります。
❸ タクシーのりばで　タクシーに　のります。
❹ バスのりば／バスていで　バスに　のります。

❺ くうこうで　ひこうきに　のります。

② こたえ　れい　❶c　❷b　❸a　❹b

③ こたえ　❶a　❷c　❸e　❹b　❺d

205
❶ やすいです　たかいです
❷ ふべんです　べんりです
❸ ちかいです　とおいです
❹ おそいです　はやいです
❺ つかれます　らくです

④ こたえ　❶えき　❷にもつ　❸じてんしゃ　❹くるま　❺バイク

206　こたえと　おなじ。

⑤ 207
ひがし　にし　みなみ　きた　ぐち
きたぐち　みなみぐち　にしぐち　ひがしぐち

❷ かいわとぶんぽう

① 208　120ページと　おなじ。

② こたえ　（まで）（から）（まで）（で）（から）（まで）

209
ホセ：リサさんは　がっこうまで　どうやって　いきますか。
リサ：わたしは　さくらえきから　ふじえきまで　ちかてつで　いきます。
ホセ：ふじえきから　どうやって　いきますか。
リサ：がっこうまで　あるいて　いきます。

❸ かいわとぶんぽう

① 210　121ページと　おなじ。

② こたえ　❶a　❷b　❸b　❹a

211
❶ くうこうで　ひこうきに　のります。
❷ ホテルで　タクシーを　おります。
❸ みどりえきで　でんしゃを　おります。
❹ みどりえきで　バスに　のります。

③ こたえ　❶a c b d　❷b a c　❸a b c　❹c a d b

212
❶ うちから　Aえきまで　バスで　いきます。
❷ Aえきで　ちかてつに　のります。
❸ Bえきで　ちかてつを　おります。
❹ Bえきから　こうえんまで　あるいて　いきます。

❹ かいわとぶんぽう

① 213　122ページと　おなじ。

②① こたえ　❶b e　❷a j　❸c g　❹c i

214-217
❶ たなか：すみません、ホテルから　くうこうまで　どうやって　いきますか。
ホテルのひと：くうこうは　バスが　いいですよ。やすいですから。
たなか：そうですか。ありがとうございます。
❷ キム　：あのう、ここから　くうこうまで　どうやって　いきますか。
ホテルのひと：そうですね。くうこうは　たぶん　タクシーが　いいですよ。らくですから。
キム　：そうですか。ありがとうございます。
❸ よしだ：すみません、あのう、くうこうまで　どうやって　いきますか。
ホテルのひと：でんしゃが　いいですよ。はやいですから。
よしだ：でんしゃ。あのう、タクシーは　どうですか。
ホテルのひと：さあ、タクシーは　ちょっと　わかりません。
よしだ：そうですか。ありがとう。
❹ アニス：あのう、ここから　くうこうまで　どうやって　いきますか。
ホテルのひと：くうこうは　でんしゃが　いいですよ。べんりですから。
アニス：そうですか。じゃあ、でんしゃで　いきます。どうも　ありがとう。

218
❶ くうこうは　バスが　いいです。やすいですから。
❷ くうこうは　タクシーが　いいです。らくですから。
❸ くうこうは　でんしゃが　いいです。はやいですから。
❹ くうこうは　でんしゃが　いいです。べんりですから。

❺ かいわ

① こたえ　❶c　❷d　❸b　❹a

219
きゃく　　：すみません、おねがいします。
うんてんしゅ：はい、どうぞ。
うんてんしゅ：どちらまでですか。

きゃく　　　：ふじホテルまで　おねがいします。

きゃく　　　：ふじホテルは　とおいですか。
うんてんしゅ：20（にじゅっ）ぷんぐらいです。

きゃく　　　：いくらですか。
うんてんしゅ：3,200（さんぜんにひゃく）えんです。

❻ どっかい

① こたえ　みどりえきから　レストランまで
どうやって　いきますか。

② こたえ　b

220・221　124 ページと　おなじ。

だい 14 か　ゆうめいな　おてらです　p126

❶ もじとことば

1 こたえ　❶c　❷f　❸e　❹g　❺d　❻j　❼b
❽k　❾i　❿h　⓫a

222
❶ビル　❷じんじゃ　❸おてら　❹びょういん　❺みせ
❻とおり　❼デパート　❽ぎんこう　❾きっさてん
❿えき　⓫ホテル

2 こたえ　れい　❶c　❷a　❸c　❹c　❺c

3 こたえ　❶d　❷e　❸a　❹c

223
❶たかいです　ひくいです
❷あたらしいです　ふるいです
❸しずかです　にぎやかです
❹ちいさいです　おおきいです

4 こたえ　❶まえ　❷うしろ　❸なか　❹となり
❺ちかく

224　こたえと　おなじ。

❷ かいわとぶんぽう

1 225　128 ページと　おなじ。

2① こたえ　❶たかい　ビル　❷ふるい　えき
❸にぎやかな　とおり
❹ゆうめいな　おてら　❺ちいさい　ホテル
❻きれいな　こうえん　❼しずかな　へや
❽おいしい　レストラン

226　こたえと　おなじ。

② こたえ　イけいようし（1　2　5　8）
ナけいようし（3　4　6　7）

3① 227　れい
・あたらしい　えきが　あります。
・おおきい　ぎんこうが　あります。
・ふるい　おてらは　ありません。
・たかい　ビルは　ありません。
・にぎやかな　とおりは　ありません。

❸ かいわとぶんぽう

1 228　130 ページと　おなじ。

2 こたえ　❶えきの　となり　❷えきの　うしろ
❸えきの　まえ
❹（ぎんこうは）えきの　となりには　ありません
❺（そばやは）ホテルの　なかには　ありません

229
❶ きっさてんは　えきの　となりに　あります。
❷ ホテルは　えきの　うしろに　あります。
❸ デパートは　えきの　まえに　あります。
❹ いいえ、えきの　となりには　ありません。デパートの　ちかくに　あります。
❺ いいえ、ホテルの　なかには　ありません。えきの　なかに　あります。

3 こたえ　❶えきの　まえに　います
❷えきの　なかに　います
❸レストランの　ちかくに　います
❹いいえ、（すずきさんは）えきの　まえには　いません
❺いいえ、（のださんは）ぎんこうの　なかには　いません

230
❶ シンさんは　えきの　まえに　います。
❷ キムさんは　えきの　なかに　います。
❸ カーラさんは　レストランの　ちかくに　います。
❹ いいえ、えきの　まえには　いません。デパートの　なかに　います。
❺ いいえ、ぎんこうの　なかには　いません。ぎんこうの　まえに　います。

4① こたえ　❶c　❷b　❸a　❹d　❺e

231

A　　：もしもし、すずきさん？　いま、どこに　いますか。
すずき：わたしは　いま、デパートに　います。
A　　：そうですか。デパートは　どこに　ありますか。
すずき：えきの　まえに　あります。
A　　：わかりました。いま、いきます。

❹ どっかい

②

こたえ　c

◆ トピック８　かいもの

だい 15 か　かわいい！　p134

❶ もじとことば

①　こたえ　❶a　❷i　❸c　❹e　❺j　❻k　❼g　❽h　❾d　❿f　⓫l　⓬m　⓭b　⓮n

232
❶Tシャツ　❷かさ　❸とけい　❹えはがき　❺ハンカチ
❻でんしじしょ　❼カメラ　❽ビデオカメラ
❾ティーカップ　❿マウス　⓫はな　⓬アクセサリー
⓭ぼうし　⓮さいふ

②　こたえ　❶a　❷c　❸d　❹b　❺e

233
❶ハンカチ　いちまい　❷とけい　いっこ
❸ほん　いっさつ　❹かさ　いっぽん　❺こども　ひとり

③　こたえ　❶いっこ　❷にまい　❸さんぼん
❹よんさつ　❺ごこ　❻よにん

234　こたえと　おなじ。

❷ かいわとぶんぽう

①　235　136 ページと　おなじ。

②①　こたえ

	❶	❷	❸	❹	❺
(1)	a	c	b	e	d
(2)	f	h	j	i	g

236-240
❶ すずき：カーラさんは　なにが　ほしいですか。
カーラ：アクセサリー！　かわいい　アクセサリーが　ほしいです。
❷ すずき：シンさんは　なにが　ほしいですか。
シン　：わたしですか。くるま。わたしは　かっこいい　くるまが　ほしいです。
❸ すずき：ジョイさんは　なにが　ほしいですか。
ジョイ：ティーカップが　ほしいです。
すずき：へえ。どんな　ティーカップですか。
ジョイ：そうですねえ。おしゃれな　ティーカップが　ほしいです。
❹ すずき：キムさんは　なにが　ほしいですか。
キム　：わたしは　とけいが　ほしいです。
すずき：どんな　とけい？
キム　：アニメの　とけいが　ほしいです。
❺ すずき：ホセさんは　なにが　ほしいですか。
ホセ　：わたしですか？　わたしは　あたらしい　テレビが　ほしいです。
すずき：ふーん、テレビですか。

❸ かいわとぶんぽう

①　241　137 ページと　おなじ。

②①　こたえ　❶a　❷e　❸b　❹d　❺c

242-246
❶ キム　：すずきさんは　カーラさんに　なにを　あげますか。
すずき：わたしは　アクセサリーを　あげます。
キム　：いいですね。カーラさんは　アクセサリーが　すきですから。
❷ キム　：シンさんは　カーラさんに　なにを　あげますか。
シン　：わたしは　あたらしい　マウスを　あげます。とても　べんりですよ。
キム　：マウスですか。いいですね。
❸ キム　：ホセさんは　カーラさんに　なにを　あげますか。
ホセ　：わたしは　チョコレートを　あげます。
キム　：カーラさんは　チョコレートが　だいすきですからね。
❹ キム　：ジョイさんは　カーラさんに　なにを　あげますか。
ジョイ：わたしは　はなを　あげます。わたしの　いえの　はなです。
キム　：ジョイさんの　はなは　きれいですよね。
❺ キム　：あべさんは　カーラさんに　なにを　あげますか。
あべ　：わたしは　にほんの　ハンカチを　あげます。
キム　：いいですね。

247
❶ すずきさんは　カーラさんに　アクセサリーを　あげます。

❷ シンさんは　カーラさんに　あたらしい　マウスを　あげます。
❸ ホセさんは　カーラさんに　チョコレートを　あげます。
❹ ジョイさんは　カーラさんに　いえの　はなを　あげます。
❺ あべさんは　カーラさんに　にほんの　ハンカチを　あげます。

❹ かいわとぶんぽう

1 248　138 ページと　おなじ。

2 ①
こたえ　❶あげました　❷あげませんでした
❸もらいました　❹もらいませんでした
❺しました　❻しませんでした

249　こたえと　おなじ。

②
こたえ　❶b　❷b　❸b　❹a

250
❶ きのう　ノートを　3（さん）さつ　かいました。
❷ きょねん　にほんで　かわいい　ふくを　かいました。くつは　かいませんでした。
❸ きょねんの　たんじょうびに　ははに　ぼうしを　あげました。
❹ らいしゅうの　にちようびに　ともだちと　かいものを　します。

3 ①
こたえ

	❶	❷	❸	❹
(1)	f	e	a	d
(2)	h	i	j	g

251-254
❶ ホセ　：アニスさん、おしゃれな　ぼうしですね。
アニス：どうも　ありがとう。　この　ぼうし、ははに　もらいました。
ホセ　：おかあさんに。ふーん。とても　いいですよ。
アニス：そうですか。
❷ すずき：アニスさん、かわいい　かさですね。
アニス：あ、この　かさ。たんじょうびに　もらいました。
すずき：だれに　もらいましたか。
アニス：あねです。あねに　もらいました。
すずき：ああ、おねえさんに。いいですね。
❸ ジョイ：きれいな　アクセサリーですね、アニスさん。
アニス：ありがとう。ともだちに　もらいました。
ジョイ：そうですか。ともだちに。
この　とけいも　もらいましたか。
アニス：いいえ。デパートで　かいました。
ジョイ：ああ、そうですか。
❹ シン　：あ、あたらしい　でんしじしょですね。
アニス：はい。とうきょうで　かいました。
シン　：そうですか。この　ビデオカメラも　かいましたか。
アニス：もらいました、ちちに。
シン　：そうですか、おとうさんに。いい　ビデオカメラですね。

255　れい
❶ アニスさんは　おかあさんに　ぼうしを　もらいました。
❷ アニスさんは　おねえさんに　かさを　もらいました。
❸ アニスさんは　ともだちに　アクセサリーを　もらいました。
❹ アニスさんは　おとうさんに　ビデオカメラを　もらいました。

❺ どっかい

こたえ

❶	かさ	とけい	T シャツ
❷	はは	ちち	あにとあね

256　140 ページと　おなじ。

だい 16 か　これ、ください　p142

❶ もじとことば

1
こたえ　❶a　❷g　❸c　❹l　❺i　❻h　❼e
❽j　❾b　❿d　⓫f　⓬m　⓭k

257
❶くつ　❷くつした　❸コート　❹バッグ　❺パンツ
❻ワンピース　❼ジャケット　❽ジーンズ　❾スカート
❿スーツ　⓫シャツ　⓬ネクタイ　⓭スカーフ

2
こたえ　はきます（a　b　g　i　j）
きます（c　d　e　f　h）

258
ⓐくつを　はきます　ⓑスカートを　はきます
ⓒコートを　きます　ⓓスーツを　きます
ⓔジャケットを　きます　ⓕシャツを　きます
ⓖくつしたを　はきます　ⓗワンピースを　きます
ⓘパンツを　はきます　ⓙジーンズを　はきます

3
こたえ　❶a　❷a　❸c　❹b　❺a

259
❶さんびゃくえん　❷せんえん　❸さんまんえん
❹せんごひゃくえん　❺ごせんえん

④ こたえ ❶c ❷b ❸b ❹c ❺a

⑤ こたえ ❶かいもの ❷かいます
❸ひゃくえん　せんえん　いちまんえん

260
かいます　かいもの　おかね　ひゃくえん　せんえん
いちまんえん
❶ らいしゅう　かいものに　いきます。
❷ くつしたと　Tシャツと　コートを　かいます。
❸ くつしたは　ひゃくえんです。Tシャツは　せんえんです。
コートは　いちまんえんです。

❷ かいわとぶんぽう

①261　144ページと　おなじ。

②①

こたえ	❶	❷	❸	❹
(1)	e	c	a	d
(2)	f	i	g	h

262-265
❶ A：すみません。これは　いくらですか。
B：どれですか。
A：これです。この　ジャケットです。
B：ええと、8,000（はっせん）えんです。
❷ A：すみません。あれ、いくらですか。
B：どれですか。
A：あの　パンツです。
B：ああ、あの　パンツですね。あれは　2,500（にせんごひゃく）えんです。
❸ A：すみません。それは　いくらですか。
B：どれですか。
A：その　くつしたです。
B：あ、くつしたですか。ええと、1,000（せん）えんです。
❹ A：すみません。これ、いくらですか。
B：はい、どれですか。
A：これです。この　コートです。
B：あ、12,500（いちまんにせんごひゃく）えんです。すてきですよ。

② こたえ ❶a ❷b ❸c ❹c

266
❶ きゃく　：すみません。これ、いくらですか。
てんいん：はい、どれですか。
きゃく　：これです。この　バッグです。
❷ きゃく　：すみません。その　ジーンズ、いくらですか。
てんいん：ええと、6,500（ろくせんごひゃく）えんです。
❸ きゃく　：すみません。あの　ワンピースは　いくらですか。
てんいん：ああ、あれは　30,000（さんまん）えんです。
❹ きゃく　：すみません。トイレは　どこですか。
てんいん：あ、トイレですか。あそこです。

❸ かいわとぶんぽう

①267　146ページと　おなじ。

②② こたえ ❶c ❷f ❸b ❹j ❺d

268-272
❶ きゃく　：すみません。この　Tシャツ、ほかの　いろは　ありますか。
てんいん：はい。あおと　みどりが　あります。
きゃく　：じゃあ、あおを　ください。
❷ きゃく　：あのう、この　ネクタイ、ほかの　いろは　ありますか。
てんいん：あかと　きいろが　あります。
きゃく　：じゃあ、きいろを　ください。
❸ きゃく　：すみません。この　くつした、ほかの　いろは　ありますか。
てんいん：オレンジ、ピンク、あおが　あります。
きゃく　：ピンクが　いいです。ピンクを　ください。
❹ きゃく　：すみません。この　コート、ほかの　いろは　ありますか。
てんいん：はい、ちゃいろと　グレーです。
きゃく　：そうですか。じゃあ、グレーを　ください。
❺ きゃく　：あのう、この　くつ、ほかの　いろは　ありますか。
てんいん：くろと　あかが　あります。
きゃく　：くろが　ありますか。じゃあ、くろを　ください。

❹ かいわ

こたえ ❶a ❷c ❸b ❹d

273-274
てんいん：いらっしゃいませ。
きゃく　：すみません。ほかの　いろは　ありますか。
てんいん：はい、あります。
きゃく　：きて　みても　いいですか。
てんいん：はい、どうぞ。
てんいん：よく　にあいますよ。
きゃく　：じゃあ、これ、ください。
てんいん：はい。ありがとうございます。

きゃく　：すみません。ほかの　いろは　ありますか。
てんいん：いいえ、ありません。
きゃく　：じゃあ、いいです。

❺ どっかい

こたえ

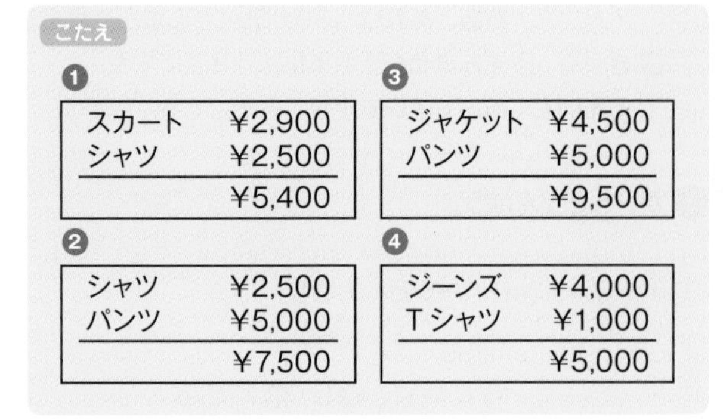

275 148ページと　おなじ。

◆ トピック９　やすみのひ２

だい１７か　たのしかったです　p150

❶ もじとことば

1 こたえ

276 こたえと　おなじ。

2 こたえ ❶d ❷c ❸e ❹a ❺b

277
❶たのしいです ❷いそがしいです ❸うれしいです
❹おもしろいです ❺おいしいです

❷ かいわとぶんぽう

1 278 151ページと　おなじ。

2 こたえ ❶b ❷a ❸a ❹b ❺a

279
❶ きのう　ともだちと　テニスを　しました。
❷ きょうの　ごご　まちに　いきます。
❸ A：あした　なにを　しますか。
　B：うちで　えいがを　みます。
❹ A：きのう　がっこうに　いきましたか。
　B：いいえ、いきませんでした。
❺ A：まいにち　なんじに　おきますか。
　B：7（しち）じに　おきます。

3 1 こたえ
❶うれしかったです
❷うれしくなかったです
❸おもしろかったです
❹おもしろくなかったです
❺おいしかったです
❻おいしくなかったです

280
うれしいです　うれしかったです
うれしくないです　うれしくなかったです
おもしろいです　おもしろかったです
おもしろくないです　おもしろくなかったです
おいしいです　おいしかったです
おいしくないです　おいしくなかったです
いいです　よかったです
よくないです　よくなかったです

2 こたえ ❶b ❷a ❸b

281
❶ きのう　パーティーに　いきました。とても　たのしかったです。
❷ わたしは　よく　ピザを　たべます。ピザは　おいしいです。
❸ どようびに　えいがを　みました。あまり　おもしろくなかったです。

4 1 こたえ
❶にぎやかでした
❷にぎやかじゃなかったです
❸しずかでした ❹しずかじゃなかったです
❺きれいでした ❻きれいじゃなかったです

282
にぎやかです　にぎやかでした
にぎやかじゃないです　にぎやかじゃなかったです
しずかです　しずかでした
しずかじゃないです　しずかじゃなかったです
きれいです　きれいでした
きれいじゃないです　きれいじゃなかったです

2 こたえ ❶b ❷b ❸b

283
❶ はなびは　とても　きれいでした。
❷ まちは　にぎやかでした。
❸ よる、あまり　しずかじゃなかったです。

5 1 こたえ ❶b d c e a ❷c e a d b
❸a d c e b ❹b d c e a

🔊 284

❶ ホセさんは　こうえんで　こどもと　あそびました。
❷ キムさんは　うちで　そうじを　しました。
❸ あべさんは　ともだちと　びじゅつかんに　いきました。
❹ ジョイさんは　うちで　マンガを　よみました。

② こたえ ❶a ❷c ❸b ❹d

🔊 285-288

❶ すずき：ホセさん、せんしゅうの　やすみは　どうでしたか。
ホセ　：こうえんで　こどもと　あそびました。
すずき：よかったですね。
ホセ　：はい、たのしかったです。
❷ よしだ：キムさん、やすみは　なにを　しましたか。
キム　：うちで　そうじを　しました。
よしだ：そうじですか。
キム　：はい、もう、たいへんでした。
よしだ：そうですか。
❸ シン　：あべさん、やすみは　どうでしたか。
あべ　：びじゅつかんに　いきました。
シン　：だれと？
あべ　：ともだちと　いきました。びじゅつかんの　えが　きれいでした。
シン　：ふーん、よかったですねえ。
❹ たなか：ジョイさん、やすみは？
ジョイ：うちで　マンガを　よみました。
たなか：おもしろかったですか。
ジョイ：うーん、あまり　おもしろくなかったです。
たなか：そうですか。

❸ かいわとぶんぽう

① 🔊 289　154 ページと　おなじ。

②① こたえ ❶（a　f）❷（c　e）❸（b　d）

🔊 290-292

❶ よしだ：チョウさん、やすみに　どこに　いきましたか。
チョウ：こうえんに　いきました。
よしだ：そうですか。こうえんで　なにを　しましたか。
チョウ：なにも　しませんでした。
❷ シン　：かわいさん、やすみに　どこに　いきましたか。
かわい：どこにも　いきませんでした。うちに　いました。
シン　：そうですか。うちで　なにを　しましたか。
かわい：テレビを　みました。
❸ キム　：のださん、やすみに　どこに　いきましたか。
のだ　：ともだちの　うちに　いきました。
キム　：そうですか。ともだちの　うちで　なにを　しましたか。
のだ　：えいがを　みました。

③① こたえ ❶1(c)　2(a)　3(b)
❷1(c)　2(b)　3(a)

🔊 293

❶ すずき：パクさん、せんしゅうの　やすみは　どこに　いきましたか。
パク　：どこにも　いきませんでした。うちに　いました。
すずき：そうですか。うちで　なにを　しましたか。
パク　：かんこくの　えいがを　みました。
すずき：どうでしたか。
パク　：おもしろかったです。
❷ ホセ　：カーラさん、あたらしい　ショッピングセンターに　いきましたか。
カーラ：はい、きのう　いきました。
ホセ　：そうですか。どうでしたか。
カーラ：にぎやかでした。
ホセ　：なにを　かいましたか。
カーラ：なにも　かいませんでした。
ホセ　：そうですか。

❹ どっかい

① こたえ

やまださんは、
❶（ともだち）と　しょくじを　しました。
❷（とても　たのしかったです）。
さかいさんは、
❶（うち）で（そうじ）を　しました。
❷（たいへんでした）。
おがわさんは、
❶たんじょうびの（パーティー）を　しました。
まごに（プレゼント）を（もらいました）。
❷（うれしかったです）。

🔊 294-296　156 ページと　おなじ。

だい 18 か　つぎは　きょうとに　いきたいです　p158

❶ もじとことば

① こたえ

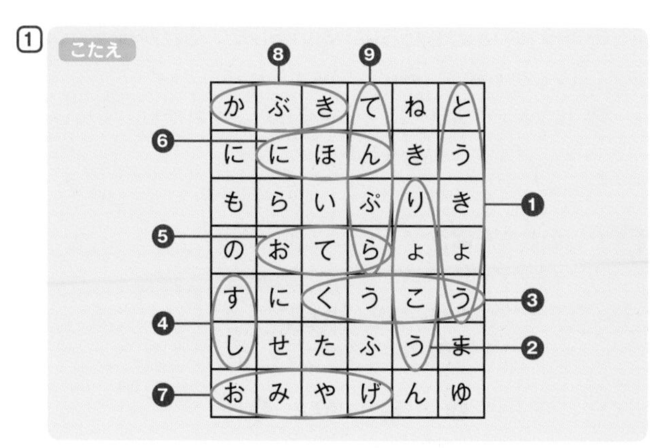

297 こたえと　おなじ。

② こたえ　れい　❶c　❷b　❸c　❹a　❺a

③ こたえ　❶a　❷c　❸b　❹a　❺a

298
❶ あした　ともだちに　あいます。
❷ デパートで　おみやげを　かいます。
❸ こうえんで　しゃしんを　とります。
❹ あねと　クラシックコンサートを　ききに　いきます。
❺ びじゅつかんに　えを　みに　いきます。

④ こたえ　❶にほん　❷とうきょう　❸おおさか
❹ひろしま

299 こたえと　おなじ。

⑤ こたえ　❶やすみます　❷にほん / にっぽん　いきます
❸とうきょう　あいます　❹きます

300
いきます　きます　あいます　やすみます　にほん
にっぽん　とうきょう
❶ はちがつに　しごとを　やすみます。
❷ にほん / にっぽんに　いきます。
❸ とうきょうで　ともだちに　あいます。
❹ ともだちが　ホテルに　きます。

❷ かいわとぶんぽう

① 301 160 ページと　おなじ。

② こたえ　❶a　❷d　❸c　❹b

302
❶ ホテルで　あさごはんを　たべました。それから、でんしゃで　あさくさに　いきました。
❷ しぶやで　ふくを　かいました。それから、おおきいこうえんに　いきました。
❸ ホテルで　ともだちに　あいました。それから、いっしょに　かぶきを　みに　いきました。
❹ とうきょうタワーに　いきました。それから、でんしゃでよこはまに　いきました。

❸ かいわとぶんぽう

① 303 161 ページと　おなじ。

②① こたえ　❶a　❷b　❸a　❹b

304
❶ そばを　たべました。たいへんでした。でも、おいしかったです。
❷ かぶきを　みました。きれいでした。そして、おもしろかったです。
❸ アイスクリームを　たべました。おいしかったです。でも、ちいさかったです。
❹ まつりを　みに　いきました。にぎやかでした。そして、たのしかったです。

② こたえ　●むずかしいです。でも、たのしいです。
●たのしいです。そして、おもしろいです。

❹ かいわとぶんぽう

① 305 162 ページと　おなじ。

②① こたえ　❶みます　みたいです　みたくないです
❷たべます　たべたいです
たべたくないです
❸いきます　いきたいです
いきたくないです
❹かいます　かいたいです
かいたくないです
❺のります　のりたいです
のりたくないです
❻します　したいです　したくないです

306 こたえと　おなじ。

② こたえ　❶a　みました　b　みませんでした
c　みたいです
❷a　たべました　b　たべませんでした
c　たべたいです
❸a　かいました　b　かいませんでした
c　かいたいです
❹a　しませんでした　b　したいです

307
❶ アリ　：とうきょうタワーを　みました。でも、ふじさんは　みませんでした。つぎは　ふじさんを　みたいです。
❷ パウロ：そばと　うどんを　たべました。でも、ラーメンは　たべませんでした。つぎは　ラーメンをたべたいです。
❸ ロザナ：ふくと　アクセサリーを　かいました。でも、きものは　かいませんでした。つぎは　きものをかいたいです。
❹ カール：J ポップの　コンサートに　いきました。でも、カラオケは　しませんでした。つぎは　カラオケを したいです。

③① こたえ ❸c ❹a ❻d ❽b

308
のりか：やすみは　どうでしたか。
パウロ：たのしかったですよ。とうきょうに　いきました。
のりか：よかったですね。とうきょうで　なにを　しましたか。
パウロ：かぶきを　みました。それから、そばを　たべました。
のりか：そばは、どうでしたか。
パウロ：たいへんでした。でも、おいしかったです。
のりか：そうですか。
パウロ：つぎは　きょうとに　いきたいです。

❺ どっかい

こたえ
ワン　❶ことしの８がつ　❷にほん、とうきょう
❸ひとりで　❹ひこうき
❺ともだちに　あいました。
ゆうめいな　おてらを　みに　いきました。
❻とても　おもしろかったです。
❼かいものを　したいです。
やまだ　❶きょねん　❷ひろしま　❸はは
❹しんかんせん
❺げんばくドームを　みました。
おいしい　りょうりを　たべました。
❻とても　よかったです。
そして　きれいでした。
❼ながさきに　いきたいです。

309・310　164ページと　おなじ。

かずとかぞえかた Numbers and How to Count

1 いち ichi	10 じゅう juu	100 ひゃく hyaku	1,000 せん sen
2 に ni	20 にじゅう nijuu	200 にひゃく nihyaku	3,000 さんぜん sanzen
3 さん san	30 さんじゅう sanjuu	300 さんびゃく sanbyaku	5,000 ごせん gosen
4 よん／し yon / shi	40 よんじゅう yonjuu	400 よんひゃく yonhyaku	8,000 はっせん hassen
5 ご go	50 ごじゅう gojuu	500 ごひゃく gohyaku	10,000 いちまん ichiman
6 ろく roku	60 ろくじゅう rokujuu	600 ろっぴゃく roppyaku	50,000 ごまん goman
7 なな／しち nana / shichi	70 ななじゅう nanajuu	700 ななひゃく nanahyaku	100,000 じゅうまん juuman
8 はち hachi	80 はちじゅう hachijuu	800 はっぴゃく happyaku	1,000,000 ひゃくまん hyakuman
9 きゅう／く kyuu / ku	90 きゅうじゅう kyuujuu	900 きゅうひゃく kyuuhyaku	

1	ひとつ hitotsu	いっこ ikko	ひとり hitori	いっさつ issatsu	いっぽん ippon	いちまい ichi-mai	いっさい issai
2	ふたつ futatsu	にこ ni-ko	ふたり futari	にさつ ni-satsu	にほん ni-hon	にまい ni-mai	にさい ni-sai
3	みっつ mittsu	さんこ san-ko	さんにん san-nin	さんさつ san-satsu	さんぼん san-bon	さんまい san-mai	さんさい san-sai
4	よっつ yottsu	よんこ yon-ko	よにん yo-nin	よんさつ yon-satsu	よんほん yon-hon	よんまい yon-mai	よんさい yon-sai
5	いつつ itsutsu	ごこ go-ko	ごにん go-nin	ごさつ go-satsu	ごほん go-hon	ごまい go-mai	ごさい go-sai
6	むっつ muttsu	ろっこ rokko	ろくにん roku-nin	ろくさつ roku-satsu	ろっぽん roppon	ろくまい roku-mai	ろくさい roku-sai
7	ななつ nanatsu	ななこ nana-ko	しちにん／ ななにん shichi-nin / nana-nin	ななさつ nana-satsu	ななほん nana-hon	ななまい nana-mai	ななさい nana-sai
8	やっつ yattsu	はちこ／ はっこ hachi-ko / hakko	はちにん hachi-nin	はっさつ hassatsu	はっぽん happon	はちまい hachi-mai	はっさい hassai
9	ここのつ kokonotsu	きゅうこ kyuu-ko	きゅうにん kyuu-nin	きゅうさつ kyuu-satsu	きゅうほん kyuu-hon	きゅうまい kyuu-mai	きゅうさい kyuu-sai
10	とお too	じゅっこ jukko	じゅうにん juu-nin	じゅっさつ jussatsu	じゅっぽん juppon	じゅうまい juu-mai	じゅっさい jussai
	いくつ ikutsu	なんこ nan-ko	なんにん nan-nin	なんさつ nan-satsu	なんぼん nan-bon	なんまい nan-mai	なんさい nan-sai

カレンダー Calendar (Days and Months)

1月	いちがつ ichi-gatsu	2月	にがつ ni-gatsu	3月	さんがつ san-gatsu
4月	しがつ shi-gatsu	5月	ごがつ go-gatsu	6月	ろくがつ roku-gatsu
7月	しちがつ shichi-gatsu	8月	はちがつ hachi-gatsu	9月	くがつ ku-gatsu
10月	じゅうがつ juu-gatsu	11月	じゅういちがつ juu-ichi-gatsu	12月	じゅうにがつ juu-ni-gatsu

日 にちようび nichiyoobi	月 げつようび getsuyoobi	火 かようび kayoobi	水 すいようび suiyoobi	木 もくようび mokuyoobi	金 きんようび kin'yoobi	土 どようび doyoobi
1日 ついたち tsuitachi	2日 ふつか futsuka	3日 みっか mikka	4日 よっか yokka	5日 いつか itsuka	6日 むいか muika	7日 なのか nanoka
8日 ようか yooka	9日 ここのか kokonoka	10日 とおか tooka	11日 じゅういちにち juu-ichi-nichi	12日 じゅうににち juu-ni-nichi	13日 じゅうさんにち juu-san-nichi	14日 じゅうよっか juu-yokka
15日 じゅうごにち juu-go-nichi	16日 じゅうろくにち juu-roku-nichi	17日 じゅうしちにち juu-shichi-nichi	18日 じゅうはちにち juu-hachi-nichi	19日 じゅうくにち juu-ku-nichi	20日 はつか hatsuka	21日 にじゅういちにち nijuu-ichi-nichi
22日 にじゅうににち nijuu-ni-nichi	23日 にじゅうさんにち nijuu-san-nichi	24日 にじゅうよっか nijuu-yokka	25日 にじゅうごにち nijuu-go-nichi	26日 にじゅうろくにち nijuu-roku-nichi	27日 にじゅうしちにち nijuu-shichi-nichi	28日 にじゅうはちにち nijuu-hachi-nichi
29日 にじゅうくにち nijuu-ku-nichi	30日 さんじゅうにち sanjuu-nichi	31日 さんじゅういちにち sanjuu-ichi-nichi				

トピック	か	にほんごで いいましょう
1. にほんご Japanese	だい１か ひらがな Hiragana	・ひらがなを よみます。／かきます。 Read/write hiragana.
	だい２か カタカナ Katakana	・カタカナを よみます。／かきます。 Read/write katakana.
2. わたし Myself	だい３か どうぞ よろしく Nice to meet you	・はじめて あった ひとと どんな あいさつを しますか。 How do you greet people when you meet them for the first time? ・はじめて あった ひとと なにを はなしますか。 What do you talk about with people you meet for the first time?
	だい４か かぞくは ３にんです There are three people in my family	・はじめて あった ひとと かぞくについて なにを はなしますか。 What do you say about your family when you meet people for the first time? ・かぞくの しゃしんを みて なにを はなしますか。 What do you talk about when you look at a family photo?
3. たべもの Food	だい5か なにが すきですか What kind of food do you like?	・あなたは いつも あさごはんを たべますか。 Do you always eat breakfast? ・たべものは なにが すきですか。のみものは なにが すきですか。 What food and drinks do you like?
	だい6か どこで たべますか Where are you going to have lunch?	・あなたは ひるごはんを いつも どこで たべますか。 Where do you always have lunch? ・ファーストフードの みせで たべますか。なにを たべますか。 Do you eat at fast food restaurants? What do you have?
4. いえ Home	だい7か へやが ３つ あります There are three rooms in my home	・どんな いえに すんで いますか。 What is your home like? ・へやに なにが ありますか。 What do you have in your room?
	だい8か いい へやですね It's a nice room	・へやの どこに なにが ありますか。 What things are there in your room and where are they? ・ともだちの いえに いった とき、ともだちが いえに きた とき、どんな ことを はなしますか。 What do you talk about when you visit a friend's home, and a friend visits your home?
5. せいかつ Daily Life	だい9か なんじに おきますか What time do you get up?	・いま なんじですか。 What time is it now? ・まいにち なんじに おきますか。なんじに ねますか。 What time do you get up and go to bed every day?
	だい10か いつが いいですか When is convenient for you?	・あなたの かいしゃは なんじから なんじまでですか。 What time do you start and finish work? ・あなたは まいにち なんじかん しごとを しますか。 How many hours do you work every day?

Nihongo Check

Marugoto: Japanese Language and Culture Starter A1
〈 Coursebook for Communicative Language Competences 〉

★☆☆：すこし わかりました　I understood a little.　★★☆：だいたい わかりました　I more or less understood.　★★★：よく わかりました　I understood well.

きほんぶん	ぶんぽう・ぶんけい	NO	ひょうか	コメント　(年／月／日)
あ、い、う、え、お ……… ん		1	☆☆☆	(/ /)
ア、イ、ウ、エ、オ ……… ン		2	☆☆☆	(/ /)
わたしは カーラです。	□ は □ です。	3	☆☆☆	(/ /)
わたしは にほんごが できます。	□ が できます。(L11) ＊	4	☆☆☆	
わたしも エンジニアです。	□ も □	5	☆☆☆	
かぞくは ちちと ははと わたしです。	□ と □	6	☆☆☆	(/ /)
あねは おおさかに すんで います。	□ に すんで います。	7	☆☆☆	
あにの こどもは 4さいです。	□ の □	8	☆☆☆	
にくが すきです。	□ が すきです。(L11) ＊	9	☆☆☆	(/ /)
やさいは すきじゃないです。		10	☆☆☆	
あさごはんを たべます。	□ を □ ます。	11	☆☆☆	
コーヒーを よく のみます。	よく □ ます。(L11) ＊	12	☆☆☆	
すきな りょうりは カレーです。	すきな □ は □ です。	13	☆☆☆	(/ /)
ラーメンやさんで ラーメンを たべます。	□ で □ ます。(L11) ＊	14	☆☆☆	
あの みせは おいしいです。	□ は □い です。(L7) ＊	15	☆☆☆	
いえに エアコンが あります。	□ に □ が あります。(L14) ＊	16	☆☆☆	(/ /)
いえに ねこが います。	□ に □ が います。	17	☆☆☆	
ベッドが 2つ あります。	□ が □ あります。	18	☆☆☆	
わたしの いえは せまいです。	□ は □い です。(L6) ＊	19	☆☆☆	
にんぎょうは たなの うえです。	□ は □ の □ です。(L14) ＊	20	☆☆☆	(/ /)
いま なんじですか。9じです。	□じ です。	21	☆☆☆	(/ /)
わたしは 7じに おきます。	□じ に □ ます。	22	☆☆☆	
かいしゃは 9じから 5じまでです。	□ から □ までです。(L13) ＊	23	☆☆☆	(/ /)
7じかん しごとを します。	□じかん □ ます。	24	☆☆☆	
きんようびが いいです。	□ が いいです。(L13) ＊	25	☆☆☆	

＊：同じ文型を使用している課
lesson in which the same grammar is taught

にほんごチェック　『まるごと　日本のことばと文化』入門（にゅうもん） A1 <りかい>

トピック	か	にほんごで　いいましょう
6. やすみのひ 1 **Holidays and Days off 1**	**だい 11 か** **しゅみは　なんですか** What's your hobby?	・あなたの　しゅみは　なんですか。なにが　すきですか。 What is your hobby? What do you like? ・やすみの　ひは　なにを　しますか。 What do you do on your days off?
	だい 12 か **いっしょに　いきませんか** Shall we go together?	・あなたの　まちでは、どんな　イベントが　ありますか。 What kinds of events are there in your town? ・だれと　いっしょに　いきますか。 Who are you going with?
7. まち **Towns**	**だい 13 か** **どうやって　いきますか** How are you going to get there?	・あなたは　うちから　がっこうまで　どうやって　いきますか。 How do you get from your home to school? ・タクシーで　うんてんしゅに　どんな　ことを　いいますか。 What do you say to a taxi driver?
	だい 14 か **ゆうめいな　おてらです** It's a famous temple	・あなたの　まちは　どんな　まちですか。なにが　ありますか。 What is your town like? What things are there in your town? ・たてものや　ひとの　ばしょを　どうやって　せつめいしますか。 How do you explain where buildings are, and where people are?
8. かいもの **Shopping**	**だい 15 か** **かわいい！** Cute !	・いま　ほしい　ものが　ありますか。 Is there anything that you want to buy? ・どこで　よく　かいものを　しますか。 Where do you often do your shopping?
	だい 16 か **これ、ください** I'll take this	・よく　ようふくを　かいますか。ようふくは　いくらですか。 Do you often buy clothes? How much do clothes cost? ・かいものを　する　とき　みせの　ひとに　どんな　ことを　いいますか。 What do you say to the shop assistant when you do your shopping?
9. やすみのひ 2 **Holidays and Days off 2**	**だい 17 か** **たのしかったです** It was fun	・つぎの　やすみの　ひに　なにを　しますか。 What are you going to do on your next day off? ・せんしゅうの　やすみの　ひに　なにを　しましたか。 What did you do on your last day off?
	だい 18 か **つぎは　きょうとに　いきたいです** I would like to visit Kyoto next time	・さいきん　どこを　りょこうしましたか。どうでしたか。 Where have you been on holiday recently? How was it? ・つぎは　どこに　いきたいですか。 Where would you like to go next?

★☆☆：すこし わかりました I understood a little.　★★☆：だいたい わかりました I more or less understood.　★★★：よく わかりました I understood well.

	きほんぶん	ぶんぽう・ぶんけい	NO	ひょうか	コメント　（年／月／日）
	どくしょが すきです。	☐ が すきです。(L5) ＊	26	☆☆☆	（ ／ ／ ）
	ギターが できます。	☐ が できます。(L3) ＊	27	☆☆☆	
	うちで えいがを みます。	☐ で ☐ ます。(L6) ＊	28	☆☆☆	
	ときどき かいものを します。	ときどき ☐ ます。(L5) ＊	29	☆☆☆	
	どようびに コンサートが あります。	☐ に ☐ が あります。	30	☆☆☆	（ ／ ／ ）
	こくさいホールで えいがが あります。	☐ で ☐ が あります。	31	☆☆☆	
	すもうを みに いきます。	（☐ を） ☐ に いきます。	32	☆☆☆	
	いっしょに こうえんに いきませんか。	いっしょに ☐ ませんか。	33	☆☆☆	
	いきましょう。	☐ ましょう。	34	☆☆☆	
	うちから えきまで バスで いきます。	☐ から ☐ まで ☐ で ☐ ます。(L10) ＊	35	☆☆☆	（ ／ ／ ）
	えきで でんしゃに のります。	☐ で ☐ に のります。	36	☆☆☆	
	くうこうは でんしゃが いいです。	☐ は ☐ が いいです。(L10) ＊	37	☆☆☆	
	はやいですから。	☐ から。	38	☆☆☆	
	ふるい じんじゃ、にぎやかな まち	☐い ☐、☐な ☐	39	☆☆☆	（ ／ ／ ）
	さいたまに ふるい じんじゃが あります。	☐ に ☐ が あります。(L7) ＊	40	☆☆☆	
	えきの となり、きっさてんの まえ	☐ の ☐ (L8) ＊	41	☆☆☆	
	きっさてんは えきの となりに あります。	☐ は ☐ に あります。	42	☆☆☆	
	わたしは きっさてんの まえに います。	☐ は ☐ に います。	43	☆☆☆	
	わたしは アクセサリーが ほしいです。	☐ が ほしいです。	44	☆☆☆	（ ／ ／ ）
	わたしは カーラさんに はなを あげます。	☐ は ☐ に ☐ を あげます。	45	☆☆☆	
	カーラさんは ホセさんに チョコレートを もらいました。	☐ は ☐ に ☐ を もらいます。	46	☆☆☆	
	きょねん にほんで とけいを かいました。	☐ ました。(L17) ＊	47	☆☆☆	
	これは いくらですか。	☐ は いくらですか。	48	☆☆☆	（ ／ ／ ）
	この Tシャツを ください。	☐ を ください。	49	☆☆☆	
	きのう デパートに いきました。	☐ ました。(L15) ＊	50	☆☆☆	（ ／ ／ ）
	かいものは たのしかったです。	☐かった です。	51	☆☆☆	
	デパートは にぎやかでした。	☐ でした。	52	☆☆☆	
	わたしは どこにも いきませんでした。	どこにも／なにも ☐ ませんでした。	53	☆☆☆	
	おてらを みました。それから、おみやげを かいました。	1 。それから、 2 。	54	☆☆☆	（ ／ ／ ）
	おすしは おいしかったです。でも、たかかったです。	1 。でも、 2 。	55	☆☆☆	
	かぶきは きれいでした。そして、おもしろかったです。	1 。そして、 2 。	56	☆☆☆	
	きょうとに いきたいです。	☐たい です。	57	☆☆☆	

＊：同じ文型を使用している課
lesson in which the same grammar is taught

【 協力 】（五十音順・敬称略）

■ **株式会社エレクトロドリーム**

〒 150-0001
東京都渋谷区神宮前 2-2-22 青山熊野神社ビル 5 階

■ **株式会社スポーティフ**

〒 107-0062
東京都港区南青山 3-2-9

■ **株式会社ブレイン**

〒 150-0001
東京都渋谷区神宮前 2-2-22 青山熊野神社ビル B1F

■ **京王バス東株式会社**

〒 183-0055
東京都府中市府中町 1-9 京王府中一丁目ビル 10 階

■ **さいたま市**

http://www.city.saitama.jp/
〒 330-9588
埼玉県さいたま市浦和区常盤 6-4-4

■ **日本交通株式会社**

〒 115-8510
東京都北区浮間 5-4-51

まるごと　日本のことばと文化　入門　A1　りかい

2013年10月1日　第1刷発行
2021年6月20日　第15刷発行

編著者　独立行政法人国際交流基金（ジャパンファウンデーション）
執　筆　来嶋洋美　柴原智代　八田直美
発行者　前田俊秀
発行所　株式会社三修社
〒150-0001　東京都渋谷区神宮前2-2-22
TEL 03-3405-4511　FAX 03-3405-4522
振替　00190-9-72758
https://www.sanshusha.co.jp

印刷製本　萩原印刷株式会社

 Printed in Japan　ISBN 978-4-384-05753-9 C0081